INGE PELEMANS

Als de keukenvloer helt

Manteau

1

Nog voor de zoemer van het automatische slot klinkt, probeert Manon de deur al open te duwen. Ze wil gewoon geen tijd hebben om zich te bedenken. Het overvalt haar vaak als ze eindelijk besluit naar de dokter te gaan. Plots lijkt de pijn die ze dan al dagen voelt minder erg, minder storend, minder een doktersbezoek waard of is de misselijkheid verdwenen, de hoofdpijn vervaagd, de koorts gezakt. Met de duw die ze tegen de deur geeft, voelt ze echter de steek in haar heup heel duidelijk. Ze zucht wanneer ze een tweede keer moet bellen: het elektronische systeem weigert toegang aan ongedurige mensen.

Het is druk in de wachtkamer. Ze kijkt rond op zoek naar een stoel die haar niet tussen twee andere mensen inklemt. Ze haat de fysieke nabijheid van mensen die je opgedrongen wordt door te dicht bij elkaar geplaatste stoelen. Anderzijds zou het verwondering of toch minstens een opgetrokken wenkbrauw opleveren als ze zomaar een stoel een halve meter van iemand vandaan zou schuiven. Mocht iemand het bij haar doen, ze zou onmiddellijk denken dat ze een onaangename lijfgeur had of uit haar mond stonk. In een dokterskamer kom je er misschien nog mee weg door te zeggen dat je hoogstwaarschijnlijk een besmettelijke ziekte hebt. Begrip verzekerd.

Ze gaat op de vrije stoel zitten naast het tafeltje met

voorlichtingsfolders en een enkel exemplaar van een laag-bij-de-gronds roddelblad. Het is het enige papier dat sporen van veelvuldige aanraking vertoont.

Na een uur en een kwart van stiekem gluren over de rand van het weekblad dat gifgroen tot de modekleur van de zomer lanceert, is het kind tegenover Manon de laatste patient voor haar in de wachtrij. Het kijkt dof uit zijn ogen, zittend op mama's schoot, zijn hoofd veilig gesteund door haar borsten. Als de dokter hen binnenroept, laat hij zich gewillig als een lappenpop naar haar heup verschuiven. Als moeder en kind een kwartier later terug zijn, knikt de dokter Manon vriendelijk toe; haar beurt om door de deur met het bordje 'praktijk' te verdwijnen.

'Waar kan ik je mee helpen?' De dokter kijkt haar onderzoekend aan, alsof hij met één blik een diagnose probeert te stellen. Hij is nog jong, draagt geen witte jas of stethoscoop, gewoon een jeans en een hemd. Als ze naar hem kijkt, denkt ze aan Miami Beach. Daar is ze geweest, een zestal jaren geleden. Ze wilde bewijzen dat ze ook als alleenstaande een boeiend leven kan leiden, dat ze geen man nodig heeft. Twee maanden na haar mislukte relatie had ze halsoverkop een vlucht geboekt naar L.A. Ze was er nog nooit geweest. De afstand zat daar voor iets tussen, omdat je een vliegtuig moest nemen. Dat deed ze liever niet alleen. Maar nu werd het een symbool van haar eigenwaarde, het bewijs dat haar leven niet stopte als haar relatie spaak liep. Ze had het als het keerpunt van haar recuperatieproces gezien. Het vliegtuig boeken, haar koffers pakken en helemaal alleen op Miami Beach gaan rollerbladen in een onverantwoord kort afgeknipte jeans en minuscuul topje. Dat laatste had ze daar probleemloos gevonden in een van de talloze kleine winkeltjes en bij thuiskomst had ze het onmiddellijk weggegooid. Zoiets droeg je alleen als je geen bekenden kon tegenkomen.

6

Ze had er zich nochtans goed in gevoeld. Opnieuw verleidelijk. Dat vonden de bruingebrande, Amerikaanse borstkassen die schijnbaar nonchalant met hun cabrio de kustlaan op en af reden ook. Ze had genoten van de platgetreden verleidingsmanoeuvres en het feit dat je perfect kon voorspellen hoe lang de doorsnee Miami-man je achtervolgt bij het joggen: tot tien meter van zijn geparkeerde wagen. Zij ontlenen hun identiteit eraan. Manon had het oppervlakkige *m'as-tu-vu*-leven bespottelijk amusant gevonden en er voor die korte periode immens van genoten.

De dokter zou niet hebben misstaan op het brede strand: gespierd, licht gebruind, aantrekkelijk. Hij had zich misschien wel een andere wagen moeten aanschaffen: hij rijdt met een oude Volvo, weet ze. Hij houdt zijn hoofd een beetje schuin. Manon kijkt van hem weg. Ze moet moeite doen om niet te gaan huilen. Waar komt die drang vandaan? Het gaat goed met haar, op die lastige pijn in haar heup na. Toch? Ze knippert met haar ogen.

'Pijn in je heup? Stekende pijn of eerder een constante pijn?'

'Stekend.' Het gaat beter, nu hij zakelijke vragen stelt.

'Wanneer is de pijn begonnen?'

'Dat is moeilijk te zeggen, ik heb het al een hele tijd, maar het wordt erger. Nu stoort het me echt als ik wandel of loop.' Ze legt nadruk op het woordje 'echt', alsof ze zich genoodzaakt voelt de dokter te overtuigen. Hij knikt slechts en typt enkele woorden in op het toetsenbord van zijn pc. Haar medisch dossier blijft voor haar verborgen achter de achterkant van het scherm. Ze moet zichzelf tegenhouden om het niet bruusk te draaien zodat ze kan lezen wat hij schrijft. Dat ze een hypochonder is? Of lijdt onder een te laag zelfbeeld? Dat ze toe is aan een flinke dosis vakantie? Seks misschien?

'Last van rugpijn?' Ze schudt haar hoofd.

Hij staat op en loodst haar mee naar de onderzoektafel. Hij trekt er een nieuw wit papieren kleedje over en klopt uitnodigend op het uiteinde van de tafel. 'Spring er maar op.' Een belachelijke uitdrukking voor iets waar je vlot op kunt gaan zitten zonder enige springbeweging, maar het ontspant haar.

Met een lichte druk tegen haar schouder doet hij haar gaan neerliggen. Hij beweegt haar been op en neer, opzij en weer omhoog. Ondertussen voelt hij met zijn andere hand op verschillende plaatsen van haar heup. Af en toe vraagt hij of het pijn doet. Het doet geen pijn. Het steekt gewoon af en toe, alsof ze met een lange, hete naald haar heup binnendringen. 'Je pezen zijn overbelast, dat is zeker. De vraag is hoe dat komt. Loop je nog zoveel?' Staat het in haar dossier dat ze loopt of heeft ze het hem ooit verteld en heeft hij het goed onthouden? Ze moet stoppen met zo argwanend te zijn.

'Ik loop nog, ja, maar het doet niet meer of minder pijn of ik nu intensiever loop of niet.' Hij kijkt bedenkelijk terwijl hij naar zijn bureau terugloopt.

'Mag ik eraf?' Hij kijkt op van het computerscherm en knikt afwezig. Ze laat zich van de tafel glijden, maar het witte papier volgt in de beweging. De rol met papiervoorraad vooraan aan de tafel begint gewillig te draaien. Voor ze er erg in heeft, ligt er anderhalve meter papier op de grond. Gegeneerd begint ze het op te rapen, maar dan staat ze hulpeloos met al het papier in haar armen, niet wetend wat ze ermee aan moet. Opnieuw kijkt hij op van zijn computerscherm, maar hij lijkt de hachelijke situatie niet te registreren. Ze legt de hoop dan maar op de onderzoektafel en gaat tegenover hem aan het bureau zitten.

Als de dokter stopt met typen, kijkt hij haar even zwijgend aan. 'Ik wil zeker zijn,' steekt hij van wal, 'ik ga foto's laten nemen en een echografie aanvragen. Die ontstoken pezen lijken te wijzen op een compensatie voor iets. Het is alsof ze harder moeten werken dan goed voor ze is om iets anders dat fout zit op te vangen. Misschien dat we dat op de foto's kunnen zien. Begrijp je?' Ze knikt. Ze is een beetje onder de indruk. Ze heeft dan toch iets. De pijn is er wel degelijk, ze beeldt zich niets in. Contradictorisch genoeg voelt ze opluchting. 'In ieder geval zul je ontstekingsremmers moeten nemen. Je kunt beter ook een afspraak maken met een kinesist. Ik geef je een voorschrift mee.' Ze knikt opnieuw. Daar is die vreemde ontroering weer Ze slikt om de krop in haar keel weg te krijgen. Als iemand zich verzorgend of bezorgd om haar toont, lijkt een snaar te worden geraakt ergens diep in haar binnenste. Het brengt een trilling teweeg die haar aan het huilen maakt. Niet van verdriet, wel van bewogenheid. Ze voelt haarscherp haar kwetsbaarheid en de zorg waarmee ze benaderd wordt. Het is die zorgzaamheid die haar in verwarring brengt. Ze zijn te lief voor haar. Ondertussen belt de dokter met iemand van de ziekenhuisadministratie voor een afspraak. 'Woensdag, veertien uur?' herhaalt hij met een vragende blik naar haar. Zij knikt, vist haar agenda uit haar handtas en schrijft het netjes tussen de lijntjes op.

Hij steekt zijn hand naar haar uit. De verschillende voorschriften in haar handen propt ze snel in haar handtas om nog binnen een redelijke termijn zijn handgebaar te kunnen beantwoorden. 'Ik houd je op de hoogte van de resultaten', belooft hij. 'Dank je' is het enige wat ze zegt voor ze zijn praktijk verlaat en de deur achter zich sluit. Met haar ogen op de grond gefixeerd, loopt ze door de wachtkamer, die nog steeds overvol zit met een nieuwe lichting zieke mensen, binnengedruppeld na haar.

2

Zes jaar eerder

Hij heeft 'meneer Debruyn', zoals iedereen hem moet noemen, nooit gemogen. Meneer Debruyn houdt de schijn op een moderne manager te zijn met oog voor wat hij 'persoonlijk personeelsbeleid' noemt, maar in werkelijkheid is dat niet anders dan achterhaald despotisme. Aan iedereen toont hij zijn openstaande deur, die symbool staat voor de 'vlakheid' van de organisatiestructuur. Hij vergeet er echter bij te vertellen dat, op enkele uitzonderingen na, niemand zijn bureau durft te betreden zonder eerst via mail toestemming te hebben gekregen. Als meneer Debruyn zelf vraagt tot bij hem te komen, gaan de meesten met lood in de schoenen. Hij is een onaangenaam persoon en een onuitstaanbare baas.

Daniël zit tegenover hem voor het jaarlijkse evaluatiegesprek, een verplichting die wél achter een gesloten deur plaatsvindt. Het is niets nieuws wat hij hoort. Ook voor meneer Debruyn ermee op de proppen komt, heeft men hem al vaker empathisch onvermogen verweten. Vaak al lachend, maar meneer Debruyn lacht zelden. Toch niet spontaan. Daniël heeft het moeilijk om in te schatten hoe mensen zich voelen in een bepaalde situatie. Als hij zelf woede voelt, weet hij perfect wat het is: een gevoel dat bij hem als een vloedgolf komt opzetten, waardoor hij vaak de controle verliest over zijn denken en slechts fysiek kan reageren. Hij kent ook verdriet, weet hoe het voelt zo diep gekwetst te zijn dat je er zelfs niet toe komt hard te schreeuwen om het beklemmende gevoel in je borstkas eruit te gooien. Hij is geen beest, geen onmens, hij kent en herkent die gevoelens wel, maar kan ze moeilijker lezen bij andere mensen dan bij zichzelf. Als kind was het hem al opgevallen. Ook zijn ouders hebben het met stijgende verbazing ondervonden. Gaandeweg heeft hij geleerd in de meeste situaties sociaal correct te reageren, maar de realiteit toont zich zo complex dat hij veel fouten maakt. Dan staat hij zich af te vragen wat hem te doen staat, wat hij ook alweer moet zeggen in die bepaalde situatie, alsof de mens een handleiding heeft en het leven gedirigeerd wordt door van tevoren bepaalde scenario's. Tegen de tijd dat hij bijvoorbeeld heeft besloten toch maar voor het universeel troostende gebaar van een schouderklop te gaan, is de persoon in kwestie al kwaad verdwenen met een gevoel van oneindig veel onbegrip. Hij heeft ermee leren leven. Zijn omgeving net iets minder. Zijn collega's en directe meerderen hebben hem op het evaluatieformulier een slechte score gegeven voor de sectie 'sociale integratie'. Meneer Debruyn vindt het een struikelblok, niet het minst omdat ook op andere vlakken zijn werk te wensen overlaat. 'We hebben dan ook besloten je te laten gaan', zegt meneer Debruyn aarzelend, terwijl hij zijn handen in elkaar vouwt en zijn ellebogen op zijn bureau laat rusten. Als een pastoor die ter afsluiting van de eucharistieviering deemoedig de zendingswens uitspreekt. Hij moet opstappen.

Als hij de deurklink vastpakt, wordt Daniël het zweet gewaar dat zich heeft vastgezet in de diepe groeven van zijn hand. De ogen van meneer Debruyn priemen koud in zijn rug als hij de klink naar beneden duwt, zijn hand hard dichtknijpend om ze er niet af te laten glijden. Hij voelt vernedering, een lichte woede ook, die verder opflakkert als hij de veiligheidsagenten ziet die post hebben gevat elk aan een kant van de deur. 'Meneer Verrichte, wij hebben de opdracht u te begeleiden naar uw bureau voor het ophalen van uw persoonlijke spullen, uw wagen in beslag te nemen evenals de sleutels van het gebouw en van de ondergrondse garage. Gelieve ons te volgen, alstublieft.' Synchroon leggen ze beiden een hand op zijn schouder en duwen hem met zachte dwang in de richting van de lift. Zijn – heel binnenkort ex- – collega's blijven even staan in de gang in plaats van hem zoals gewoonlijk ongeïnteresseerd voorbij te lopen; ze kijken hem na zonder mededogen of een geruststellende, misschien wel ondersteunende knik. Uit niets blijkt dat ze het misschien spijtig vinden dat hij zojuist ontslagen is.

***

Hij zet de bak bier met een gedecideerde klap naast de canapé in de woonkamer. De glazen van de avond ervoor staan nog op de tafel, evenals de wijnfles, tot op de bodem leeggedronken. Meer viel er niet uit te halen. Hij laat zich zakken in een hoek van de canapé, maar staat onmiddellijk weer op. Hij loopt naar de keuken door twee versleten houten klapdeurtjes die de woonkamer van de keuken scheiden. Geen saloon met afgesleten barkrukken, de smerige geur van tabak of een glazenpoetsende waard aan de andere kant van de naklapperende luikjes, wel de afwas die ze weer niet heeft gedaan en een ongeschuurde keukenvloer. Hij kan het zien aan de sausvegen die nog steeds op de witte tegels bij het fornuis plakken. De saus had zich met een golfje over de rand van de steelpan geworpen toen ze die eergisteren in één draaibeweging van het vuur op de keukentafel wilde zetten. Ze had zich verontschuldigd en de saus snel opgeveegd met keukenpapier, maar je ziet het nog, omdat ze niet geschuurd heeft. En het was gisteren zondag, een zee van tijd; ze had het gemakkelijk kunnen doen. Hij zucht terwijl hij de keukenkast opentrekt. Gelukkig heeft ze wel boodschappen gedaan. Daniël trekt een blik aperitiefworstjes naar zich toe, bekijkt de houdbaarheidsdatum, die nog in de verre toekomst ligt, en doet pogingen zijn stompe vingers met kort geknipte nagels onder het lipje te wringen zodat hij het blik kan openwippen. Het lukt niet. 'Verdomme!' Hij slaat met het blik op de zijkant van de spoelbak, het laat een kras achter op het met kalk beslagen roestvrij staal. Hij leunt met beide handen op het aanrecht, het blik nog steeds in de hand. Inademen en uitademen. Twee minuten lang staat hij daar. Dan trekt hij de besteklade open, pakt een mes, schuift het onder het lipje van het blik en trekt het met gemak naar boven. Het mes gooit hij in de spoelbak; het gelige sap van de worstjes giet hij erover. Terwijl hij het blik verder opentrekt, loopt hij naar de woonkamer en gaat in de canapé zitten. Het ene worstje na het andere verdwijnt in zijn mond. Hij probeert zijn schoenen uit te trekken, zonder handen, zonder de veters los te maken, met de punt van de ene schoen duwend tegen de hak van de andere. Ze haat het als hij dat doet. 'Je schoenen gaan ervan kapot,' beweert ze, 'ze rekken er helemaal van uit.' Ze komt pas tegen halfzeven thuis, het is nu vijf uur. Met de afstandsbediening flitst hij de televisie aan, hij schuift zijn schoenen onder de bank, legt zijn voeten op de salontafel en gaat onderuit liggen. Gelukkig is er altijd iets om naar te kijken als je digitale televisie hebt. Daar is zij helemaal tegen. 'Je zult niet meer van het tv-scherm los te weken zijn', had ze geredeneerd toen hij de aankoop voorstelde. Hij had het benodigde kastje gewoon laten installeren terwijl ze aan het werk was en zij had zich erbij neergelegd. Uiteindelijk kwamen zulke beslissingen hem toe, vond hij. Hij graait naast zich in de krat bier, neemt het eerste flesje dat zijn vingers vinden, wipt de kroonkurk eraf met de aansteker uit zijn broekzak en drinkt met grote teugen. Bastiaan, de golden retriever, zit kwispelstaartend naast de canapé verwachtingsvol zijn baasje aan te staren. Daniël stopt hem een worstje toe en klopt naast zich op de bank. De hond springt op, gaat naast hem liggen en vlijt zijn hoofd op zijn schoot. Afwezig begint Daniël zijn kop te strelen.

Een sleutel draait in het slot van de voordeur. Ze komt thuis. Daniël gaat niet rechtop zitten, de hond richt zijn kop op. Eén, twee, drie. Drie tellen duurt het eer ze binnen is, dan zal ze haar jas aan de kapstok in de hal hangen, haar tas neerzetten, haar schoenen uitdoen en verwisselen voor haar pantoffels die onder de kapstok klaarstaan. Zo is zij. Voorspelbaar als een koekoeksklok. Daniël kijkt naar de deur. Manon zwaait als op commando de deur open. Bastiaan springt van de bank en plant zijn voorpoten op haar buik. Ze gaat even door haar knieën om hem een ferme knuffel te geven en glimlacht naar Daniël.

'Is hij al buiten geweest?' vraagt ze, zich vaag bewust van de pafferige houding van haar vriend.

'Nee, geen zin, jij kunt het toch ook doen?' blaft hij.

Manons wenkbrauwen schieten de hoogte in, verbaasd. 'Geen probleem, ik doe het wel', sust ze.

'Kun je niet eerst eten maken? Ik verga van de honger.'

Manon merkt nu de lichte vertraging van zijn spraak op, het lispelende van zijn tong. Haar blik registreert snel de lege wijnfles – maar die was van gisteravond –, het lege blikje worstjes en het flesje bier. Je wordt niet dronken van een pilsje. Voorzichtig loopt ze in de richting van de keuken, de hond achter zich aan. Ze ziet naast de canapé de krat bier staan. Manon voelt wrevel opkomen. Ze keert op haar schreden terug, gaat achter Daniël staan en begint zijn schouders te masseren. Op die manier kan ze onopgemerkt de leeggedronken flesjes tellen: veertien, plus één op de tafel.

'Heb je iets te vieren?' Ze laat het vrolijk klinken. Hij schiet in een onnatuurlijke, hikkende lach, schudt er een beetje van.

'Ja, absoluut, ik vier mijn ontslag met onmiddellijke ingang, mijn schandelijke escorte naar de deur, het gedwongen inleveren van mijn autosleutels, de ellenlange treinrit naar huis, het wegvallen van mijn maandelijks inkomen en het hebben van een naïeve vriendin die niet eens opmerkt dat mijn bedrijfswagen niet langer voor de deur staat, die de afwas niet doet, die de keuken niet schuurt en die weigert aan het avondeten te beginnen.'

Ze trekt haar handen terug alsof ze ze verbrand heeft. Hij laat zich vallen op de armleuning van de canapé en reikt naar het zoveelste bierflesje. Het eerste dat hij uit de krat trekt, is leeg. Hij tast zonder te kijken naar een ander.

'Heb je nog niet genoeg gedronken?' oppert ze zacht. Hij draait zich met een ruk om en kijkt haar aan. Zijn ogen zijn waterig, kil.

'Dat bepaal ik zelf wel!'

Het klinkt kinderachtig. Ze kijkt zwijgend toe hoe hij in de krat zoekt naar een vol flesje, het uiteindelijk vindt en op de tafel zet, zich vooroverbuigt en het kroonkurkje er probeert af te wippen met zijn aansteker. Het flesje schiet telkens schuin weg onder zijn handen.

'Kom, laat mij', probeert ze, en ze loopt al om de bank heen.

'Nee, laat dat!' zegt hij fel. 'Ik kan dat perfect zelf', voegt hij eraan toe en hij zet met een harde klap het flesje recht op de salontafel voor een volgende poging. De bodem van het flesje breekt, het bier stroomt over de tafel op de grond.

'Verdomme, kloten!'

Hij houdt het bodemloze flesje in zijn handen als hij weer in de sofa onderuitzakt en herhaalt: 'Verdomme!' Stiller nu.

Manon krijgt hevig medelijden met hem. Ze gaat naast hem zitten en streelt voorzichtig over zijn haar. Hij lijkt in gedachten verzonken als hij met zijn vinger over de afgebroken rand van het flesje cirkeltjes begint te draaien. 'Je zult je snijden', fluistert ze.

Het is te laat, op het topje van zijn wijsvinger welt het bloed reeds op. Hij lijkt het niet op te merken, blijft cirkeltjes trekken. Manon haalt voorzichtig zijn vinger van het glas af, pakt het flesje uit zijn hand en legt het op de tafel. 'Wat gaan we nu doen?' vraagt ze zich hardop af. 'Hoe kunnen we nu op zoek gaan naar een nieuwe woning zonder geld?' Maar ze wist direct dat ze het verkeerde thema had aangesneden.

Een nieuwe woning, daar spraken ze nu al geruime tijd over. Kopen zat er niet echt in, daarvoor verdienden ze niet genoeg, maar een andere, grotere huurwoning – met twee slaapkamers zodat er ruimte was voor een bureau en de pc niet langer in de woonkamer hoefde te staan – kon wel. Tot voor kort dan. Een goed uitgeruste, warme keuken wilde ze ook, niet het tochtgat met hellende vloer dat nu voor keuken doorging.

'We blijven hier wonen.'

Daniël lijkt te ontwaken. Hij stelt geen vraag, hij tast niet af, hij is niet uit op overleg, hij poneert.

'Maar we kunnen toch naar iets anders op zoek gaan voor ongeveer evenveel geld als dit? Dan maar zonder tuin of met kleine kamers', probeert ze.

'We blijven hier wonen', zegt hij met aandrang.

'Dit is een krot.'

'Het is géén krot.'

Manon spreekt hem tegen: 'Het is wél een krot! We hebben alleen in de woonkamer verwarming, het is steenkoud in de keuken en de vloer van de keuken helt als de kombuis van een varend schip. Bovendien zijn de muren zo dun dat je de buren kunt horen ademhalen aan de andere kant.'

Hij staat wankelend op, houdt zich in evenwicht door de leuning van de bank vast te grijpen, kijkt haar recht aan en zegt nogmaals: 'We blijven hier wonen en ik wil er geen woord meer over horen! We hebben trouwens een tuin nodig.'

Een steeds weerkerende discussie die nooit echt gevoerd wordt. Manon had niet bij hem willen intrekken omdat ze zijn gehuurde arbeiderswoning slecht onderhouden vond: 'elementaire luxe', zoals zij het noemde, was er niet. Ze doelde dan onder meer op een bad of centrale verwarming in het hele huis. Haar flat had dat wel gehad. Daniël had haar weinig keuze gelaten. De tuin was nodig voor Bastiaan, dus kon ze kiezen: bij hem wonen zonder haar zogenaamde elementaire luxe of haar flat houden, maar dan zonder hem. Daarmee was voor hem de kous af. Ook nu zet hij een punt achter de discussie: 'Ik ga met de hond wandelen; maak jij het avondeten.'

Misschien voelde ze daarnet nog medeleven, maar nu al niet meer. Integendeel. Woede komt in de plaats. Hij kan haar niet bevelen wat te doen! En als zij wil verhuizen, dan zouden ze daar toch minstens over moeten kunnen praten! Bovendien zal het binnenkort alleen zij zijn die geld binnenbrengt. Dan is het toch aan haar om te beslissen aan welke woning ze dat wil uitgeven? Hoe gaan ze dit trouwens bolwerken? Zij verdient niet genoeg om de hele huur in haar eentje te dragen, laat staan om ook zijn aandeel van de dagelijkse huishoudkosten – de salami op het bruine brood – op te hoesten. Hij moet ander werk zoeken, zo snel mogelijk! Hij kan hier niet lam zitten kniezen met een krat bier in zijn lijf en dan besluiten met de hond te gaan wandelen!

Haar verontwaardiging bouwt zich op in haar hoofd terwijl hij de lijn aan Bastiaans halsband vastklikt. Daniël trekt de hond bruusk mee de gang in. Zijn pas is allesbehalve stabiel.

'Je doet onze hond pijn, laat dat!' bijt ze hem toe. Het komt er harder uit dan ze had gewild. Een ongecontroleerd gevolg van de verbolgenheid die zich in haar hoofd heeft opgestapeld. Hij blijft in de gang staan, met zijn rug naar haar toe.

'Wat zei je?'

Ze slikt en herhaalt: 'Je doet Bastiaan pijn door zo aan zijn lijn te trekken, doe het toch wat rustiger aan.'

'Dat zei je niet.' Hij staat nog steeds met zijn gezicht naar de deur. Ze kan niet inschatten waar hij naartoe wil, noch waar het hem om te doen is. Laten varen, Manon, denkt ze bij zichzelf.

'Herhaal wat je hebt gezegd!'

Hij heeft zich nu omgedraaid; ze ziet de woede in zijn gezicht. Oh mijn god, denkt ze, wat is hier aan de hand?

'Ik weet niet meer precies wat ik zei,' stamelt ze, 'ik begrijp ook niet waarom dat zo belangrijk voor je is.'

Hij zet twee passen in haar richting. Onwillekeurig deinst ze achteruit, hij maakt haar bang.

'Je zei "onze" hond.' Manon kijkt hem niet-begrijpend aan. '"Onze" hond', herhaalt hij. Er komt een beetje spuug mee, dat hij snel van zijn mond veegt. 'Bastiaan is MIJN hond en over MIJN hond heb je niets te zeggen! Ook niet als ik zin heb om hem aan zijn lijn mee te trekken.' Daniël geeft opnieuw een flinke snok aan de riem om zijn woorden kracht bij te zetten. Bastiaan jankt kort en gaat vervolgens vlak naast de voeten van Daniël zitten om de lijn zo veel mogelijk speling te geven. Hij kijkt Daniël aan alsof hij wil vragen of het dat is wat hij van hem verwacht. 'IK ben zijn baasje, IK, niet jij.'

De onbedwingbare wil om zich te laten gelden, was bij hem opgekomen zodra Manon de woonkamer binnenkwam. Ze zag er mooi uit, zijn vrouw, zoals ze daar op haar hurken de hond aan het knuffelen was in haar kakigroene rok, die zwierig om haar stevige bovenbenen hing. Haar benen vindt hij prachtig. Ze loopt vaak en dat geeft haar van nature lange benen iets pezigs. Dat had ze ook gisteren gedaan: gaan lopen in plaats van de keukenvloer te schrobben. Het is trouwens nonsens dat de vloer van de keuken helt. Zij moet maar eens stoppen dit steeds opnieuw op te rakelen. Het maakt hem kwaad. Ze begrijpt het vernederende ontslag niet. Hij wordt nog drie maanden betaald en dan gaat de geldkraan dicht. Wat valt daar niet aan te begrijpen? Hij weet wel dat ze van plan waren te verhuizen. Het kan nu simpelweg niet meer. Hij is ontslagen en – toegegeven – bang. Bang voor de onvoorspelbaarheid van wat komen gaat. Hij haat het als hij de touwtjes niet langer in handen dreigt te kunnen houden.

Hij grijpt hardhandig haar bovenarm en sleurt haar mee naar buiten. Manon stribbelt tegen. De afgesleten zolen van de pantoffels helpen haar niet.

'Wat doe je nu? Ik wil niet mee gaan wandelen.'

'We gaan niet wandelen. Ga jij daar staan.' Hij wijst naar een denkbeeldig punt verder in de straat.

'Daniël, wat wil je nu?' Manon voelt een vreemde paniek, vermengd met wrevel en onderdrukte boosheid. Ze heeft geen idee wat Daniël van plan is. Hij is dronken, koud en onherkenbaar dominant. Hij antwoordt niet, maar wijst opnieuw: 'Daar.' Gehoorzaam loopt ze de straat op, ongeveer honderd meter in de richting die hij aangewezen heeft.

Ze hoeft niet bang te zijn voor auto's: in de doodlopende Warandelaan, waar hun woning staat, komen nagenoeg geen voertuigen. Er woont ook bijna niemand, op enkele oudere mensen na. Als ze in een goede bui is, doet ze boodschappen voor Celine, het verrimpelde vrouwtje dat naast hen woont. Als ze de boodschappen bij haar brengt, krijgt ze steevast wat extra geld toegestopt. 'Om een snoepje mee te kopen', zegt ze dan in haar dialect, tandeloos glimlachend. Het ontgaat haar dat Manon geen kind meer is dat beloond wil worden voor goed gedrag. Haar vals gebit doet ze zelden in, zeker niet als ze gewoon thuis voor het raam zit. 'Het knelt', is haar uitleg, alsof ze het over een nieuw paar schoenen heeft. Ze mag het oudje wel, ook al klaagt ze steevast over haar kapotte knieën als ze even binnenwipt. Toen haar echtgenoot nog leefde, was hij het onderwerp van haar klaagzang. Terecht, vond Manon. Maurice was op het einde van zijn leven een meedogenloze tiran, onbewust weliswaar, maar toch. Celine had hen eens midden in de nacht opgebeld. In tranen, het arme mens. Maurice was uit bed gesukkeld en zich volledig gedesoriënteerd beginnen aan te kleden. Hij had er geen idee van dat het midden in de nacht was. Celine probeerde hem aan zijn verstand te brengen dat het nog geen tijd was voor het ontbijt. Ter illustratie trok ze de rolluiken op om hem – als was hij een kleuter – te laten zien dat de zon nog niet scheen. Hij had haar niet willen geloven en was toch op zoek gegaan naar zijn bretellen, die hij al lang niet meer droeg omdat hij zijn dagen doorbracht in zijn pyjama. Die was gemakkelijker te verversen als hij in zijn broek had gedaan. Hij weigerde incontinentieluiers te dragen, hij was immers geen baby. Dat het de dagtaak van zijn Celine onhoudbaar zwaar maakte, hadden zowel Daniël, Manon als de thuisverpleegster hem proberen uit te leggen, zonder enig resultaat. Uiteindelijk had hij zijn bretellen gevonden in de lade van de voleiken kleerkast, een kast die veel te zwaar en te groot was voor de benauwende slaapkamer van het oude stel. Maar een erfstuk van de familie sta je niet zomaar af. Maurice slaagde erin met zijn trillende vingers de bretellen vooraan aan zijn pyjamabroek vast te klippen. Voor de achterkant vroeg hij Celines hulp. Die weigerde. Het was immers midden in de nacht. Het was tot een handgemeen gekomen. Uiteindelijk had Maurice zijn evenwicht verloren en was hij tegen de grond gegaan. Dat was het moment waarop Celine hun had gebeld: ze kon hem onmogelijk terug in bed krijgen met haar kapotte knieën. Haar heupen waren bovendien ook niet al te goed meer, wisten ze dat? Manon probeerde Celine beneden met een kop thee te kalmeren, terwijl Daniël boven Maurice hielp met zijn bretellen en het scheren van zijn baard, want opstaan zou hij. Daniël had zich een volleerde bejaardenhulp getoond. Manon daarentegen moest tijdens het verhaal van Celine constant op haar lip bijten om het niet uit te proesten. Ze zag die twee oudjes al vechtend voor zich in hun – uiteraard totaal oubollige – nachtgewaden. Maurice droeg zelfs nog een slaapmuts. Na die bewuste nacht had het niet lang meer geduurd voordat Maurice zijn longen volledig vol water liepen en zijn lichaam het had opgegeven. Celine had zich schuldig gevoeld over haar gevoel van opluchting. Het verdriet om zijn verlies had ze jaren daarvoor reeds gehad, toen hij langzaam was weggegleden uit de werkelijkheid. Vanaf dat moment was ze weduwe geworden, zijn dood had daar weinig aan toegevoegd. Ze zou ook nu wel aan het raam zitten staren naar de leegte van de straat. Het langskomen van de postbode is voor haar het hoogtepunt van de dag en o wee als hij later is dan gewoonlijk. Ze zwaait als Manon het raam passeert; Manon zwaait terug.

Met een 'Het is ver genoeg', laat Daniël haar stoppen. Ze draait zich om en ziet Daniël tegenover haar staan. Hij is in de tegenovergestelde richting gelopen en staat nu eveneens in het midden van de straat. Er ligt ongeveer tweehonderd meter asfalt tussen hen in, schat ze. Het geeft haar een veilig gevoel.

'Roep de hond', beveelt Daniël haar terwijl hij de lijn losmaakt.

Manon roept gedwee: 'Bastiaan kom hier!' Als een pijl uit een boog schiet Bastiaan bij Daniël vandaan en rent haar richting uit. Als hij zijn voorpoten op haar buik plant, krijgt hij een aai op zijn kop.

'Ja, goed, breng hem nu ongeveer naar het midden, tussen ons beiden in', roept Daniël.

'Daniël, wat wil je nu in godsnaam...', probeert ze, maar Daniël onderbreekt haar.

'Doe het!'

Ze loopt in zijn richting. Celine heeft ondertussen het raam opengemaakt.

'Zijn jullie met de hond aan het spelen?' vraagt ze. Manon knikt en probeert zorgeloos te glimlachen. Celine glimlacht goedkeurend terug: 'Ik doe het raam maar gauw weer dicht, de koude is niet goed voor mijn knieën', verklaart ze. Manon knikt opnieuw. Celine sluit het raam en steekt nog even haar hand op ten teken dat ze nog steeds aanwezig is en van plan om vanachter het raam alles op de voet te volgen. Manon laat Bastiaan zitten in het midden van de straat en loopt dan terug naar haar plek. Bastiaan blijft verwachtingsvol ter plaatse.

'Wat nu?' roept ze naar Daniël.

'Roep hem!'

Manon zucht en roept Bastiaan. Onmiddellijk begint Daniël de hond eveneens te roepen. Bastiaan kijkt van de ene naar de andere, kwispelstaartend. Voor hem is dit gewoon een leuk spelletje. Was dit voor haar ook maar zo. Dit is te gek voor woorden, denkt Manon, hou ermee op, laat hem zijn hond roepen. Stop ermee. Maar ze heeft geen zin om toe te geven. Dit gaat immers niet om de hond. Ze blijft Bastiaan roepen. Bastiaan blijft lange tijd gewoon zitten, kijkend van de ene naar de andere. Dan staat hij op, onmiddellijk begint Daniël harder te roepen, lief, flemend. Gehoorzaam zet de hond koers in Daniëls richting, zonder veel overtuiging. Manon roept nogmaals luid zijn naam, al meent ze dat het niet veel zin meer heeft. En wat dan nog? denkt ze bij zichzelf, het is ook werkelijk zijn hond. Plots draait Bastiaan zich om en loopt opnieuw vol overgave naar Manon om met zijn poten op haar buik te eindigen. Ze glimlacht even, maar kijkt dan angstig op naar Daniël. Ze kan van zover de blik in zijn ogen niet zien. Ze vermoedt dat hij kwaad of teleurgesteld is. Ze roept hem. Hij draait zich om en loopt de straat uit zonder iets te zeggen.

Als ze uiteindelijk gegeten heeft, kijkt ze voor de duizendste keer op de klok. Het is ondertussen bijna negen uur en Daniël is nog steeds niet terug. Hij beantwoordt zijn gsm niet. Dan moet hij het zelf maar weten, vindt ze boos, en ze ruimt zijn bord en bestek af. Eigenlijk is ze opgelucht dat hij niet in de buurt is. Ze kan zich eindelijk ontspannen. De afwas laat ze voor wat hij is. Ze zet het elektrische verwarmingstoestel in de badkamer aan. Nog zo een discussiepunt. Het vuurtje verbruikt verschrikkelijk veel energie en is bovendien gevaarlijk in de badkamer, vindt hij. Zij is echter niet van plan zich in de koude te douchen. Uit heimelijke genoegdoening zet ze het op de maximumtemperatuur. Het begint knisperend oranjerood te gloeien terwijl zij zich langzaam uitkleedt en alvast de kraan openzet zodat het water warm is wanneer ze onder de straal haar haren natmaakt.

Hij heeft nog maar enkele passen gelopen wanneer Daniël beseft dat hij zich vreemd, of toch op zijn minst kinderachtig gedraagt. Maar hij is nu eenmaal beginnen te rennen en wil nu niet stoppen, niet toegeven. Het is een kutwijf. Hij is boos op haar, niet op Bastiaan. Als ze niet net iets harder had geroepen met die vreemde bijklank in haar stem toen de hond naar hem op weg was, dan had hij zich vast niet omgedraaid en was hij gewoon naar hem toe gekomen. Zoals het hoort. Hij was immers de baas. Zijn hoofd begint te suizen van het rennen en de alcohol. Hij stopt hijgend en leunt tegen de gevel van een huis. Waar naartoe? In ieder geval even niet naar huis. Het is nog niet zo laat en hij hoeft er morgen niet uit. Hij kan gerust nog een pilsje gaan drinken in De Rechte Lijn, een dorpscafeetje vol oude en nog oudere mannen, zelfgerolde sigaretten, een darts en een toppenbiljart met neonverlichting. Ze schenken er glazen bier van 33 centiliter en je hoeft niet te praten als je aan de bar gaat zitten.

Het is al na middernacht als ze gestommel hoort in de gang, er valt iets zonder te breken. Ze doet alsof ze nog slaapt. Niet veel later kruipt hij naakt naast haar. De overdonderende geur van bier doet haar bijna kokhalzen. Ze draait zich van hem weg. Hij kruipt tegen haar aan. 'Sorry', lalt hij terwijl zijn hand onder haar nachtkleed naar haar warme borst zoekt. Hij begint haar tepel te kneden, het doet pijn. Als ze niet meteen reageert, wringt hij zijn andere hand onder haar zij en begint haar buik en schaamhaar te strelen. Met lichte dwang draait hij haar naar zich toe. Ze heeft geen fut meer om te weigeren, haar benen spreiden is nu eenmaal gemakkelijker dan 'nee' te zeggen. Ze wacht tot hij kleverig klaarkomt, haar gezicht afgewend, starend in het donker. Als hij nahijgend van haar afkruipt en naast haar neervalt op zijn kussen, bedenkt ze dat ze morgen voor het werk opnieuw een douche zal moeten nemen. Ze zal dan zonder twijfel het elektrische verwarmingstoestel opnieuw op de maximumtemperatuur zetten.

3

'Er is voorzichtigheid geboden, dat is alles.' Manon vindt het vervelend als ze voelt dat mensen haar proberen gerust te stellen. Het doet slechts de argwaan toenemen. De resultaten van de foto's en echografie zijn binnengekomen. Dokter ik-missta-niet-op-Miami Beach heeft het over opklaringzones die verder onderzoek behoeven. Manon wil dat hij het haar helemaal uitlegt, zijn terughoudendheid laat varen. Uiteindelijk blaast hij het eruit: 'Potentieel kanker', na een ellenlange inleiding over niet in paniek raken en niet te snel conclusies trekken. Potentieelkanker. Hij spreekt de twee woorden zo snel na elkaar uit dat het om de naam van de ziekte lijkt te gaan en niet om de mogelijkheid dat ze kanker heeft. Nu legt hij de foto's voor haar neer en begint op lichtgrijze, grijze en zwarte zones te wijzen, uit te leggen waarom de diagnose is zoals ze is: potentieelkanker.

'Je moet niet meteen het ergste denken.' Daar is hij weer met dat zinnetje.

'Maar het kan om botkanker gaan?' vraagt ze.

'Botkanker komt zelden voor... zeer zelden', voegt hij er quasi mijmerend aan toe. Manon wacht af; de zin leek haar immers nog niet ten einde. Het duurt lang, ze ziet hem ademhalen en dan durft hij te zeggen: 'Het zou dus eerder gaan om uitzaaiingen van een andere kanker. Maar het is onwaarschijnlijk,' haast hij zich eraan toe te voegen, 'het zal wel iets volkomen onschuldigs zijn, maar zoals ik al zei, is voorzichtigheid geboden. En daarom zijn bijkomende testen noodzakelijk, te beginnen met een bloedafname en een scintigrafie. Op die manier kunnen we nagaan of er zich vreemdsoortige activiteiten in het lichaam afspelen.' Hij slikt hoorbaar. 'Op basis van de resultaten daarvan kunnen we uitsluitsel geven.' Hij laat zich tegen de leuning van zijn bureaustoel vallen, opgelucht dat hij het slechte nieuws met voldoende verzachtende woorden heeft kunnen omzwachtelen. Manon vindt zijn boodschap ergerlijk tegenstrijdig: hij maakt zich zorgen, maar zij mag dat vooral niet doen. Bovendien is de pijn er nog steeds, misschien zelfs erger dan voorheen, dieper eigenlijk. Hij fronst zijn wenkbrauwen als ze het hem vertelt. Wat wil dat zeggen? Is dat een goed teken? Of juist niet? Gaat ze dood aan kanker? Ze zit aan zijn bureau in zijn praktijk en probeert van zijn gezicht een antwoord af te lezen dat ze niet krijgt. In plaats daarvan legt hij omstandig uit wat haar te wachten staat bij de scintigrafie. Ze luistert nauwelijks. Wat kan het haar schelen, ze zal het wel merken als het zover is. Het maakt toch ook verdomd weinig uit of ze het wel of niet weet. Die onderzoeken gebeuren toch. Of zouden er mensen zijn die een dokter op een ogenblik als dit tegenspreken of nog even bedenktijd vragen? Het is nauwelijks denkbaar. Je lichaam behoort aan de dokter toe zodra je de drempel van zijn praktijk overschrijdt. Ze zou eruit willen stappen, uit dat lichaam, er afstand van doen. Ze voelt zich niet ziek, dat kan niet, zij is het niet, het is haar lijf.

Toen ze vijf jaar was, is ze erg ziek geweest. Het was een klassieke griep, maar door de hoge koorts voelde ze zich erg ziek. Ze was bang van de hitte die ze uitstraalde, het zweet op haar onderrug, haar rode oren. Haar mama kwam regelmatig haar gezicht en handen wassen met een washandje in de vorm van een hond. Het koude water deed deugd. Even later volgde dan de thermometer en het glas suikerwater met een beetje citroen. Er lagen nieuwe boeken naast haar bed, die haar zus in de bibliotheek in het dorp had gehaald, maar ze had niet de fut erin te kijken. Mama had haar willen voorlezen, maar met haar doffe hoofd kon ze zich niet concentreren op het verhaal. Na drie dagen was de koorts nog niet verdwenen en kwam de huisdokter opnieuw. Hij ging op haar bed zitten en vertelde knotsgekke verhalen over zijn vriend Steti, de stethoscoop, terwijl hij haar longen beluisterde. Steti kon nooit zijn mond houden en gaf de dokter constant zijn mening over wat hij hoorde zodra het ronde membraam ergens op een borstkas of rug werd geplaatst. Erg lastig vond de dokter dat, want op die manier verstoorde Steti de werkelijke longgeluiden die hem een idee moesten geven over de gezondheid van zijn patiënt. Manon had hartelijk om de gespeelde ergernis gelachen, ook al deed dat pijn. Na zijn onderzoek had de dokter uitgelegd dat er oorlog was uitgebroken in haar lichaam: witte bloedcellen waren slaags geraakt met een hele horde indringers. Hij had gehoopt dat het vechten niet zoveel tijd in beslag zou nemen, maar blijkbaar waren de indringers talrijk en de witte bloedcellen moesten zich harder verweren dan voorzien. Manon had ernstig geknikt. Ze zag het helemaal voor zich: een bloederig gevecht tussen de goeden en de slechten. 'Je lichaam is dus erg in de weer. Daarom moet jij je rustig houden zodat ze daarbinnen ongestoord kunnen uitvechten wie de sterkste is', zei hij terwijl hij naar haar borstkas wees. Hij had Manon en haar lichaam als twee aparte entiteiten voorgesteld. Het had geholpen terwijl ze die lange uren in bed lag en zich ellendig voelde: haar lichaam was voor haar aan het vechten. En nu wordt dat lichaam opnieuw belaagd. Door potentieelkanker.

De dokter rolt zijn zwartlederen stoel achteruit en staat op.

'Laten we beginnen bij het begin en wat bloed afnemen.' Hij loopt naar de onderzoektafel en klopt zijn klassieke klopje op het witte papier ten teken dat ze erop mag plaatsnemen. Verdwaasd volgt ze hem. Geroutineerd stroopt hij haar mouw op, draait haar arm en klopt even op de binnenkant van haar ellebooggewricht, spant met een vrolijk gekleurde band haar bovenarm af en zoekt een ader naar zijn zin tussen de blauwe bloedleidingen die zich langzaam aan het huidoppervlak aftekenen.

'Als ik kanker zou hebben...' begint ze bijna fluisterend, 'ga ik dan snel dood?' Hij kijkt haar even aan maar moet geschrokken zijn van de bange uitdrukking op haar gezicht, want hij kijkt meteen terug naar de naald die gulzig bloed uit haar arm zuigt.

'Het is nog wat vroeg om hierover te praten én voorbarig', benadrukt hij.

'Ja, maar wat áls het zo is?' Ze heeft het plots moeilijk haar arm stil te houden. Ze wil hem wegtrekken en tegen hem schreeuwen dat hij wel toeschietelijker mag zijn, dat hij informatieplicht heeft en zijn werk naar behoren moet uitvoeren. Of weet hij misschien niet dat er mensenlevens op het spel staan! Wel?!

'Druk hier maar even.' Ze krijgt een prop watten in haar hand die ze op het minuscule gaatje mag duwen waar zojuist de naald nog stak. De doorzichtige buisjes met bloed laat hij in een plastic zakje glijden dat hij achteloos op de hoek van zijn bureau legt. Moet dit nu niet als de bliksem naar een lab voor onderzoek?

'Stel dat we ongewone metabole activiteit vaststellen.' Hij zegt niet: 'dat je kanker hebt'. Het klinkt onpersoonlijk. Alsof hij een onweersbui voorspelt waar ze spijtig genoeg middenin zal komen te zitten. Alsof het niet gaat over een leger kwaadaardige cellen dat in haar lichaam huist. In háár lichaam, in háár botten, maar oncontroleerbaar. Ze probeert zich haar lichaam opnieuw toe te eigenen, de scheiding ongedaan te maken, maar het lukt niet. Ze wil het nu niet kennen. Haar hoofd stoot het af. 'Dan hangt alles af van het stadium waarin de ziekte zich bevindt en volgt er een nieuw onderzoek.' Opnieuw geen eenduidig antwoord. Manon heeft het gehad. Kotsmisselijk wordt ze van de bochten die de dokter neemt.

'Natuurlijk', zegt ze.

'Wacht nu maar gewoon de testresultaten af.' Met een alles-komt-goedglimlach en zijn warme, ontsmette hand op haar schouder begeleidt hij haar naar de deur. Buiten loopt ze onmiddellijk naar de stoeprand en geeft over in het rioolputje.

***

Ze belt aan en steekt dan de sleutel in het slot. Ze weet eigenlijk niet waarom ze zichzelf zo aankondigt. Om de nog niet ontdekte minnares nog de kans te geven in de kast te kruipen? Om Giel het signaal te geven het aperitief in te schenken? Hij is vaak niet eens thuis als ze arriveert. Vandaag wel, ze is laat. Terwijl ze haar hoge schoenen verwisselt voor de gezellige pantoffels die klaarstaan aan de kapstok, gaat de deur open. Giel komt de gang in, legt zijn handen rond haar middel en kust haar in de nek.

'Je bent laat', constateert hij.

Manon knikt.

'Ik had nog een afspraak', verklaart ze vaag.

'Je had even kunnen bellen.' Het klinkt in het geheel niet als een verwijt. Toch wordt ze kregelig, al doet ze haar best het niet te laten merken. 'Ik ben al aan het eten begonnen.

Ik wist niet wat je wilde klaarmaken deze avond dus ik heb mijn creativiteit de vrije loop gelaten.'

Wat zij wilde klaarmaken?

'Waarom ga je ervan uit dat ik iets in mijn hoofd had voor het diner?' Manon volgt hem naar de keuken terwijl ze geergerd verdergaat: 'Je mag gerust bij tijd en wijle zelf de koelkast opentrekken en ons avondeten voorbereiden.'

'Dat heb ik dus gedaan', sust Giel, terwijl hij de klapdeuren naar de keuken voor haar openhoudt. De keukentafel is al gedekt. Ze slikt haar ergernis in. Giel roert paddenstoelen om in de wok. 'Ik wilde wat van die woknoedels maken, maar heb geen idee hoe je eraan begint.'

'Volg de instructies op de verpakking', zegt ze vermoeid terwijl ze zich op een keukenstoel laat zakken, haar ellebogen aan weerszijden van het klaarstaande bord zet en haar hoofd in haar handen laat rusten. Ze heeft hoofdpijn. Een teken? Zachtjes draait ze met haar wijs- en middenvinger rondjes op haar slapen. Potentieelkanker. Het dendert door haar hoofd.

'Is er iets?' Giel kijkt haar vragend aan. Wat kan ze hem vertellen? Dat ze misschien doodgaat aan een niet nader bepaalde kanker? Dat het misschien al uitgezaaid is tot in haar botten en een behandeling dus nog weinig zin heeft? Dat hij dan maar beter op zoek kan gaan naar een andere vrouw die wel blijft leven?

'Nee, alleen moe.' Hij knikt en richt zijn blik weer op de tekst op de verpakking van de woknoedels.

'Zullen we dit weekend naar een ander huis gaan kijken? Ik heb een paar interessante advertenties in de krant gezien, eentje heeft zelfs een klein dakterras, geweldig toch?' Manon schudt haar hoofd. Toch maar liever niet. Ze voelt opnieuw haar maaginhoud langs haar slokdarm omhoog kruipen.

'Waarom niet?'

Omdat ze misschien kanker heeft en misschien doodgaat en het dan geen reet verschil maakt of het in dit krot is of elders.

'Ik heb gewoon geen zin om me daar nu mee bezig te houden.' Giel trekt zijn wenkbrauwen op.

'Ik dacht dat je er juist zo op gebrand was?'

'Hou erover op, wil je!' Ze kan zich niet langer inhouden, schuift haar stoel bruusk achteruit, staat op en loopt de keuken uit en de trap op naar de slaapkamer die ze nu al een hele tijd delen.

Het duurt niet lang voor Giel de slaapkamer binnenkomt en haar op het bed vindt.

'Weet je zeker dat je gewoon moe bent?' Hij gaat op de rand van het bed zitten en streelt haar been.

'Ik ben gewoon moe!' verzekert Manon hem bits.

'Kom je naar beneden om te eten?'

'Geen honger.' Dat klopt, de misselijkheid is niet weggeëbd. Ze is kortaf, ze wil hem niet in de buurt, niet in de buurt van haar en haar potentieelkanker.

'Zal ik wat noedels naar boven brengen?'

'Giel, laat me gewoon met rust, ik wil alleen zijn, snap je dat niet?' Ze zou niet moeten schreeuwen, maar doet het toch. Giel staat op.

'Ik begrijp het niet,' verdedigt hij zich, 'ik wil je gewoon helpen.'

'Ik heb je hulp niet nodig, ik kan wel voor mezelf zorgen', bijt ze hem toe, alsof ze zichzelf er meteen ook van wil overtuigen. Het is voldoende om Giel weer naar beneden te laten gaan.

Wat als ze dood zou gaan? Zou hij om haar huilen? Hij is niet iemand die gauw zijn emoties laat zien, maar misschien wordt het hem toch te veel op de begrafenis. Hij zal dan wel gevraagd worden iets over haar te zeggen. Haar ouders zouden daarop staan. Hij zou vertellen wie ze was, hoe ze was, dat ze schoenen kocht zodra ze geld op haar rekening had staan en het niet kon verdragen dat hij zijn schoenen niet in de kast zette of boos werd als hij zijn handen niet eerst warmde alvorens haar onder de dekens aan te raken. Iedereen zou lachen. Tegenwoordig is het niet langer mode over de doden niets dan goeds te vertellen. Ze moeten mensen blijven, hun gebreken horen er nu ook bij. Dan herkent iedereen spijtig zuchtend de overledene als iemand die werkelijk geleefd heeft. Ongetwijfeld zou hij ook iets zeggen over wat ze nog van plan waren te doen samen, wat er gebeurd zou zijn als haar lichaam het niet had opgegeven. Dan komen meestal de tranen, want het is onrechtvaardig dat het niet heeft mogen zijn. Anderzijds blijven plannen vaak gewoon plannen, ook zonder een ziek lijf.

4

Zes jaar eerder

Hij zit er al, aan de tafel, met een leeg Duvelglas voor zich. Manon schuift tegenover hem op een stoel. Hij glimlacht naar haar terwijl hij met zijn linkerhand de voet van het glas heen en weer draait. 'En?' spoort ze hem aan. Geen geluk tijdens de zoektocht naar een baan. Praat hij nu alweer dubbel of beeldt ze het zich in? De barman haalt het lege glas weg en zet een ijsgekoeld vol glas in de plaats. Daniël kijkt niet naar hem op, zegt geen 'dank u', maar omklemt onmiddellijk de voet van het nieuwe glas met liefde, alsof het afscheid van het vorige glas pijn deed en het nieuwe de pijn verzacht. Als de barman vragend in Manons richting kijkt, bestelt ze een witte wijn. Daniël pakt zijn glas op en klinkt ermee in de lucht onder het gevleugelde woord 'gezondheid'. Manon draait zich om. Een man aan de bar knikt Daniël toe en heft eveneens zijn half leeggedronken bierglas.

'Een vriend?' Daniël laat zijn hoofd weer zakken.

'Niet echt, ik heb daarnet even met hem gepraat.'

'En hoe lang is "daarnet" geleden?' Ze doet haar best in het geheel geen argwaan te laten doorklinken. Het lukt. Hij kijkt glimlachend op.

'Ik ben hier al even om op jou te wachten.' Nu kun je het duidelijk horen, de tong die telkens even struikelt over de laatste woorden van de zin. Hij is hier al even. 'Hij heeft net als ik zijn baan verloren. We hadden iets om over te praten.' Manon knikt begrijpend, maar voelt zich allerminst begripvol.

Daniël pakt haar hand. Manon doet haar best hem niet weg te trekken. Hij begint met haar vingers te spelen en kijkt haar een beetje glazig aan. Zijn ogen schieten altijd even weg, alsof het pijnlijk is haar recht in de ogen te kijken. Hij is zichtbaar dronken. Zijn melige gedrag en de blik in zijn ogen verraden hem.

'Zullen we gaan?' vraagt ze terwijl ze haar halfvolle glas wijn in een paar slokken leegdrinkt.

'Je bent boos omdat ik geen baan vind.' Hij drinkt nog snel enkele slokken van zijn Duvel. Ze is niet boos. Als hij opstaat, staat hij heel even zichtbaar te wankelen, maar hij herstelt zich snel.

'Mijn glas is nog niet leeg', stelt hij klaaglijk vast. Manon verbijt een woedeaanval.

'Er is thuis nog Duvel als je wilt.' Het ultieme lokmiddel. Hij lijkt tevreden.

'De rekening nog betalen', mompelt hij. Nog voor hij zijn portefeuille in zijn achterzak vindt, heeft Manon de nodige euro's al op het verzilverde schaaltje gelegd. Op weg naar de deur legt hij zijn hand op haar heup. Ze wil zeggen dat ze op die manier nooit door de deur kunnen – ze heeft in alle omstandigheden een praktische geest – maar in plaats daarvan pakt ze zijn hand zodat het lichamelijk contact bewaard blijft en hij geen reden tot achterdocht heeft. Ze haat het als hij beschonken is. Hij wordt wispelturig, onvoorspelbaar, het ene moment aanhankelijk, het volgende afstandelijk en ruw.

'Laten we mosselen klaarmaken!' zegt hij plots enthousiast. Hij kookt graag en goed, maar doet het zelden. Ze knikt.

'We maken het gezellig: mosselen, frietjes, een goede fles wijn.' Opnieuw alcohol. Natuurlijk. In de winkel pakt hij geroutineerd een kar die hij tussen de rayons tracht te manoeuvreren. De winkelkar biedt hem voldoende houvast om enigszins de indruk van nuchterheid te wekken. In slow motion bespiedt hij de rekken. Af en toe grijpt hij naar een doos of een zak voeding als een kikker die zijn tong uitgooit naar een nietsvermoedende vlieg. Manon loopt achter hem aan en bidt dat hij niet valt, alles vindt wat hij nodig denkt te hebben, geen ander winkelkarretje aanrijdt, niet naast een doos grijpt en daardoor een stapel voedingswaren op de grond keilt, met of zonder kapotte verpakkingen tot gevolg. Als hij dronken is, kan de wereld maar beter draaien zoals hij het wil.

De mosselen maakt hij klaar met stukjes spek en room. Het kokkerellen lijkt hem te ontnuchteren. Hij grijpt gericht naar potten en pannen, schuift laden open en dicht zonder zich eenmaal te vergissen. Manon kijkt er een beetje verwonderd naar, terwijl ze van een glas witte wijn nipt. Daniël had de fles onmiddellijk bij het thuiskomen koud gezet en zojuist heerlijk gekoeld geserveerd. Hij kan zo innemend charmant zijn. Een bedenking die zij maakt terwijl Daniël de mosselen een laatste maal opschudt, haar naar de gedekte tafel begeleidt en de stoel voor haar naar achteren schuift. Hij neemt zelf plaats tegenover haar, schenkt hen elk nog een glas wijn in en wenst haar smakelijk eten.

Daniël wilde niet bij de pakken blijven neerzitten. Hij was die morgen samen met Manon opgestaan. Hij zou zijn administratie in orde maken, wat zoveel wilde zeggen als zich inschrijven bij de Dienst voor Arbeidsbemiddeling zodat hij recht kreeg op een uitkering. Niet dat hij van plan was die uitkering lang te trekken, dat liet zijn trots hem niet toe. Zich inschrijven als werkloze kon via internet, maar hij wilde een gesprek en dus belde hij het nummer dat hij op de website vond. Hij kon die middag al komen. Daniël nam een douche in een ijskoude badkamer en hees zich daarna in pak en das. Hij voelde zich goed, net alsof hij naar zijn werk vertrok. Dat hij niet in een auto kon stappen die voor de deur geparkeerd stond, stoorde hem maar even. Hij nam op de steenweg een verkeerde bus, maar kwam daar al snel achter. Hij was mooi op tijd op zijn afspraak. Nog steeds goedgehumeurd. In zijn lederen boekentas zat zijn curriculum vitae, ondanks het feit dat hij zijn levenswandel reeds op de website uitvoerig had ingegeven. Je kon nooit zeker genoeg zijn. Bovendien gaat er zoveel verloren in de virtuele wereld van het internet. Dat zegt men toch. De man die hem na anderhalf uur wachten ontving, was jong. Dynamisch zal dat tegenwoordig heten. Hij nodigde hem uit in zijn kantoor en gezamenlijk liepen ze zijn curriculum door. Het ging goed, tot hij hem uitvroeg over de reden van zijn ontslag. Daniël ging onmiddellijk in de verdediging. Hadden ze misschien meneer Debruyn gecontacteerd? Ze moesten hem niet geloven. Hij overdreef, dat heeft hij altijd al gedaan. Hij deed zijn werk naar behoren. Hij had niet met iedereen een even goede band gehad, maar dat was toch volkomen normaal: met sommige mensen kun je het vinden, met andere niet. C'est la vie. De man – hij was zijn naam vergeten – probeerde hem te kalmeren, maar uiteindelijk raakte hij zo opgewonden dat hij gewoon opstapte. Zonder aanleiding, moest hij achteraf toegeven. Hij liep het eerste het beste café binnen en legde na enkele glazen bier het incident voor aan de man aan de bar. Uren hadden ze gepraat. Biertje na biertje. Ergens halverwege had hij de ingeving Manon te bellen om te laten weten waar hij was. Hij kreeg geen gehoor, noch op haar telefoonnummer op het werk noch op haar gsm. Uiteindelijk stuurde hij haar een sms'je, dat hij haar in dit café zou opwachten in plaats van de taverne op het plein vlak bij haar werk. Op die manier kon hij gezellig blijven zitten. 'Waar bleef je trouwens, je was laat.' Daniël kijkt zijn vriendin glimlachend aan. Manon aarzelt. Ze is met Dries na het werk iets gaan drinken. Ze waren niet naar de taverne op het plein gegaan waar ze met Daniël had afgesproken, maar naar een klein groezelig cafeetje waar ze geen kans liepen minder aangename collega's tegen het lijf te lopen. Dries is een van de fijne collega's. Ze delen een kantoor en dus een groot stuk leven. Hij vertelt over zijn avontuurtjes tijdens het weekend – steevast met vrouwen die er goddelijk uitzien, maar naderhand flink ziek blijken in hun hoofd –, over de trips die hij met de motor maakt en over de boot die hij absoluut wil kopen maar zich nog lang niet kan permitteren. Hij vraagt haar mee te gaan als hij schoenen moet kopen en dit snel even tussen de middag wil doen. Zij is expert op dat vlak, dat weet hij. Zij vertelt hem dat ze in een ander huis wil gaan wonen en hoe langer hoe meer het liefst met een andere man. Dat ze haar nylonkousen heeft gescheurd toen ze die zojuist in het toilet veel te snel omhoog trok omdat iemand de deur openzwaaide. Die was niet op slot, ze wordt er claustrofobisch van als ze ergens niet meteen weg kan, dus geen gesloten deuren voor haar.

'Ik heb langer gewerkt, het is erg druk.' Hij reageert niet. Zij staat op en begint af te ruimen. Bastiaan volgt haar hoopvol naar de keuken, altijd bereid een bord af te likken.

Ze had de klap allerminst verwacht. Ze komt de woonkamer weer binnen en Daniël staat vlak voor haar. Hij zegt niets, heft gewoon zijn hand op en slaat. Haar linkerwang begint onmiddellijk te gloeien. Ze durft niet te voelen. Ze staat daar maar. Daniël draait zich van haar weg en zij voelt hoe de lucht zachtjes uit haar longen vrijkomt. Ze had haar adem niet bewust ingehouden.

'Ik heb naar je telefoon op je kantoor gebeld, verschillende malen, net zoals ik je op je gsm heb proberen te bereiken. Je was niet op je kantoor en ook niet even koffie halen of op het toilet. Ik heb verschillende malen gebeld', herhaalt hij. 'Je mag niet liegen tegen mij, Manon, dat kan gewoon niet.' Hij pakt zijn glas wijn van de tafel en gaat in de sofa zitten. 'Ik wil dat je naast mij komt zitten en vertelt waarom je zo laat was.' Ze heeft geen tijd meer om iets anders te bedenken. De afstand tot de sofa is hoogstens tweeënhalve meter.

'Ik ben met Dries iets gaan drinken', zegt ze terwijl ze op de sofa plaatsneemt. Hij zet zijn glas wijn zorgvuldig op de salontafel. De tweede klap is eveneens op haar linkerwang. Ze wil opstaan, maar hij houdt haar vast met één hand. Met zijn andere hand reikt hij naar zijn glas en nipt van de wijn, proeft het op zijn lippen en tong. Onverstoorbaar. Hij kijkt haar niet eens aan.

Daniël en Manon kennen elkaar al erg lang. Hun ouders kenden elkaar van hun studietijd. Of liever: zijn vader kent haar moeder. Er wordt wel eens gefezeld dat ze ooit nog een koppel waren, maar dat is nooit bevestigd noch ontkend. Het vriendenkliekje trok jaarlijks naar de Ardennen voor een weekendje qualitytime met het gezin: wandelen en naar de speeltuin of de grotten overdag en 's avonds een uitgebreid maal, veel wijn, wilde verhalen uit het verleden en in de late uurtjes – als de nostalgie de bovenhand kreeg – een gitaar en gezang van betwijfelbare kwaliteit. Daniël was toen een stille jongen, erg teruggetrokken. Hij nam altijd Playmobil mee op die weekends en vulde de uren dat ze niet op pad waren met het fantaseren van verhalen waarin de Playmobilmannetjes figureerden. Manon en de zus van Daniël hadden hem er meerdere malen om gepest. Zij gedroegen zich als stoere jongens door in de bomen te klimmen of kampen te bouwen met het beddengoed. Ze werden daarvoor meermaals gestraft en kregen dan te horen dat ze de rustige Daniël als voorbeeld moesten nemen. Ze waren elkaar uit het oog verloren doordat het vriendenkliekje dat hun ouders vormden uit elkaar viel. De scheiding van Manons ouders legde de anderen de onuitgesproken verplichting op een kant te kiezen. Voor haar vader en tegen haar moeder of vice versa. De weekendjes in de Ardennen werden afgeschaft en Daniël en Manon zagen elkaar niet meer. Ze studeerden wel allebei aan dezelfde universiteit maar aangezien Daniël ingenieursstudies deed en Manon psychologie doorworstelde, verkeerden ze in volledig verschillende kringen. Het was pas op het huwelijksfeest van een vriendin van Manon – Lieve – die trouwde met een vriend van Daniël – Steven – dat ze elkaar opnieuw tegen het lijf liepen. Ze raakten aan de praat en ontdekten dat ze elkaar nu wél konden luchten. Wonderbaarlijk. Enkele vrienden – vooral zij die hen van vroeger kenden – vonden het eerst een beetje vreemd dat ze een koppel vormden, maar het wende en na twee jaar hadden ze zelfs de grootste non-believers min of meer overtuigd. Dat was het moment waarop ze als koppel begonnen te slabakken.

Manon zit stil, haar rechterarm geklemd in Daniëls greep. Haar brein draait op volle toeren: huilen, vluchten, pijn, gevaar, ongeloof, woede, maar vooral angst. Alle prikkels komen nagenoeg tegelijkertijd binnen en ze heeft moeite de focus te bewaren.

'Je bent van mij.' Daniël poneert het rustig, terwijl hij zijn greep om haar arm langzaam lost. Manon trekt haar arm behoedzaam naar zich toe en begint de pijnlijke pols en onderarm te masseren om de bloedstroom opnieuw op gang te krijgen.

'Ik heb het niet graag als je met andere mannen weggaat,

en nog minder als je erom liegt. Het wekt argwaan. Heb ik reden om argwanend te zijn?' Het klinkt vriendelijk, geïnteresseerd. Ze schudt haar hoofd.

'Het spijt me', stamelt ze. Zijn onvoorziene redelijkheid brengt bij haar de verontwaardiging naar boven. 'Maar je had me niet moeten slaan.' Daniël buigt zich naar voren en zet zijn glas op de salontafel.

'Ik ben daarin nogal ouderwets, Manon. Jij bent míjn vriendin, dus ga je niet met andere mannen weg.' Manon begint te giechelen, een zenuwachtig lachje dat nauwelijks te onderdrukken is.

'Ben je jaloers? Op Dries?' Het was niet eens zo gek. Manon had zich al meerdere malen stiekem afgevraagd of ze niet verliefd werd op Dries. Hij was zo anders dan Daniël. Dries riep gemoedelijkheid bij haar op, vertrouwelijkheid, een warm haardvuur en lange babbels.

Ze weet dat ze te ver is gegaan. Ze ziet het in zijn ogen. Ze wil haar handen nog beschermend voor haar gezicht brengen, maar het is te laat. Hij heeft haar rechterhand opnieuw vast, gaat schrijlings over haar schoot zitten, met zijn knie op haar andere hand. De klappen komen snel achter elkaar op dezelfde wang – de rechter deze keer –, de laatste raakt haar neus – per ongeluk – maar zó hard dat ze moet kokhalzen. Dan is het voorbij. Hij stapt van haar schoot af, steun zoekend bij haar schouders, en kreunt lichtjes, alsof het hem allemaal erg veel moeite heeft gekost.

'Bastiaan!' klinkt het kortaf. Bastiaan draaft vrolijk vanuit de keuken naar zijn baasje toe, de lijn in de muil. Daniël graaft in Manons handtas. Manon houdt haar hoofd omlaag, haar handen voor haar gezicht. Ze durft niet op te kijken, maar herkent het geluid van het kleine belletje dat aan haar sleutelbos hangt. Hij pakt haar autosleutels. De deur naar de gang, dan de voordeur. Hij is weg. Hij neemt de hond mee. Ze hoort haar auto starten en pas dan begint ze woordloos te schreeuwen. Heel even maar.

Ze drinkt de rest van zijn glas wijn leeg en staat voorzichtig op om in de badkamerspiegel te kijken. Het zal wel meevallen. Zo erg was het niet. Haar spiegelbeeld reflecteert een relatief vertrouwd beeld. Haar wang is wel erg rood en op de linkerneusvleugel tekent zich flauw een blauw schijnsel af. Verdomme! Die neus is haar zwakke plek sinds ze hem ooit gebroken heeft tijdens een nogal ruwe activiteit bij de jeugdbeweging. Toen vond ze het eigenlijk wel stoer, maar sindsdien heeft haar neus een nogal originele vorm die niet alleen voor problemen zorgt als ze een nieuwe bril nodig heeft – de neusbrug moet altijd verschillende malen aangepast worden – maar haar ook tot een snurker heeft gemaakt. Bovendien is het orgaan bijzonder gevoelig geworden voor aanraking. Ze duwt er voorzichtig op. De pijn valt wel mee. Ze laat even koud water lopen in de wastafel om er zeker van te zijn dat het op zijn koudst is en maakt vervolgens een washandje nat. Ze vouwt het dubbel en legt het over haar neus in de hoop de zwelling tegen te gaan. Haar gsm begint te rinkelen, als een oude bakelieten telefoon, ze vindt het een leuk anachronisme. Manon twijfelt even, maar neemt toch niet op, kijkt zelfs niet wie het is. Voorzichtig probeert ze haar tandenborstel in haar mond te duwen, terwijl ze het washandje op haar neus blijft vasthouden met haar andere hand. Ze krijgt haar mond nauwelijks open, alsof ze verlamd is aan één kant van haar gezicht.

Als ze in bed ligt, gaat de bel. Hij heeft toch een sleutel? Het kan haar verdomme geen reet schelen als hij niet binnen kan! Op haar zij liggen – haar favoriete houding – doet pijn, dan begint het bloed onmiddellijk heftig te kloppen in haar wangen. Ze draait zich op haar rug. Dan maar snurken, niemand die er last van heeft.

***

Manon wordt wakker. Ze heeft het even moeilijk zich te oriënteren. Een fractie van een seconde meent ze in haar grote bed in haar ouderlijk huis te liggen. Het bed is nog van haar overgrootvader geweest; een robuust, voleiken gedrocht dat nog het meest weg heeft van een grote kist met op elk van de vier hoeken een fraai versierd, rechtopstaand smal torentje dat het plompe wat moet verdoezelen. Iedereen ouder dan dertig jaar vindt het mooi, want het is rustiek, iets uit de oude tijd en dus te koesteren. Zeker omdat het van haar overgrootvader is geweest die tijdens de wereldoorlog nog boter heeft gesmokkeld op een fiets met houten wielen. Het comfort van een fiets met rubberen banden zoals we dat nu gewoon zijn was er toen nog niet. We kunnen het ons niet voorstellen hoe hij door de velden fietste op zandwegen vol putten, met de boter in het kleine zakje onder zijn vest terwijl de angst om gepakt te worden door zijn lijf gierde. Dat verdiende respect. Het ontging Manon volledig als kind. Ze haatte het bed met de veel te dikke matras waar ze slechts met veel moeite op kwam. Haar vriendinnen hadden stapelbedden of een hoogslaper, eentje zelfs een heus hemelbed met kanten sprei. Dat vond ze zelf een tikkeltje te veel van het goede, maar omdat de vriendinnen unaniem hadden besloten dat ze het een erg mooi bed vonden dat ze zelf toch zo graag ook wilden, had ze dat nooit hardop durven zeggen.

Wat heeft haar gewekt? De deurbel gaat opnieuw. Het is halfacht, stelt ze vast. Heel even voelt ze haar hart een slag overslaan: te laat op het werk! Maar dan beseft ze dat het zaterdag is en ze ontspant zich onmiddellijk. De deurbel opnieuw, langer nu, dwingend. Ze stapt het bed uit en grijpt haar ochtendjas van de kapstok aan de deur. Snel loopt ze de trappen af. Als ze gehaast is overdag, dondert ze al eens van de trap door telkens een trede over te slaan, maar dat durft ze niet met een lichaam dat nog maar juist te verstaan heeft gekregen dat de dag is aangebroken. Ze hoort geblaf en poten die aan de deur krabben. Bastiaan? Net voor ze de deur opentrekt, beseft ze dat ze vurig hoopt dat Daniël niet op de drempel staat. Het is Celine. Geheel overstuur. De tranen stromen over haar wangen terwijl ze haar volle gewicht nodig heeft om Bastiaan in te tomen die enthousiast tegen Manon opspringt. Manon denkt snel na maar krijgt de puzzelstukken niet in elkaar gepast. Plots houdt het huilen op.

'Kindje toch', brengt Celine uit en ze kijkt vol medelijden recht in haar gezicht. 'Wat is er met jou gebeurd?' Manon voelt aan haar gezicht, het is gezwollen. Terwijl ze Celine uitnodigt binnen te komen en de lijn van haar overneemt, kijkt ze vlug in de halspiegel. De koude washand heeft niet kunnen vermijden dat ze er nu uitziet alsof ze zojuist een zware ijshockeywedstrijd heeft gespeeld. Een donkerblauwe lijn tekent zich af onder haar oog en haar oogleden liggen als golfbrekers boven op haar gezicht.

'Aaah, dát,' zegt ze luchtig, 'niets aan de hand. Ken je de keukenkastjes boven het aanrecht?' Celine knikt. 'Ik heb er gisteren eentje proberen open te trekken, maar het klemde. Ik heb er een flinke ruk aan gegeven.' Ze gniffelt even. 'Het heeft geholpen! Het ding vloog open, recht op mijn neus! Geloof me, het deed pijn! De tranen schoten in mijn ogen. Gisteren was het nog alleen mijn neus die wat blauwig zag, maar de nacht heeft het verfraaid', zegt ze lachend, terwijl ze Celine aan haar arm naar de sofa loodst. 'Koffie?' Celine knikt opnieuw. Manon gaat snel naar de keuken, trekt de keukenkastjes boven het aanrecht probleemloos open en pakt er de gemalen koffie uit. Terwijl ze de koffie – vijf maatjes, niet afgestreken maar met een buikje, anders is de kof-

43

fie te slap vindt Daniël – in het filterzakje schept, hoort ze Celine tegen de hond mommelen. Ze giet het water in het koffiezetapparaat, klikt de schakelaar op één en zucht. De machine begint onmiddellijk zachtjes te pruttelen. Ze controleert even of de kan goed op de plaat staat. Zo niet, kan de koffie niet goed doorlopen en komt het water er na verloop van tijd van boven uit. Een smeerboel. Manon overweegt wat speculaas op een schaaltje te schikken, maar besluit dat het nog te vroeg is voor zoetigheid en loopt terug naar de woonkamer met twee bekers op een dienblad, de suiker en melk gewoon in hun verpakking. Celine is immers de buurvrouw maar. Ze zet alles op het kleine tafeltje voor de sofa en ploft naast Celine neer.

'Meisje toch', herhaalt deze en ze legt haar hand op haar bovenbeen. 'Hij heeft een auto-ongeluk gehad', voegt ze er hoofdschuddend aan toe. Wie? Daniël!

'Heeft Daniël een auto-ongeluk gehad?' Een spijtige knik van haar verrimpelde hoofd. Haar kleine krullen wippen ervan heen en weer.

'Hier om de hoek. Hij raakte de controle over het stuur kwijt en reed de stoep op tegen de gevel van het huis van de Van Dammes. Je weet wel, dat koppel met hun vijf kinderen. Ik begrijp niet hoe ze die opgevoed krijgen in zo'n klein huis. Ze gaan allebei uit werken! Die kinderen gaan gelukkig naar school maar in het weekend zie je ze de hele tijd op straat of in de speeltuin van het park.' Het 'park' was een lapje gras dat tussen de huizen en appartementsblokken achter hun straat verscholen lag. De stad had er nog niet zo lang geleden wat speeltuigen en een bank laten plaatsen. Het heeft twee dagen geduurd voordat de bank vol schunnige woorden stond en vanaf acht uur 's avonds bevolkt wordt door jongeren die het zitgedeelte als steun gebruiken voor hun voeten terwijl ze met hun billen op de rugleuning balanceren. Er wordt vooral wat rondgehangen en aan zelfgerolde sigaretten gelurkt. Het stoort Manon in het geheel niet, maar de oudere generatie vindt het niet kunnen. Vanwege hun ouderdom beperkt hun protest zich echter tot erover klagen als ze elkaar tegen het lijf lopen bij de bakker, kruidenier of gewoon op straat. De twee oudsten van de familie Van Damme, twee jongens, horen steevast tot het kliekje nietsdoeners op de bank. Hun moeder zie je met de kleinsten wel eens bij de speeltuigen. Een vriendelijke vrouw. Manon heeft hun vader nog nooit gezien.

'De politieman heeft het me gisteren verteld. Hij is komen aanbellen, eerst bij jou, maar je deed niet open. Daniël wist niet goed wat te doen. Hij moest mee met de agenten voor verhoor, maar kon de hond niet meenemen. Het arme dier!' Ze zucht. Manon aait Bastiaan over zijn rug. 'Ze hebben echt geprobeerd jou te bereiken hoor, Manon', verzekert ze. Nu is het aan Manon om te knikken. De deurbel gisteravond laat. Ze had het genegeerd. 'Ik slaap de laatste tijd slecht, weet je, door de pijn in mijn knieën. De pijnstillers helpen me niet en de slaaptabletten die ik heb gekregen maken me misselijk. Dan lig ik nog liever wakker! Ik kon mijn bel dus wel horen. Ik durfde eerst niet open te doen, je weet maar nooit tegenwoordig en ik heb geen man meer in huis. Ik heb door het venster gekeken vooraan, op een veilige afstand. Toen ik zag dat het die agenten waren met Daniël, was ik gerust. Ik bedoel: ik kon zonder angst de deur openen, ik was uiteraard ongerust over het feit dat Daniël daar stond met de politie. Ik dacht al dat hij iets mispeuterd had!' Ze lacht. Manon niet. 'Hij heeft niets hoor, hij heeft geluk gehad! Bastiaan trouwens ook.' Manon aait nog steeds zijn rug, hij laat het zich welgevallen.

'Weet je waar Daniël nu is?' Celine schudt haar hoofd.

'Die aardige politieman heeft alleen gezegd dat hij mee

naar het kantoor moest in het centrum, dat hij verhoord moest worden. De wagen hebben ze laten takelen, dat heb ik nog gezien, en Bastiaan, ja, die heeft bij mij op de sofa geslapen.'

Godver... de wagen, háár wagen!

'Hoe was de auto eraan toe?'

'Aah ja, de auto.' Celine graaft in de zak van haar schort. Die draagt ze steeds boven haar kleding. Een rode schort met een fijn, geel lijntje. De zak zit volgestouwd met bij elkaar gepropte papieren zakdoekjes en karamelpapiertjes. Ze kijkt met enige verwondering naar wat ze graaiend in haar zak opdelft, inspecteert het en stopt het er opnieuw in. Eindelijk heeft ze gevonden wat ze zoekt: een visitekaartje. Ze overhandigt het bijna met ontzag aan Manon. Die leest de naam van het takelbedrijf, ook open op zon- en feestdagen tot twaalf uur 's middags. Met balpen is een telefoonnummer op het kaartje gekrabbeld. Celine wijst ernaar met haar vinger met gelige nagel.

'Van de aardige politieman, je kon hem op dat nummer bereiken.' Manon staat op om de koffie te halen.

'Je kunt maar beter meteen bellen', vindt Celine als Manon terug is met de koffiekan. Ze schenkt beide bekers vol. Manon doet gauw melk in haar eigen koffie en schuift ze dan samen met de suiker door naar Celine. Ze realiseert zich de onbeleefdheid van haar actie maar ze wil nu even niet antwoorden en maskeert dit door te slurpen van haar koffie. Eigenlijk zou ze het liefst Celine de deur uitjagen en nog even in bed gaan liggen. Ze voelt zich nog niet opgewassen tegen de dag en haar neus lijkt plots een hartslag te hebben: het bloed klopt er pijnlijk in.

'Ik zou naar die neus laten kijken.' Opnieuw Celine met haar goede raad. 'Het kan gebroken zijn!' Manon knikt met haar kop koffie aan haar lippen, een guts koffie kletst over de rand op haar ochtendjas.

'Kind toch!' berispt Celine. Manon staat op.

'Ik ga me omkleden.' Celine heeft de hint begrepen, ze drinkt snel de rest van haar koffie op en staat moeizaam op, haar handen steunend op haar knieën. Manon helpt haar het laatste stukje overeind te komen. Als ze zeker is dat Celine vast op haar voeten staat, laat ze haar bovenarm los.

'Dank je wel, kind, het gaat niet allemaal meer vanzelf', verklaart ze verontschuldigend en ze schuifelt naar de deur. Bastiaan loopt haar achterna.

'Blijf jij maar hier', roept Manon hem terug. Celine geeft hem enkele klopjes op zijn kop. Aan de voordeur draait ze zich om:

'Ga je boodschappen doen?' Manon voelt de vraag komen.

'Niet vandaag, Celine, ik heb geen auto, weet je wel.'

'Mmm, dat is waar ook.' Celine schudt even verward haar hoofd, de wippende krulletjes versterken de beweging. 'Verzorg jezelf', zegt ze ten afscheid. Manon houdt de deur voor haar open en glimlacht. Dat zal ze doen, zonder twijfel.

***

Daniël wordt wakker met pijn in zijn rug en nek. Hij wil rechtop gaan zitten, maar het onweert in zijn hoofd en een aanval van misselijkheid maakt dat hij zich snel weer laat neerzakken op de harde bank van de cel. Voorzichtig kijkt hij rond terwijl hij probeert te bedenken waarom hij hier is, in de helwit geschilderde cel met de bruine stalen deur waarvan zelfs het kleine raampje en de gleuf als bij een brievenbus afgesloten zijn. Hij zit opgesloten. Gevangen. Het beklemt hem niet, maar hij voelt verontwaardiging. Hij verdient het niet hier te zijn. Hoe laat is het eigenlijk? Hoe lang is hij hier al? Hij begint te roepen. Het geluid lijkt niet voorbij de wanden noch de deur te komen. Het voelt een beetje dom zoals hij daar 'Hallo' en 'Is daar iemand' roept tegen het wit van de muur. Hij probeert opnieuw overeind te komen. Zijn maag protesteert maar hij heeft niet het gevoel dat hij moet overgeven. Als hij zijn benen op de grond zet, gaat hij onmiddellijk voorover zitten, zijn hoofd in zijn handen, zijn ellebogen steunend op zijn dijbenen. In flarden komen de herinneringen terug. De auto, hij heeft de auto van Manon beschadigd. Hij kreeg het stuur niet meer teruggedraaid na het nemen van de bocht. Het ging te snel. Het gejank van Bastiaan hoort hij nog steeds. Die was van de achterbank naar voren gevlogen. Hij begreep niet waarom Manon niet gewoon de deur had opengedaan. Hij staat op, loopt naar de deur en klopt op het koude staal.

'Hallo?!'

Hij heeft dorst, zijn lippen voelen droog aan en zijn mond is klef alsof er een oliefilm over de binnenkant van zijn wangen is gelegd. Hij wil drinken en zijn tanden poetsen. Hoe laat is het? Ze hebben zijn horloge afgenomen. Wanneer is dat gebeurd? Hij herinnert zich nauwelijks iets van wat er gebeurd is nadat de politiemannen hem, nogal hardhandig, in de combi op de achterbank hebben gezet. Ze waren met twee. Hij wilde eerst niet mee. Ze hebben hem uiteindelijk handboeien omgedaan alsof hij een crimineel was. Was dat voor of nadat ze bij Manon hadden aangebeld? Hij weet het niet meer. Hij krijgt het benauwd. Hij bonst nu met zijn hand op de deur. Hij wil hier weg. Hij moet iets drinken, iets eten ook, om het holle gevoel in zijn maag te verzachten.

'Hallo!?' Tegen zijn verwachtingen in gaat de deur open.

'Hoofdpijn zeker?' De spottende toon die hij in de woorden van de agent meent te horen, is niet in overeenstemming met zijn uitgestreken gezicht, dat geen spoor toont van welk soort humor dan ook. 'Heb je genoten van de nacht? Je hebt geluk, je bent de eerste die de hele nacht in onze pas geverfde cel heeft mogen doorbrengen. Ze is enkele weken geleden opnieuw gewit maar we mochten er nog niemand in opsluiten vanwege de dampen of zoiets. Je zou er hoofdpijn van krijgen, maar in jouw geval maakt dat weinig uit, me dunkt.' Opnieuw die spottende toon, maar geen spiertje in zijn gezicht dat verraadt dat hij Daniël aan het uitlachen is. Als zijn hoofd niet zo bonsde en de venijnige scheuten in zijn nek hem niet steeds opnieuw even verlamden van de pijn, zou hij hem van repliek dienen.

'Kan ik wat te eten krijgen?' Nu glimlacht de agent.

'Dit is geen restootje meneer, nee dus.'

'Iets te drinken?' De agent begeleidt hem aan zijn arm naar een drinkfonteintje in de gang. 'Drink de kraan leeg, voor mijn part', zegt hij als hij met zijn voet het pedaal indrukt en het water in een boogje omhoog spuit. Terwijl Daniël gulzig drinkt, kijkt de agent nonchalant over zijn schouder alsof hij niets met de drinkende Daniël te maken wil hebben. Daniël veegt zijn mond af met zijn mouw. De agent laat het pedaal los en neemt hem opnieuw bij de arm. Het irriteert Daniël maar hij zegt niets.

'Zo meneer, dan gaan we nu je verklaring nog eens even doornemen, want gisteren klonk die nogal – hoe zal ik het zeggen – verward.' Daniël laat zich gewillig door de gang voeren naar het grote landschapsbureau. Links en rechts van hem lopen ze verschillende bruine, stalen deuren voorbij. Op geen enkele deur wordt geklopt, achter geen enkele deur wordt geroepen.

Niemand in het politiekantoor kijkt op als Daniël geleid wordt naar een lege stoel voor een metalen bureau, dat dezelfde bruine kleur als de celdeuren heeft. De agent gaat tegenover hem zitten, schuift het toetsenbord van de pc naar zich toe, bestudeert enkele seconden het scherm en drukt vervolgens op een toets. Hij schuift wat heen en weer met de muis, klikt her en der en kijkt vervolgens verwachtingsvol naar de printer rechts op het bureau. Het duurt even, maar dan begint de machine te zoemen, pikt een blad op en bedrukt het gewillig met tekst. De agent neemt alvast het blad tussen zijn duim en wijsvinger hoewel het nog niet volledig uit de printer is gekomen. Ondertussen roffelt hij met de vingers van zijn andere hand op het bureau. Wanneer de printer klaar is met zijn werk, laat hij het blad los. De agent kijkt er enkele seconden naar, draait het om en legt het voor Daniël neer.

'Lees het grondig. Als je nog steeds meent dat het een correcte weergave is van wat er zich gisteren heeft afgespeeld, kun je onderaan tekenen. Vergeet alstublieft niet de datum te noteren.' De agent schuift een blauwe balpen naar hem toe. 'Ik ga ondertussen je persoonlijke spullen ophalen.' Daniël zit een beetje verdwaasd naar het blad te staren. De klokken van de kerk vlakbij beginnen te luiden, het vrolijke spel wordt gevolgd door de eentonige slagen van een grote klok, elfmaal. Het is elf uur. Daniël zucht opgelucht. Hij weet nu hoe laat het is, wat hem op een of andere manier kalmeert. Hij begint het verslag te lezen. Het is alsof hij een verhaal leest, een hoofdstuk in een roman, het komt hem nauwelijks bekend voor. Het verbaast hem dat hij dit gisteren op schrift heeft laten stellen terwijl het hem vandaag voorkomt als nieuwe informatie. Ze hebben een alcoholtest van hem afgenomen. De ademtest heeft hij blijkbaar agressief geweigerd. Een bloedtest gaf een resultaat van 2,6 promille. Zijn rijbewijs is onmiddellijk ingetrokken. Hoe kan hij dit ondertekenen? Hij weet niet of het waar is, hij kan het zich niet herinneren, hij kan het dus ook niet tegenspreken. Hij neemt de balpen op en tekent. Het irriteert hem dat zijn hand trilt.

Zijn portefeuille, horloge, riem, sleutels, gsm en wat kleingeld worden voor hem op het bureaublad gelegd. De agent controleert nogmaals de vaalbruine enveloppe, maar die is blijkbaar volledig geleegd. Daniël kijkt van de spullen op naar de agent.

'En de auto?'

'Die zit niet in de enveloppe, hè meneer.' Daniël geeft geen krimp. 'Die is getakeld. We hebben je vrouw, je vriendin of wat ze ook moge zijn op de hoogte gebracht via je buurvrouw. Autorijden zit er een tijdje niet meer in voor jou, vriend. Dat komt er nu eenmaal van. Het is geen goed idee je een stuk in je kraag te drinken en er dan met de auto op uit te trekken.' Het klinkt niet verwijtend, zelfs niet belerend. Eerder informatief. Daniël knikt, misschien zelfs ietwat schuldbewust.

'Kan ik nu gaan?' De agent werpt een blik op de verklaring.

'De datum, je bent de datum vergeten. Dat vergeten ze nu altijd, daarom zeg ik het nog! Tss!' In andere omstandigheden zou Daniël in de lach geschoten zijn. De ergernis van de man lijkt nog het meest op die van een leerkracht die de tafel van acht en zeven blijft herhalen, maar moet constateren dat de leerlingen keer op keer struikelen over acht maal zeven en zeven maal acht. Daniël denkt na maar heeft geen idee welke datum het vandaag is, zelfs niet welke dag, moet hij toegeven.

'De vierentwintigste,' helpt de agent, 'de maand weet je nog wel, neem ik aan?' Daniël schrijft snel de datum bij zijn handtekening ter bevestiging. 'Dan kun je gaan. De uitnodiging voor de rechtbank volgt nog.' Daniël moet verbaasd gekeken hebben, want de agent vervolgt: 'Je dacht toch niet dat het bij het tijdelijk intrekken van je rijbewijs zou blijven, zeker?' Nu is de denigrerende glimlach op zijn gezicht wel duidelijk zichtbaar, alsof hij zich niet langer kan inhouden. 'Je hebt het toch duidelijk in de verklaring kunnen lezen? Je hebt mijn collega's flink wat klappen uitgedeeld, ze staan verdomme vol blauwe plekken en krabsporen! Niets vergeleken met die paar schrammen rond jouw polsen.' Daniël had de lichtrode strepen op zijn onderarmen nog niet eens opgemerkt, laat staan gevoeld. Hij wil de tekst van de verklaring er opnieuw bij nemen, maar die heeft de agent ondertussen reeds weggenomen. Er stond iets in over hematomen. Hij had niet meteen begrepen dat het om blauwe plekken ging. Misschien moet hij zich op dit punt ongerust gaan maken, maar zijn lijf voelt zo voos aan en zijn hoofdpijn wordt hoe langer hoe ondraaglijker; hij kan slechts aan aspirines en een degelijk bed denken. Traag staat hij op. Hij pakt zijn portefeuille en steekt hem geroutineerd in zijn achterzak. Hij gespt zijn horloge om en prutst vervolgens zijn riem in de net iets te smalle lussen van zijn broek. Het kleingeld en de sleutels veegt hij samen met zijn ene hand in de andere die hij als een kommetje onder de rand van het bureaublad houdt. Als laatste pakt hij de gsm en checkt de display. De batterij is nog niet leeg. Niemand heeft hem proberen te bellen, zelfs Manon niet. Hij knikt de agent toe, zijn gezicht naar de grond gericht en stapt weg van het bureau.

'Het is die kant op.' De agent wijst in de tegenovergestelde richting. Als hij zich omdraait, kijkt Daniël heel even op en ziet de groene bordjes met het witte uitgangssymbool. Hij kan niet snel genoeg buiten komen.

Waarom neemt ze nu niet op? Het is al de derde maal dat Daniël Manon op haar gsm belt. Ook op de vaste lijn krijgt hij geen gehoor. Waar zit dat kreng? Hoe moet hij nu thuis komen als zij niet thuis geeft? Hij begint nu echt honger te krijgen. Zijn gsm neuriet. Het is de beltoon die hij geprogrammeerd heeft voor als Manon hem belt. Toen waren ze nog verliefd.

'Waar zit je?' Hoewel ze eigenlijk niets anders had verwacht, schrikt Manon van de toon waarop Daniël zijn gsm opneemt.

'Ik heb zojuist de wagen die jíj tegen de gevel van een huis geparkeerd hebt naar de garage laten slepen zodat ze de schade kunnen herstellen, oetlul! Dat gaat je een flinke duit kosten en je kunt er vergif op innemen dat ik elke eurocent door jou laat betalen. Geen haar op mijn hoofd dat eraan denkt die kosten te delen, je...'

'Je hebt de politie gebeld', onderbreekt hij haar. 'Jij hebt me dit aangedaan, jij...' Hij begint te snikken. Het klinkt hol, pathetisch, onecht. Manon zucht geërgerd. 'Kun je me komen halen?' vraagt hij tussen de snikken door.

'Nee, ik kan je niet komen halen, ik heb geen auto meer, daar heb jij gisteren voor gezorgd, weet je nog?' Manon klinkt beschuldigend, ze is oprecht boos maar tegelijkertijd voelt ze enige ongerustheid. Ze is er niet zo zeker van dat hij toneelspeelt. Maar kan haar dat eigenlijk wel iets schelen?

'Je kunt je niet voorstellen hoe het is om wakker te worden tussen vier muren op een harde bank. Je bent volledig gedesoriënteerd, weet niet hoe laat het is – ze nemen je horloge af, wist je dat? – en er is helemaal niemand die antwoord geeft als je roept. Kun je je dat voorstellen, Manon? Ik was bang, echt waar. Ik wilde iets drinken, iets eten en ik heb op die celdeur staan kloppen en me de longen uit het lijf geroepen, maar er was gewoon niemand. Kun je je dat voorstellen?' herhaalt hij. Manon antwoordt niet. Er valt een stilte. 'Ze hebben mijn rijbewijs afgepakt.' Hij zegt het bijna fluisterend, alsof het om een complot gaat.

'Wat had je dan gedacht!' valt Manon uit. 'Je bent verdomme straalbezopen de auto ingekropen, MIJN auto', voegt ze eraan toe. Dat maakt het nog erger dan het al is.

'Ik moet voor de rechtbank komen, Manon!' piept Daniël. Het klinkt aandoenlijk.

'Neem de bus en kom naar huis.' Manon klinkt als een moeder die haar kind tot de orde roept, eist dat hij greep krijgt op zichzelf. Waarom zit hij eigenlijk te janken?

'Kun je me niet komen halen?' Manon zucht.

'Ik heb je toch al gezegd...'

'Ik weet dat je geen auto meer hebt, maar je kunt toch de bus nemen tot in de stad? Dan kunnen we misschien samen iets gaan eten?' Hij klinkt hoopvol. Manon drukt op het rode hoorntje van haar gsm. Ze blijft minutenlang verbolgen staan. Dan licht haar gsm op en piept. Ze staart naar het envelopje. Een berichtje van Daniël: *Je had de politie niet moeten bellen, trut.*

5

'Hij is er al lang niet meer!' Het oude vrouwtje sist het in het gezicht van haar man. Die legt sussend een bruin gevlekte hand op de hare.

'Hij komt wel, hij heeft het gewoon druk.'

'Hij is ons vergeten!' De man laat snel zijn blik over de mensen in de wachtkamer glijden. Kijkt er iemand verstoord? Hij schaamt zich ongetwijfeld, zijn vrouw is dan ook luidruchtiger dan je beleefdheidshalve mag verwachten. Manon knikt hem glimlachend toe. Zoveel geeft het ook niet. De man lacht opvallend verlegen terug terwijl hij niet-aflatend klopjes geeft op de hand van zijn vrouw als om haar bij bewustzijn te houden.

Als de vrouw op een dokter doelt, kan Manon haar ongerustheid volledig begrijpen: witte jassen draven af en aan, in gedachten verzonken, maar geen van hen lijkt zich te interesseren voor de patiënten die telkens hoopvol opkijken als ze de wachtkamer passeren. Manon heeft zin om te gillen, gewoon om haar aanwezigheid kenbaar te maken, maar vreest dat het niets anders zal opleveren dan enkele hoofden die even verstoord opkijken van de obligate papieren in hun hand om er zich na een fractie van een seconde alweer over te buigen. Ze wiebelt even van bil op bil om het tintelende gevoel in haar achterwerk tegen te gaan. De twee uitsparingen in de plastieken stoeltjes van de wachtkamer moeten het zitcomfort verhogen, maar als je eigen zitvlak maar de helft vertegenwoordigt van het model dat voor de stoel diende, kun je beter blijven staan. Op haar schoot ligt een nog in te vullen vragenlijst. Of ze de ziekte van Kahler heeft of de ziekte van Waldenström misschien? Ze heeft de namen nog nooit gehoord dus gaat ze ervan uit dat die beker aan haar voorbij is gegaan. Last van claustrofobie? In liften soms wel. Of op het toilet als de deur op slot is. Onderaan staat uitdrukkelijk in het vet gedrukt dat het belangrijk is dat de patiënt zich stipt op het uur van de afspraak aanmeldt en deze vragen in alle eerlijkheid beantwoordt. Ze zit zich hier al een uur in alle eerlijkheid af te vragen waar de dokter blijft en welke antwoorden ze moet geven. Ze transpireert, toch iets meer dan je zou verwachten bij dit behoorlijk ellendige regenweer van de laatste dagen.

'Manon Schu...' Zoals steeds valt ook deze man in witte broek en wit hemd met blauwe biezen over haar ongewone achternaam. Niemand spreekt het correct uit van de eerste keer. Ze is het gewoon en probeert hem niet eens te corrigeren als ze opstaat en op hem toeloopt. Hij steekt zijn hand uit naar de harde kaft met de vragenlijst. Manon laat haar ogen nog snel even over alle vragen gaan, alsof het om een examen gaat dat ze moet afgeven omdat de tijd om is terwijl ze weet dat ze niet alle vragen geheel correct heeft ingevuld.

'Ik kon niet alles...' hakkelt ze terwijl ze de kaft afgeeft. De verpleger kijkt er even naar en lijkt tevreden.

'U kunt me volgen. U dient straks alles uit te trekken, dat wil zeggen: armbanden, oorringen, uurwerken, halskettingen, enkelbandjes, teenringen, piercings eender waar en uiteraard je kleding', zegt hij met een eerder geil glimlachje om de lippen. Dan gaat hij verder met het opdreunen van zijn les terwijl hij snel door de gangen loopt. Manon tracht hem bij te houden met een loopje dat het midden houdt tussen snel lopen en traag joggen. Haar jas dreigt de hele tijd van haar arm te glijden, ze hijst hem telkens weer op. Ze slaan verschillende malen links af en draaien evenveel keer naar rechts, tot de verpleger eindelijk zijn schouder tegen een grote witte klapdeur zet die soepel meegeeft. Ze komen in een kleine ruimte met rechts een deur en een groot raam dat uitgeeft op een mastodont van een machine in de belendende kamer. De machine ziet eruit als een bed waarover een ring is geschoven, als door het huwelijk verbonden.

'Loop maar mee.'

Alsof ze me hier veel keuze laten, denkt Manon geërgerd. De verpleger houdt de deur voor haar open. Manon loopt langs hem heen, erop lettend dat ze hem op geen enkele manier aanraakt, en blijft staan naast het bed met de ring, waar ze nogal sceptisch naar kijkt.

'Dit is het instrument waarmee we straks, over anderhalf uur ongeveer, een soort van foto's van je gaan nemen.' Anderhalf uur? Verdomme, duurt het zo lang? Manon zegt niets. 'We spuiten je eerst een gekleurde vloeistof in, een radioactieve vloeistof om precies te zijn.' De verpleger – Stan heet hij volgens zijn naambordje dat op borsthoogte op zijn hemd is gespeld – had hierop duidelijk een reactie verwacht, want hij kijkt Manon enkele seconden aan zonder iets te zeggen. 'Dat is niet gevaarlijk en het doet ook geen pijn. Het kan je wel een wat warm, zweterig gevoel geven', legt hij verder uit. Hij doet nu erg professioneel. Manon vraagt zich af of ze dat staaltje deodorant nog in haar handtas heeft zitten. Tijdens de zomermaanden was het meermaals van pas gekomen, maar misschien had ze het eruit gehaald wanneer de tijd van open bloesjes en topjes achter de rug was, toch voor een jaar. Ze kan het zich niet herinneren. Ze weet nog wel dat Giel dankbaar van het kleine spuitbusje gebruik had gemaakt na hun squashwedstrijd enkele maanden geleden. Hij had afgezien, zijn conditie was beroerd bij gebrek aan de nodige lichaamsbeweging. Zij loopt haar wekelijkse kilometers en hoewel ze geen squashheld is, had ze hem volledig afgedroogd gewoon door het langer vol te houden om achter het balletje aan te gaan dan hij. Een uur later moest hij een presentatie geven over een nieuwe reclamecampagne voor een van hun grote klanten uit de voedingsindustrie. Hij was niet alleen water vergeten om wat te bekomen van de fysieke inspanning, maar ook deodorant. Zelfs na de douche stond hij nog te transpireren als een rund. Ze had grootmoedig het kleine busje aangeboden onder het motto: 'Beter stinken naar een vrouw dan naar gedroogd zweet.' Volgens haar zou het bovendien in zijn voordeel uitdraaien als de delegatie voedingsindustriëlen mannen bleken te zijn en die kans was groot. Ze zouden de haast onmerkbare vrouwelijke verleiding van haar deodorant onder zijn oksels niet kunnen weerstaan. Giel en Manon hadden het uitgebruld van het lachen terwijl zij haar woorden kracht bijzette door zichzelf vol deodorant te spuiten en vervolgens een verleidelijk dansje uit te voeren rond hem, hem telkens hier en daar bestuivend. Misschien was het busje na hun kinderlijke deogevecht dat erop volgde gewoon leeg en had ze het weggegooid. Ze kon het zich echt niet meer herinneren. De presentatie van Giel was alleszins in goede aarde gevallen. De campagne liep nu al enkele weken en kwam haar strot uit. Oervervelend vindt ze die *catchy* slagzinnen die een tijd lang alomtegenwoordig zijn – op bussen, trams, reclamepanelen, websites en ga zo maar door – en in je hoofd blijven kleven om te pas en te onpas naar boven te komen. Reclame was niets voor haar, de blasé wereld eromheen nog minder.

'Je mag plaatsnemen op het bed.' Stan wijst naar het gedeelte van het bed dat uit de ring steekt. Ze gaat op het uiteinde zitten en buigt zo ver als ze kan naar voren in de hoop op die manier te kunnen zien wat er onder die ring zit. Niet omdat ze bang is, eerder uit nieuwsgierigheid. Ze kan niets herkenbaars ontdekken. Ze controleert even of de verpleger haar niet bevreemd zit te bestuderen, maar hij negeert haar volledig. Op een roltafel spreidt hij met zorg een groen doek uit als een tafelkleed. Hij houdt zijn hoofd een beetje schuin om het resultaat te beoordelen en verschuift het kleed nog even alvorens uit de la onder het tafelblad steriele doekjes van verschillende formaten tevoorschijn te halen. Hij weet ze op de tast te vinden, net zoals de spuit die hij al half uit de steriele verpakking heeft gehaald en zorgvuldig op een hoek van het doek legt. Manon kijkt toe hoe hij de spuit vult met een licht gekleurde vloeistof, ze in de lucht houdt en er even met zijn vingers tegen tikt. Het is een vertrouwd gebaar. Hij komt op haar toe met een band, snoert hem rond haar bovenarm en klikt het ding vast. Het knelt, maar dat lijkt zo te horen. In tegenstelling tot het exemplaar van dokter ik-missta-niet-op-Miami Beach is dit knelriempje doods grijs. Hier is geen plaats voor vrolijkheid – zelfs niet op een onschuldig knelriempje – om je eraan te herinneren dat het maar om een onderzoek gaat. Je hebt potentieelkanker, meer is het niet. Ze ademt diep in en uit in de hoop de opkomende angstaanval in de kiem te smoren. Hoewel ze een verstokte antiroker is, heeft ze nu zin in een sigaret. De naald van de spuit verdwijnt in haar arm. Vreemd genoeg voelt ze het pas enkele fracties van een seconde later. De vloeistof wordt in haar aderen geduwd, het gaat erg langzaam. Ze kijkt weg van haar arm. De 'ziezo' van de verpleger doet haar opnieuw kijken. Een cirkelvormig pleistertje bedekt het minuscule gaatje dat de spuit geprikt heeft. Meer is er niet te zien.

'Je kunt nu opstaan en je vermaken met wat je maar wilt. Ik ben echter niet beschikbaar.' Een vette knipoog. Manon kotst van mannen die denken dat seksisme geestig is. 'Er zijn enkele roddelbladen voor vrouwen voorhanden hier in de wachtkamer, maar je mag gerust naar de cafetaria gaan. We verwachten je terug in de wachtkamer over een uurtje. Vergeet niet zo veel mogelijk te drinken – water uiteraard –, dat helpt de contrastvloeistof zich te verspreiden over je lichaam. Dan sta je straks mooier op de foto.'

Zou hij zichzelf echt amusant vinden? vraagt Manon zich zuchtend af als ze van het bed wipt.

Manon zet zich met haar tweede flesje water van een halve liter dat ze zojuist uit de automaat heeft gehaald aan een klein rond tafeltje in de hoek van de cafetaria. Net zoals ze in de zomer altijd een strategisch plaatsje op een terras kiest, heeft ze ook nu een tafel gekozen waar ze zelf niet in het oog springt maar wel een uitstekend zicht heeft op wat er rondom haar gebeurt. Ze houdt ervan mensen te observeren: wat ze doen, welke schoenen ze dragen, welke accessoires ze bij zich hebben, of en hoe ze geschminkt zijn en hoe ze reageren op hun eventuele gezelschap. Ze maakt in haar hoofd een serie foto's en legt ze in sneltempo naast elkaar om een oordeel te vellen, een totaalscore te geven en ze in een hokje te plaatsen. Het is tijdverdrijf. Gelukkig laat ze ruimte voor verschuivingen – al is ze op dat vlak rigider geworden de laatste tijd – indien ze naderhand de persoon in kwestie ook effectief leert kennen en die anders blijkt te zijn dan zijn of haar schoenen deden uitschijnen. In tegenstelling tot dat van een terras in de zomer is het cliënteel van de cafetaria weinig divers. De ene groep bestaat vooral uit dokters en verplegend personeel die snel enkele munten in de automaten steken voor een ongezonde snoepreep of een kop gegarandeerd slechte koffie die er verschillende minuten over doet om door te lopen. Manon merkt op dat de dokters van die minuten gebruikmaken om even op adem te komen. Ze rekken zich uit, draaien het hoofd van schouder naar schouder of leunen even zuchtend tegen de machine. De kop koffie wordt ook vaak gewoon aan het dichtstbijzijnde tafeltje opgedronken. Blazend in de zwarte vloeistof wordt even plaatsgemaakt voor de eigen gedachtegang. Het verplegend personeel daarentegen lijkt ongeduldiger: ze roffelen met hun vingers op de drukknoppen of kijken voorovergebogen in de koker waar de koffie uitgedruppeld komt alsof ze op die manier het proces kunnen versnellen. In drie van de vier gevallen wordt het plastic bekertje ook vroegtijdig uit de machine geplukt waardoor er steevast enkele gloeiend hete druppels op de blote hand terechtkomen, met binnensmonds gevloek tot gevolg. Manon waagt zich niet aan een verklaring voor het verschil, ze schept genoegen in de blote observatie.

De overige cafetariabezoekers zijn overwegend oude mensen die zichzelf meer dan voldoende tijd gunnen om haar voorbij te schuifelen met een dienblad met koffie en gebak. Ze is vertederd door het koppeltje dat tegenover elkaar aan het raam zit. Ze zeggen nauwelijks iets tegen elkaar, maar onder de tafel ziet ze hoe hun voeten – in dito pantoffels gestoken – verbonden zijn: haar rechtervoet naast zijn linkervoet en haar linkervoet naast zijn rechtervoet, zij aan zij. Ze eten elk een stuk taart van de soort die Manon nauwelijks door haar keel krijgt: luchtige cakelagen bij elkaar gehouden door dik slagroomcement en erbovenop een bont allegaartje van fruit, eveneens rijkelijk voorzien van toefjes slagroom. Ze genieten er zichtbaar van. Met een meedogenloze zin voor realiteit beseft Manon dat oud worden pas aantrekkelijk is op het moment dat de kans reëel is dat je het niet wordt. Ze kijkt van het koppel weg, gulzig drinkend van het flesje water. Ze heeft nu bijna driekwart liter gedronken en moet dringend plassen. De druk op haar blaas wordt stilaan onhoudbaar, maar ze is vergeten te vragen of ze wel mag plassen. Misschien brengt het de kwaliteit van het onderzoek in het gedrang of – zoals de verpleger het zo spitsvondig wist te formuleren – mislukken de foto's erdoor. Nog een kwartier en het uur is om. Ze kruist haar benen en viseert een dokter van wie de munt gretig aanvaard werd door de koffiemachine zonder dat hij er koffie voor in de plaats krijgt. Zelfs onder deze omstandigheden blijft hij rustiger dan de doorsneeverpleger.

Manon staat op. Ze slaat onmiddellijk dubbel om te vermijden dat ze ter plekke in haar broek plast. Ze concentreert zich op het samentrekken van haar sluitspier en waggelt naar de lift, die haar naar de eerste verdieping brengt. Ze wil zich juist laten zakken op weer een ongemakkelijke stoel met biluitsparing als ze macho-Stan ziet.

'Heb je geplast?' vraagt hij zonder omwegen. Manon is blij dat ze het heeft volgehouden en zegt met enige fierheid nee. 'Doe het dan gauw, anders hebben we geen duidelijke beeldvorming.' Manon vloekt binnensmonds en kijkt om zich heen op zoek naar een toiletpictogram. Stan neemt haar bij de arm. 'Je mag wel even het sanitair voor het personeel gebruiken.' Hij duwt haar een oranje deur door terwijl hij zelf op de gang blijft staan. Manon is zelden zo blij geweest een toiletpot te zien en knoopt haar broek los. Omdat ze zich geheel moet oprichten om de rits naar beneden te krijgen, druppelt er wat urine in haar slip. Ze draait zich snel om, rukt haar broek en slip over haar billen en laat zich opgelucht op de toiletbril neerzakken. De straal komt snel en is krachtig. Ze voelt de pijn in haar blaas onmiddellijk wegebben. Ze zucht luid uit pure gelukzaligheid.

'Je kunt je persoonlijke spullen in dat bakje daar kwijt.'

De verpleger heeft haar na het toiletbezoek teruggebracht naar de groene ruimte van daarstraks. Hij wijst op een metalen mandje dat op een klein krukje naast een stoel staat. Over de stoel hangt een lichtblauwe tuniek. 'Je mag je kleren achterlaten op de stoel, je schoenen en kousen moeten ook uit. Dat blauwe kleedje moet je voorlangs over je armen trekken, zoals een kappersschort, aan de achterkant zitten enkele drukknoppen. Als je de bovenste weet dicht te maken en je strikt de lintjes aan weerszijden naar achteren, dan blijft het geheel wel dicht, valt er niets toevallig open en is er niets te zien.' Weer dat wellustige grijnslachje. 'Je slip hoef je niet uit te trekken, je bh – als je er een draagt – moet wel uit.' Als hij nu durft te grijnzen, denkt Manon, spuw ik in zijn gezicht. Ze permitteert zich extremere reacties sinds de diagnose van potentieelkanker. Hij laat de verwachte grijns achterwege. Ze gehoorzaamt als een zoet kind en schopt eerst haar schoenen uit. Gelukkig blijft hij niet wachten, maar loopt de deur naast het grote raam door. Ze ziet hoe hij op een stoel gaat zitten en begint te tokkelen op een toetsenbord, vermoedelijk van een computer, maar dat kan ze niet zien. Ze schrikt als een verpleegster door de klapdeur komt.

'Sorry', excuseert die zich. 'Geen kamerscherm gekregen?' laat ze er verbaasd op volgen. Manon, die nu worstelt met de knopen van het katoenen hemd, heeft geen idee waar ze het over heeft.

'U bedoelt?'

'Zo een scherm waarachter je je kunt verkleden zonder dat iedereen die hier binnenwandelt je kan zien. We hebben er hier met verschillende motieven, zelfs met Disney-figuren voor de kinderen.' Manon schudt haar hoofd. De donkerharige verpleegster zucht, helpt haar kordaat de linten te strikken en loopt dan verder naar de andere ruimte. Manon hoort haar tegen Stan tekeergaan en ziet haar drukke armbewegingen door het venster. Een lok haar die losgekomen is uit haar hoge staart, wrijft ze telkens driftig uit haar gezicht terug naar achteren. Stan lijkt niet onder de indruk, haalt op een bepaald moment zijn schouders op, draait zich opnieuw naar het onzichtbare computerscherm en gaat door met typen. Manon volgt het allemaal van een afstand. De verpleegster komt weer binnen en snelt haar voorbij.

'Ik ben zo terug, ik haal even een scherm.' Alsof het nog wat uitmaakt nu ze daar in dat lichtblauwe gewaad staat te draaien met haar blote voeten op de koude vloer. Ze is wel blij dat ze haar slip nog rond haar billen voelt, want het hemd is duidelijk een product van de één-maat-voor-allenfilosofie. Ze gaat op haar stapel kleren op de stoel zitten en begint haar benen heen en weer te bewegen in de hoop haar voeten wat op te warmen. De verpleegster is na vijf minuten terug met een scherm bedrukt met madeliefjes. Ze heeft een zakje onder haar oksel. Met enige moeite zet ze het scherm rond de stoel zodat Manon niet langer door het venster kan kijken. Uit het zakje onder haar oksel haalt de verpleegster dunne kousen die viltig aanvoelen.

'Dan bevriezen je voeten niet tijdens het onderzoek', glimlacht ze. Manon besluit haar onmiddellijk in een aangenamer hokje te classificeren dan de gefrustreerde Stan, ook al draagt ze er eigenlijk de verkeerde schoenen voor.

Stan gebaart haar binnen te komen. Manon aarzelt heel even, maar staat dan resoluut op en duwt de deur open.

'Jij mag gaan liggen op het bed. Ik blijf hier aan de computer zitten. Je zult merken dat er het een en ander begint te bewegen rond jou, je zult ook klikkende geluiden horen. Dat is allemaal normaal. Blijf gewoon stil liggen, het duurt niet lang.' Manon kruipt het bed op en gaat op haar rug liggen. Stan duwt haar een beetje hoger op het bed. Ze werkt gewillig mee en wacht af.

'Het was je heup, niet?' Manon knikt. Als de machine begint te zoemen, sluit ze haar ogen en probeert vruchteloos plezierige beelden op te roepen. Ze ziet zichzelf in de spiegel kijken naar haar wenkbrauwloos gezicht, haar kale hoofd. In de wastafel voor haar glijdt de gulp braaksel naar de afvoer. Ze is alleen. Giel zal immers zijn jonge leven niet willen delen met een kankerpatiënte. Dat weet ze wel zeker.

'We zijn klaar.' Manon schrikt. Stan is onhoorbaar naast het bed komen staan. Hij wiebelt ongeduldig van zijn hiel op zijn tenen en terug terwijl Manon overeind komt op het bed. 'Je mag je hiernaast weer aankleden en naar huis gaan. Ik ben klaar met je.'

'En de resultaten?' Stan loopt al terug naar de computer. Hij lacht een kort, denigrerend lachje.

'Zo snel gaat dat niet, juffrouw. Wij analyseren de beelden en zetten de bevindingen en de foto's op het centrale dossiersysteem van het ziekenhuis. Je arts kan ze via datzelfde systeem in de loop van volgende week raadplegen.'

'Volgende week pas?' Manon zegt het in de eerste plaats tegen zichzelf. Stan pareert echter onmiddellijk:

'Ja, juffrouw, volgende week pas, en dat gaat voor dat mooie snoetje van jou echt niet sneller. Je bent niet de enige in dit ziekenhuis.' Manon bliksemt vuur met haar ogen en krijgt een grijns terug. Zonder nog iets te zeggen, loopt ze naar de kamer ernaast. In een opwelling slaat ze de deur achter zich dicht. Stan kijkt er niet eens van op.

Als ze buiten staat, zet ze onmiddellijk haar gsm weer aan. Het is beangstigend hoe afhankelijk ze van het toestelletje is geworden. Het ding begint dadelijk te piepen, tot vijfmaal toe. Ze heeft vijf gemiste oproepen. Ze toetst snel het nummer van haar voicemail in. Een metaalachtige stem kondigt aan dat ze vijf nieuwe berichten heeft, daarbij netjes elk woord hakkend zodat het duidelijk is dat er ooit iemand betaald is geweest om elk woord apart in te spreken. Vreemd toch. Het eerste nieuwe bericht is van haar moeder om haar eraan te herinneren dat haar stiefvader jarig is en ze dus best even belt of ten minste een sms'je stuurt om hem geluk te wensen. Hij zal het nooit toegeven maar zou teleurgesteld zijn als ze er geheel niets van zei. Manon was het glad vergeten, het was haar ontschoten door het onderzoek. Potentieel-kanker maakt meteen ook een egoïst met geheugenverlies van je. Ze schuift haar gsm open zodat een handig toetsenbordje zichtbaar wordt. Een minuut later kan haar stiefpa al glimlachen bij haar virtuele verjaardagskussen die ze hem gezonden heeft. Het tweede, derde, vierde en vijfde bericht is van Giel: 'Hé, neem eens op!', 'Ik wil iets met je bespreken, kun je me terugbellen?', 'Waar zit je? Ik bel me rot!', 'Maaaanoooon!' En ten slotte: 'Nu word ik ongerust, laat je alsjeblieft iets weten?' Hoewel ze er weinig zin in heeft – ze zou liever alleen door het park wandelen om zich te realiseren hoe mooi bladerloze bomen zijn, met hun grillige takken die in de meest vreemde vormen naar de lucht grijpen – belt ze Giel op.

***

Ze hebben afgesproken uit eten te gaan. Giel gaat rechtstreeks van het werk naar het restaurant, heeft hij haar laten weten. En of ze zich op haar paasbest wil kleden. Ze moest zich inhouden niet netelig te reageren. Alsof ze er doorgaans uitzag als een slons. Nu rent ze op haar hoge hakken over de stoepstenen naar de Smakerval, een klein restaurantje in een oud herenhuis. Het is er oergezellig. De eigenaars hebben nagenoeg het gehele huis intact gelaten dus eet je in kleine ruimtes die ooit slaapkamer, woonkamer, kantoor of hobbykamer zijn geweest. Ze wacht in de hal terwijl de gastvrouw haar jas en sjaal weghangt.

'Je man is er al,' zegt ze, 'de trap op, de eerste deur rechts.'
Manon bedankt de vrouw en loopt de trap op. Ze neemt haar tijd. Als ze de kamer binnenkomt, staat Giel breed glimlachend op. 'Mijn liefste', verwelkomt hij haar en hij drukt een zachte kus op haar lippen. Manon schiet in de lach. 'Is de sfeer van het restaurant je naar het hoofd gestegen of heb je al aan de bubbels gezeten?'

'Bubbels, dat is een goed idee', vindt hij en hij schuift haar stoel achteruit. Ze kijkt half naar hem om terwijl ze gaat zitten. Ze krijgt opnieuw een kus, in haar nek deze keer. 'Giel!' giechelt ze gemaakt gechoqueerd. Een serveerster zet enkele versnaperingen op de tafel en vraagt of ze alvast een aperitief wensen. Giel vraagt welke champagne ze in huis hebben. Manon staart hem verbaasd aan. Wat bezielt hem?

'Veuve Cliquot, alstublieft', en hij knipoogt speels naar de jonge vrouw. Ze knikt uitdrukkingsloos en verdwijnt.

Niet veel later komt een man hun kleine privékamer binnen. Hij draagt een smoking met zwaluwjasje met – godbetert! – een ceremoniezwaard om zijn middel. In zijn ene hand balanceert hij de fles champagne, zijn duim zit in de holte van de bodem van de fles, de zijkant van de fles ligt in de palm van zijn hand. Zijn gezicht staat ernstig gespannen als hij met zijn andere hand in één beweging het zwaard uit de schede trekt, hen beiden beurtelings aankijkt, het zwaard tegen de hals van de fles legt, enkele malen bijna liefkozend met het zwaard over de hals strijkt om dan met een discrete knal de fles te onthoofden. Er gaat geen druppel champagne verloren, de hals is verbazingwekkend glad afgeslagen, alsof de te verwachten kartels er zijn afgevijld. Manon moet haar best doen haar mond niet te laten openvallen van verbazing. De man is duidelijk opgezet met het resultaat van zijn werk. Hij laat het zwaard weer in de schede glijden en toont met veel egards de fles aan Manon, het etiket naar haar gericht alsof ze moet controleren of hij wel het juiste merk heeft onthoofd. Manons ogen glijden snel over het etiket en ze wil al uit gewoonte – ze kent immers niets van wijnen en aanverwante – goedkeurend knikken als ze haar eigen naam op het etiket ziet staan, vet gedrukt nog wel. Ze grijpt de fles in een impuls met beide handen vast en concentreert zich: *Manon, wil je met me trouwen?* Ze kijkt instinctief naar de kelner in zijn smoking, die veelbetekenend in de richting van Giel glimlacht. Ze is sprakeloos terwijl de kelner hen elk een glas inschenkt en zich dan tactvol terugtrekt, de fles achterlatend in een door-schijnende koelemmer. De vraag op het etiket schreeuwt om een antwoord. Giel heeft nog niets gezegd, Manon heeft nog niets gezegd. Ze bewegen nauwelijks. Giel doorbreekt als eerste de bewegingsloosheid. Zijn hand kruipt in zijn binnenzak, haalt het obligate kleine, met fluweel omklede doosje tevoorschijn en schuift het over het onberispelijk witte tafelkleed. Manon voelt zich misselijk worden.

'Ik ben ervan overtuigd dat we gelukkig kunnen worden.' Giel gebruikt zijn reclamestem, om te overtuigen. 'Ik ben ervan overtuigd dat jij een vrouw bent die me zal blijven boeien.' Haar benauwdheid neemt toe. 'Ik ben ervan over-tuigd dat ik ook moeilijke waters met je kan doorzwem-men. Bovendien kan ik me geen betere moeder voorstellen voor mijn kinderen dan jij!' Hij heeft zijn betoog opge-bouwd tot deze climax. Kinderen?

'Kinderen? Wie heeft het ooit over kinderen gehad? Wie heeft gezegd dat ik kinderen wil? Wie is ervan uitgegaan dat ik kinderen met jou wil? Wie heeft gezegd dat dat kan?' Ze sist het, snel achter elkaar, ratelt het af zoals het in haar hoofd naar boven komt, eerder zichzelf bevragend dan Giel. Giel was iets van zijn stoel gekomen op het moment dat hij het ringdoosje naar voren schoof. Nu valt hij terug op zijn stoel.

'Kinderen hoeven niet, maar we hebben het daar toch al over gehad, je wilde er toch dolgraag?'

Kinderen vragen toekomst, binden je aan het leven. Potentieelkanker biedt weinig toekomstperspectief.

'Ik wil dat soort engagement niet aangaan.'

'Trouwen is ook een engagement.'

'Ook een brug te ver voor mij. Het spijt me.' Ze antwoordt snel om te vermijden dat ze van gedacht verandert. Giel kijkt haar verslagen aan.

'Hoe zie je onze relatie dan evolueren, Manon?'

Niet, denkt ze meteen, maar ze krijgt het niet over haar lippen.

'Kunnen we het niet gewoon laten zoals het is, we hebben het toch niet slecht?' Het is een relatie zonder formele banden, zonder beloften. Doodgaan is maar angstaanjagend voor zover je verplicht wordt achter te laten wat je dierbaar is, waar je van houdt, wat je leven invult, misschien zelfs zinvol maakt. Verlos je van die banden en bang zijn hoeft niet meer. Ze wil niet bang zijn.

'Waar ben je bang voor, Manon?' Ze kan het hem niet zeggen. 'Die vrijblijvendheid hoeft juist niet meer voor mij,' probeert Giel, 'dat is wat ik je wil duidelijk maken door met je te trouwen.'

'Ik trouw niet met jou, Giel.' Een preventieve maatregel tegen een potentieel onvermijdelijke scheiding.

De serveerster is opnieuw geruisloos binnengekomen. Of ze al een keuze hebben kunnen maken? De menukaarten liggen onaangeroerd op de tafel. Giel kijkt even naar Manon.

'Ik denk dat we het bij het aperitief zullen houden. Als u zo vriendelijk zou willen zijn de rekening te brengen?' De jonge vrouw toont geen verbazing noch verontwaardiging, slechts apathisch professionalisme.

'Zeker meneer, een ogenblik.'

6

Zes jaar eerder

Het plaveisel voor het gerechtsgebouw is koud. Manon voelt de kilte door haar pumps kruipen, langs haar kuitbeen richting haar billen. Ze had toch voor een broek moeten kiezen in plaats van de linnen rok die ze draagt. Bovendien begint haar bips te tintelen van het lange zitten. Ze kijkt voor de derde keer op haar uurwerk. Daniël had toch tien uur gezegd? Ze wist het bijna zeker. Daarom was ze nog eerst even gaan werken en niet samen met hem hier naartoe gekomen. Ze neemt nog een hap van de warme wafel die ze heeft gekocht op weg naar het gerechtsgebouw. Elke keer opnieuw laat ze zich ertoe verleiden. Tegen beter weten in: de geur van de wafels belooft je meer smaak dan er eigenlijk aan is. Wanneer je door de krokante bovenlaag bijt, belanden je tanden in een halfgebakken deegmassa. Ze slikt de hap door en kijkt naar de wafel. Ze heeft nauwelijks de helft opgegeten. Even overweegt ze het van vet doordrongen papiertje waarmee ze de wafel vasthoudt eromheen te wikkelen en hem te bewaren voor later. Ze laat het idee echter onmiddellijk varen: iets wat nu al slecht smaakt, kan er alleen maar verder op achteruit gaan. Ze staat op, laat haar handtas staan en loopt snel de treden af naar de openbare vuilnisbak. Ze mikt het stuk wafel erin. Ze likt haar vingers af en merkt geërgerd dat ze blijven plakken. Met twee treden tegelijk loopt ze terug en graaft in haar handtas op zoek naar papieren zakdoekjes. Speciaal voor de gelegenheid heeft ze de grote canvas schoudertas waarmee ze normaal zeult vervangen door een elegant, zwartlederen exemplaar. Als ze het zich goed herinnert, heeft ze die van haar moeder gekregen met kerst vorig jaar, of het jaar daarvoor. Ze dacht dat ze op die manier meer klasse zou uitstralen. Met een beetje spuug wrijft ze de suiker en het vet van haar handen. Het vuile zakdoekje propt ze terug in haar tas. Ze kijkt opnieuw op haar polshorloge. Waar blijft hij nu? Het is bijna kwart over tien! Ze kijkt links en rechts de straat in, maar ziet geen Daniël met snelle pas naderen. Ze wordt zenuwachtig, ondanks het feit dat het niet haar maar zijn proces is. Ze checkt haar gsm in de zak van haar lange vest. Hij heeft haar ook niet proberen te bellen. Ze kauwt op de binnenkant van haar wang, niet goed wetend wat ze moet doen. Ze kan moeilijk in zijn plaats terechtstaan. Als ze opkijkt van het schermpje, kijkt ze recht in het gezicht van een jonge man in maatpak aan de overkant van de straat die haar glimlachend toeknikt. Ze wil vriendelijk teruglachen tot ze ziet hoe zijn blik van haar gezicht over haar bovenlichaam naar haar benen afdwaalt. Dan realiseert ze zich haar uitdagende houding. Doordat ze in een rok op de treden zit, kan natuurlijk iedereen aan de andere kant van de straat getuigen welke kleur slip ze draagt. Tenzij ze kuis haar benen over elkaar slaat, wat ze niet had gedaan. Geërgerd zet ze haar tas voor zich en propt haar rok tussen haar benen. Ze had echt beter een broek aangedaan. Eigenlijk is het vreemd dat ze zo bekommerd is om hoe ze eruitziet. Denkt ze nu werkelijk dat de rechter hem strafvermindering zal geven als hij ziet wat een welopgevoede, goed geklede vriendin Daniël Verrichte heeft? Het is ronduit naïef, maar eigenlijk denkt ze inderdaad dat het helpt. Ze wil niet de indruk wekken dat ze met zijn tweeën een op de dool geraakt marginaal koppel zijn, waarvan je niets anders verwacht dan dat ze op een gegeven moment met het gerecht in aanraking komen. Daarom heeft ze zich met dit koude weer toch laten verleiden tot het dragen van een beige linnen rok, gevoerd weliswaar, en een eerder klassieke gebreide trui in katoen. Ze kan alleen maar hopen dat Daniël – waar hij ook mag zitten – het verstand heeft gehad een pak aan te trekken. De eerste indruk doet veel, zelfs al sta je terecht voor opzettelijke slagen en verwondingen.

De brief was enkele weken geleden door de postbode afgegeven. Daniël had Manon nooit verteld hoe de aanklacht luidde. Ze was er dan ook van uitgegaan dat hij voor dronkenschap en rijden onder invloed gevonnist zou worden. Dat kon toch nooit zo erg zijn. Misschien zouden ze zijn rijbewijs voor langere tijd intrekken of hem een serieuze geldboete opleggen. Manon vond elk van die straffen meer dan gerechtvaardigd. Hij had verdorie haar autootje geruineerd! De garagist kon haar niet veel hoop geven toen ze vroeg of het nog te herstellen was. Ze kent niets van auto's, maar de ingedeukte voorkant van haar blauwe Fiat leek toch het einde niet te zijn. Er was nog zoveel aan de auto dat niet stuk was! Toch kreeg ze enkele dagen later telefoon dat ze beter kon uitkijken naar een andere wagen. Er was onherstelbare schade aangericht aan de motor. Haar eerste reactie was Daniël uitschelden, maar hij was op dat moment niet in de buurt. De garagehouder stelde haar voor naar enkele tweedehandswagens in zijn garage te komen kijken. Hij kon gerust een prijsje voor haar maken. Hoewel ze niet al te veel vertrouwen had in dat zogenaamde prijsje, was ze de dag erop al gaan kijken. Zonder veel nadenken schafte ze zich opnieuw een kleine Fiat aan. De twee jaar garantie die ze kreeg, stelde haar enigszins gerust. Het was een flinke hap uit haar budget, maar veel keuze had ze niet nu Daniël niet langer een bedrijfswagen voor de deur had staan. Ze dacht dus dat ze er goed aan gedaan had. Toen ze thuiskwam met haar nieuwe aanwinst, trok Daniël meteen van leer. Hij vond dat een wagen kiezen een mannenzaak was. Ze had hem minstens kunnen consulteren. Er waren honderd en één zaken die ze over het hoofd gezien had. Zo konden ze bijvoorbeeld nooit met dat kleine ding op reis. Je kreeg je tandenborstel nog niet in de koffer, beweerde hij. Hij riep dat ze een oen was, dat hij er het raden naar had waar haar verstand gebleven was. Manon wilde eerst het gebrul nog over zich heen laten gaan. In de tegenaanval gaan zou de boel alleen maar verder doen ontploffen. Maar het was gewoon niet eerlijk. Uiteindelijk snoerde ze hem de mond met het ultieme argument: het was haar geld dus had hij niets in de pap te brokken. Hij was met slaande deuren vertrokken en pas laat teruggekomen. Hij had op de sofa geslapen. Toen Manon hem daar de volgende morgen zag liggen, bedacht ze dat hij er wel een stijve nek aan zou overhouden. Het kon haar niet schelen.

Daniël had de brief eerst zelf in stilte gelezen. Manon brandde van nieuwsgierigheid, maar hield zich in. Hij zuchtte erg diep en overhandigde haar de brief.

'Jij hebt toevallig geen goede advocaat in je vriendenkring die me zou kunnen bijstaan?' Manon nam op haar beurt de brief door. Opzettelijke slagen en verwondingen. Rechtbank van eerste aanleg. Correctionele kamer. Het waren stuk voor stuk zaken die ze kende van de talloze politie- en misdaadseries op de televisie, maar dat gebeurde toch niet echt. Toch niet in haar leven. Daniël reageerde verslagen, verontschuldigde zich nog.

'Waarvan heb je nu werkelijk spijt, Daniël?' Ze schreeuwde het uit. Hij antwoordde niet. Nochtans had ze het graag geweten.

Twintig over tien. De zaak zou om halfelf voorkomen.

Plots zakt Daniël in grijs pak naast haar neer op de trap. Ze schrikt. Ze had hem niet zien aankomen.

'Ik ben bang', poneert hij. Manon ruikt de alcohol in zijn adem. Dit is de eerste keer dat hij zo vroeg drinkt. Dat denkt ze tenminste. Ze weet niet of ze boos moet zijn, hem troosten of medelijden moet hebben. Zij wil hier net zo min zijn als hij. Zij wil niet de vriendin zijn van een misdadiger, een geweldpleger, een alcoholist. Waarom is ze hier?

'Wat als ik straks veroordeeld wordt tot een effectieve celstraf?' Daniël zegt het kordaat. Hij heeft er duidelijk al over nagedacht. Voor Manon is het echter een nieuw gegeven.

'Kan dat dan?'

Hij haalt zijn schouders quasi nonchalant op.

'Ik denk het wel.'

Manon ziet beelden voor zich van Daniël in een donkerblauwe gevangenisplunje die tegenover haar gaat zitten in de bezoekruimte. Ze mogen elkaar niet aanraken, alleen maar praten. Een cipier staat naast hen en luistert elk woord af. Hij ziet erop toe dat ze hem niet stiekem iets toestopt, een mes bijvoorbeeld. Ze schudt even haar hoofd. Dit is geen fictie, geen televisie, geen film. Dit is de werkelijkheid!

'Maar heeft je advocaat je daar niet over ingelicht?'

'Kijk om je heen Manon! Zie jij een vriendelijke man of vrouw die eruitziet als een advocaat, die mij bij de hand neemt, zegt dat alles goed komt en me uitlegt dat een celstraf het laatste is dat ik moet verwachten?' Manon schuift wat van hem vandaan.

'Ik dacht...'

Daniël onderbreekt haar ruw.

'Ja, denken doe ik ook en ik denk dat ik niet wil horen wat ze daar binnen over mijn leven gaan beslissen', zegt hij terwijl hij achter zich wijst naar het gerechtsgebouw.

'Wat bedoel je?' Manon staat op en strijkt haar rok die

tussen haar benen uitglijdt weer glad. Haar billen tintelen nog steeds. 'Je bent toch wel van plan naar je eigen proces te gaan, hoop ik?' Ze zegt het dreigend. Daniël blijft zitten. Nu ze zo boven hem uitsteekt, voelt ze zich tegen hem opgewassen. Zeker nu het tot haar doordringt dat ze – als ze dat zou willen – de treden kan aflopen en weggaan. Zomaar de straat uitlopen zonder om te kijken. Er is geen enkele dwingende reden voor haar om hier te zijn, mee de rechtszaal in te lopen. Zij is vrij. Hij niet. Het is haar proces niet. Het is het zijne. Ze kan een glimlach van opluchting niet onderdrukken. Gelukkig ziet hij het niet.

'Waarom? Mijn advocaat laat het toch ook afweten?'

'Wat?!'

Daniël lacht dof, een beetje smalend.

'Tja, hij belde me zojuist. Hij zit vast in de file en zal het niet halen, maar alles is geregeld volgens hem.'

'Hoezo, alles is geregeld, wat bedoelt hij daarmee?' Manon praat snel, geagiteerd.

'Weet ik veel!' Daniël legt zijn hoofd op zijn knieën en herhaalt: 'Weet ik veel.' Er knapt iets in Manon. Haar gevoel van persoonlijke vrijheid verdwijnt als sneeuw voor de zon. Ze zijn opnieuw met twee om veroordeeld te worden. Ze gaat weer naast hem zitten op het koude grijs en wrijft met haar vlakke hand over zijn rug.

'Laten we naar binnen gaan en afwachten. Wat weten wij hier in godsnaam van? Als de advocaat beweert dat het geregeld is, zal dat wel zo zijn. We zullen daarop moeten vertrouwen. Meer kunnen we toch niet doen.' Terwijl ze de woorden uitspreekt, voelt ze hoe verbonden Daniël en zij op dit moment zijn. Zij zijn nog nooit met het gerecht in aanraking gekomen. Door Daniëls toedoen is dat nu wel het geval. Haar woede flakkert opnieuw op. Ze is bang en dat is zijn schuld. Hij heeft haar binnengeloodst in een stukje maatschappij waar ze tot dan toe niets mee te maken heeft gehad. De wereld van rechters, advocaten en criminelen, van celstraffen en geldboetes. Ze kent die wereld niet, ze wil die wereld niet kennen, het maakt haar bang. Ze staat op. 'Het is tijd.' Ze wacht tot Daniël in beweging komt. Nog voor hij helemaal staat draait ze zich van hem weg en loopt naar de ingang van het gerechtsgebouw. Hoe sneller dit achter de rug is, hoe liever.

De hal van het gerechtsgebouw is indrukwekkend. Voor Manon en Daniël strekt zich een brede marmeren trap uit die na een twintigtal treden op een tussenniveau opsplitst in een linker- en een rechtertrap. Op het tussenniveau herinnert Vrouwe Justitia aan de objectiviteit van het recht en de rechtvaardigheid. Voor zij die erin geloven tenminste. Daarachter reflecteert een majestueuze spiegel iedereen die de trap neemt. De schuldigen zowel als de onschuldigen. Het is pijnlijk confronterend. Manons hooggehakte schoenen maken heiligschennend veel lawaai op het parket. Vanaf een afstand kan ze op het zwarte bord met witte prikletters al lezen dat de rechtbank van eerste aanleg zich op de eerste verdieping bevindt. Zonder om te kijken of Daniël volgt, loopt ze de trap op. In andere omstandigheden zou het marmer onder haar voeten haar een vooraanstaand gevoel hebben bezorgd. Ze negeert haar eigen reflectie in de spiegel en viseert die van Daniël. Hij volgt haar, starend naar de tippen van zijn zwarte schoenen die hij niet heeft opgepoetst. Boven blijft Manon even staan. Ze hoort Daniël achter zich hijgen. Ze aarzelt.

'Is het hier de deur rechts niet?' vraagt Daniël hortend. Ze weet dat het de grote houten deur rechts is. Een gouden plaatje vermeldt: *rechtbank van eerste aanleg*. Er valt weinig aan te ontkennen. Ze wil gewoon niet verder. Niet met deze rechtszaak, niet met deze man. Wat houdt haar tegen? Waarom loop je niet naar beneden, Manon? Het gerechtsgebouw uit? De straat uit? Zijn leven uit? Hou je nog van hem, is dat het?

'Loop nu door!' spoort Daniël haar aan. Hij duwt haar licht in de rug. Manon voert haar eigen proces in haar hoofd. Niet nu, verdedigt ze zich. Ik kan nu niet bij hem weg. Hij heeft me nodig. Nog even blijf ik, al was het maar uit goed fatsoen. Ze weet niet eens of ze de waarheid spreekt. Misschien is ze gewoon te laf om bij hem weg te gaan. Te bang voor het leven alleen.

Ze overbrugt de enkele meters naar de houten deur en kijkt achterom.

'Klaar?' vraagt ze fluisterend aan Daniël. Hij knikt, duidelijk gespannen. Ze duwt tegen de afgesleten deurhendel. De zware deur gaat luid piepend open. Manon steekt voorzichtig haar hoofd naar binnen. De zaal is volledig uit hetzelfde hout opgetrokken als de deur die ze met moeite openhoudt. Daniël duwt de deur verder open. Nu moet ze wel naar binnen lopen. De houten banken staan in dubbele rijen opgesteld. Vooraan prijkt een soort altaar, links en rechts geflankeerd door gelijkvormige, kleinere tafels op een lager niveau. Erachter zitten drie mannen, gekleed in lange zwarte gewaden. De witte beffen doorbreken het zwart ter hoogte van de borstkas. Hoe waardig ook gedragen, de kleding ziet er bespottelijk en voorbijgestreefd uit. Daniël pakt Manons hand en trekt haar naar de zijkant van de zaal. De achterste bank is volledig gevuld met mannen in een soortgelijk kostuum als de drie heren vooraan op het podium. Een van hen knikt Manon toe. Manon reageert niet, maar schuift achter Daniël een van de banken in. Pas als ze op haar plaats zit, ziet ze de jongeman die voor het centrale altaar staat met zijn rug naar de zaal, zijn hoofd gebogen.

'Meneer de rechter.' De advocaat rechts van de rechter

neemt het woord. Hij heeft een lange grijze baard en een kalend hoofd. Sinterklaas die zich van kostuum heeft vergist. 'Gezien de jonge leeftijd van de beklaagde acht ik het niet onwaarschijnlijk dat het bij deze feiten blijft. Ik zou in deze context ook uw aandacht willen vestigen op het feit dat de beklaagde een moeilijke jeugd heeft gehad die het gebeurde zo niet vergoelijkt dan toch enigszins begrijpelijk maakt.' Er klinkt hoongelach op de laatste rij advocaten in het zwart. Ze zijn blijkbaar niet erg onder de indruk van de argumenten die hun collega ter verdediging naar voren schuift. Manon kijkt even achterom. Ongegeneerd wordt er op de laatste rij gefluisterd, zelfs gelachen. Een van de advocaten – hij draagt witte gympen onder zijn kleed, stelt Manon ontsteld vast – maakt zelfs een wegwerpgebaar naar de verdediger die vooraan zijn pleidooi zonder blikken of blozen voortzet.

'Ik dring er dan ook bij het hof op aan...' De rest van de zin gaat verloren door het gepiep van de deur die opengaat. Niet aarzelend, maar vastberaden. In de deuropening staan twee politieagenten volledig gekleed in uniform. Hun pet houden ze geklemd onder de arm. De gouden koordjes en strepen op het uniform laten een hoge rang vermoeden. Ze blijven even naast elkaar staan alsof ze wachten tot iedereen hen opgemerkt heeft. Volledig synchroon marcheren ze door de middengang van de zaal naar de bank schuin voor die waarop Manon en Daniël hebben plaatsgenomen. Ze kijken op noch om. Zij zijn mensen van de wet, geheel op hun plaats in een rechtszaal.

'Zijn dát de agenten die je hebben opgepakt?' fluistert Manon ontzet in Daniëls oor. Daniël kijkt vluchtig naar de blauwe ruggen van de agenten en trekt zijn schouders op.

'Daniël?'

Hij antwoordt niet. Hij lijkt geconcentreerd het proces van de jongen vooraan te volgen. 'Daniël?' herhaalt Manon. 'Ik weet dat niet meer', sist Daniël haar toe. 'Laat me met rust', voegt hij er boos aan toe. Manon draait zich ostentatief van hem weg. De openbare aanklager in haar hoofd zet opnieuw een aanval in: waarom laat je je zo afbekken? Ben je niet speciaal voor hem hier? Vind je dan dat hij het recht heeft je zo te behandelen?

'Daniël Verrichte!' Het klinkt luid en onheilspellend. De rechter kijkt afwachtend de zaal in. Daniël knijpt kort in Manons arm. Ze kijkt op en ziet nog juist de advocaat met de grijze baard vooraan van de treden stappen. Hij stapt op de jongeman toe die voor de rechter als bevroren is blijven staan, legt zijn arm over zijn schouder en begeleidt hem langs de zijgang de zaal uit. Als ze voorbijkomen, is het muisstil op de laatste rij. Blijkbaar lokt het verdict geen spot uit bij de collega-juristen.

'Wat moet ik nu doen?' Daniël klinkt paniekerig.

'Weet ik ook niet', fluistert Manon. 'Sta alvast op.' Daniël staat langzaam op. De rechter gebaart naar de plek voor hem waar daarnet nog de jongeman stond. Daniël schuift langs Manon de bank uit. Ze wil hem nog iets bemoedigends toefluisteren, maar vindt er de woorden niet voor. Daniël trekt zijn vest recht als hij in het middenpad staat. De agenten hebben zich allebei omgedraaid en kijken hem steenkoud aan. Daniël kucht even, met zijn hand beleefd voor de mond, en stapt dan naar voren. Op dat moment buigt de procureur des Konings zich naar de rechter toe. De rechter plooit zijn bovenlichaam gewillig zijn richting uit. Er wordt over en weer gefluisterd. Manon bijt op haar onderlip. Ze staart naar de lege plaats vooraan. Daar had de verdediging moeten zitten. Wat gebeurt er nu? Hoe kan er nu een proces komen zonder dat Daniël verdedigd wordt? Is dat wel volgens de regels van de wet? Ze kijkt opnieuw achterom naar de rij pleiters achter in de zaal. Zouden zij tussenbeide komen als er iets niet volgens het boekje gebeurt? Het gefluister tussen de rechter en de procureur is opgehouden. Het is stil in de zaal. Daniël, die tijdens het onderonsje zijn linkerbeen wat had geplooid zodat hij meer ontspannen stond, richt zich opnieuw volledig op. De rechter schuift nog wat met de papieren die voor hem liggen voordat hij het woord neemt. 'Meneer Verrichte.' Daniël knikt onnodig. 'Gezien uw blanco strafblad ben ik niet geneigd u een zware straf op te leggen.' Daniël zucht hoorbaar. 'Dit betekent echter niet dat ik de door u gepleegde feiten lichtzinnig opvat. Wat u hebt gedaan is een overtreding van de wet en dus strafbaar. Ik meen echter te mogen geloven dat u zich bewust bent van het feit dat u een fout hebt begaan en dat u niet van plan bent die fout te herhalen.' Daniël knikt opnieuw. 'Daarom beperk ik uw straf tot een gemeenschapsdienst van honderdzestig uren. Dit echter op voorwaarde dat u in therapie gaat om uw agressie te leren beheersen. Ik wens zonder fout een rapport te ontvangen waarin verklaard wordt dat u deze begeleiding op regelmatige basis gevolgd hebt en uw volledige medewerking hebt verleend aan de u opgelegde therapievorm.' De hamer komt neer op het houten altaar. 'U kunt zich tot uw advocaat wenden voor de praktische uitvoering van deze straf. Ik hoop u niet meer te moeten ontmoeten in deze zaal, meneer Verrichte. U kunt beschikken.' Daniël knikt nogmaals. Voordat hij zich omdraait, kijkt hij nog even in de richting van de procureur des Konings. De man heeft tijdens de toespraak van de rechter niet opgekeken van zijn tafel. Hij staart nu door het venster naar buiten alsof hij niets met deze zaak te maken heeft. Het is geregeld, precies zoals Daniëls advocaat heeft verzekerd. Daniël draait zich om en kijkt triomfantelijk lachend naar Manon. De beide agenten staan luid op. In de middengang wacht de ene tot ook de andere zich uit de bank heeft geschoven. Naast elkaar marcheren ze de zaal uit. Als hun trots gekrenkt is, laten ze dat niet blijken.

'Marijke Giebels.' Terwijl Daniël langs het zijpad op Manon toeloopt, schuifelt een oude vrouw naar voren. De rechter klinkt verveeld als hij haar aanspreekt: 'Mevrouw Giebels, hoe vaak gaat u nog in mijn rechtszaal verschijnen?' Manon ziet nog juist hoe het vrouwtje nonchalant haar schouders ophaalt.

'Het is mijn schuld niet, meneer', antwoordt ze. De advocaten op de achterste rij lachen ingehouden. Manon legt haar hand op haar mond tegen het opkomende giechelgevoel en beent achter Daniël de zaal uit. In de gang schatert ze het uit. Het weergalmt luid tegen het marmer. Daniëls zware lach volgt snel.

'Wat kan zo een oud mensje nu in godsnaam verkeerd gedaan hebben?' hikt hij.

'Geweldpleging, net als jij, dat zie je toch zo!' Waarschijnlijk zijn ze te horen tot in de rechtszaal, maar ze lachen er niet minder luid om. De spanning moet uit hun lijf.

'Ik neem je mee voor een uitgebreide lunch. Dit moeten we vieren!' Daniël pakt Manon nog steeds lachend bij de hand en sleept haar de marmeren trap op. Als ze de spiegel voorbijkomen, steekt Manon nog gauw haar tong uit naar haar spiegelbeeld. Ze had een uur geleden willen vluchten. Ze had hem in de steek willen laten juist op een moment dat hij alle steun kon gebruiken. Wat voor een mens doet nu zoiets? Ze haat zichzelf erom.

***

81

'Een glas cava graag. Voor haar ook.' Daniël kijkt de serveerster glimlachend aan. 'We hebben iets te vieren', verklaart hij. 'En zet alvast die Californische witte wijn koud.' Hij wijst met zijn vinger op de wijnkaart. 'Of heb je liever rood?' vraagt hij aan Manon. Manon schudt haar hoofd.

'Wit is prima, ik neem toch gewoon een slaatje.'

'Tss, tss', berispt Daniël haar. 'We hebben iets te vieren, schat!' Manon moet zich inhouden om niet bitsig te reageren.

'Ik moet nog werken, weet je', verdedigt ze zichzelf. 'Niet iedereen kan deze middag op zijn luie krent gaan liggen', kan ze niet nalaten toe te voegen.

'Dat is waar', repliceert Daniël luchtig. 'Ik gelukkig wel, dus doe mij maar een steak.'

De serveerster kribbelt met een potlood enkele woorden op een blocnote.

'Ik breng zo dadelijk het aperitief.'

Zodra ze buiten gehoorsafstand is, buigt Manon voorover naar Daniël.

'Kun je me een plezier doen en niet te veel drinken?' Daniël gaat onmiddellijk tegen de rugleuning van zijn stoel zitten. Van de intimiteit van zo-even is nog nauwelijks iets te merken.

'Wat is jouw probleem, Manon? Ik heb een lichte straf gekregen. Misschien vind jij dat geen reden om te vieren, maar ik wel.'

'Jij vindt dat je iets te vieren hebt, maar je vergeet dat je daar wel in de rechtbank van eerste aanleg stond en dat daar reden toe was. Niet echt iets dat een feestje verdient, lijkt me. Bovendien heb ik niet gezegd dat je niet mag vieren, ik heb je gevraagd niet te veel te drinken. Je hebt deze morgen al gedronken.'

'Dat waren een paar pilsjes om mijn zenuwen de baas te kunnen.'

'En nu een glas cava en een paar glazen wijn...'

'Om te vieren!' onderbreekt hij haar.

'Ja, om te vieren.' Ze legt een scherpe toon in die woorden, maar gaat er niet verder op in. Hij zou toch maar boos worden. Er volgt een ongemakkelijke stilte.

'Zullen we vanavond naar de film gaan?' Daniël doet alsof de bitse woordenwisseling van zojuist niet heeft plaatsgehad.

'Mmm, hangt er een beetje vanaf hoe laat ik thuis ben. Ik heb nu al veel tijd verloren en weet niet of ik het werk vandaag op een redelijk uur rondkrijg.' Het was een plausibele leugen. Daniël kijkt haar onderzoekend aan.

'Bedankt dat je erbij was in de rechtszaal.' Hij zegt het stil. Nog voor Manon kan reageren, komt de serveerster met de glazen cava.

'En omdat jullie iets te vieren hebben, biedt het huis jullie enkele aperitiefhapjes aan.' Een jong meisje met twee kinderlijke paardenstaarten zet met een brede zwaai een bordje amuse-gueules in het midden van de tafel.

'Dank je', zegt Manon automatisch. Als beide vrouwen verdwenen zijn, heft Daniël zijn glas.

'Op een mooiere toekomst.' Daar wil Manon wel op klinken.

De lege borden van het hoofdgerecht zijn juist afgeruimd als er eerst een licht zoemend geluid hoorbaar is, gevolgd door een luid en vrolijk melodietje. Het koppel dat naast hen zit, kijkt verstoord in hun richting. Manon veegt wat denkbeeldige kruimels van het tafelkleed. Daniël grijpt naar zijn broekzak.

'Gelukkig dat dit niet tijdens de rechtszaak gebeurde', gniffelt hij jongensachtig. Manon reageert niet. 'Het is mijn advocaat', verklaart Daniël terwijl hij opstaat en zich naar de uitgang van het restaurant begeeft.

'Wel wat laat, vind je niet?' kan Manon niet nalaten hem achterna te roepen. Opnieuw geërgerde blikken van de belendende tafel. Ach, loop naar de pomp, doe thuis romantisch als dat zo nodig is, denkt Manon. Ze wou dat ze zulke dingen ook hardop durfde te zeggen. Het zou af en toe de stoom van haar inwendige ketel halen.

Tien minuten later beent Daniël het restaurant opnieuw binnen met een brede grijns op zijn gezicht. Manon voelt een intense weerzin. Zijn arrogante zelfingenomenheid lijkt geen grenzen te kennen.

'Ik mag zelf kiezen hoe ik die uren gemeenschapsdienst presteer', verklaart hij enthousiast terwijl hij opnieuw gaat zitten. Gelukkig komt op dat moment de serveerster vragen of ze nog koffie of een dessert wensen. Manon slikt haar giftige reactie in en schudt haar hoofd.

'Ik moet echt weer aan het werk', verontschuldigt ze zich. Daniël kijkt een beetje verbaasd als ze gedecideerd opstaat, met haar servet haar mond afdept en het witte linnen naast haar bord legt. 'Ik zei toch juist dat ik weer aan het werk moet.'

'Euh, ja natuurlijk, ga maar, ik reken wel af.' Ze geniet ervan dat ze Daniël even van zijn stuk gebracht heeft. Zonder hem verder nog een blik waardig te gunnen, pakt ze haar jas en loopt snel het restaurant uit.

'En u meneer, wenst u koffie?' De serveerster wacht geduldig op antwoord.

'Graag, en doe ook maar een cognac.'

'Natuurlijk meneer.'

Wat heeft de balans nu zo snel doen omslaan? Terwijl Manon naar haar kantoor wandelt, overloopt ze de afgelopen uren. Hij was een flink eind te laat en had gedronken. Dat had haar behoorlijk geïrriteerd maar niet echt kwaad gemaakt. Ze had een gevoel van afkeer moeten onderdrukken, net als op het moment dat hij het restaurant weer binnenkwam met de boodschap dat hij zelf de invulling van zijn gemeenschapsdienst kon bepalen. Ze voelt ook nu hoe een gevoel van onrechtvaardigheid langs haar ruggengraat omhoog kruipt en haar kippenvel bezorgt. Dát was het. Het was de manier waarop Daniël reageerde op zijn proces en veroordeling. Alsof het hem overkwam zonder dat hij er iets aan kon doen. Alsof er hem onrecht werd aangedaan. Dát stuitte haar tegen de borst. Hij lijkt niet te vatten dat hij gestraft wordt – nu ja, gestraft is een groot woord – voor fouten die hij begaan heeft. Zo kent ze hem niet. Zo wil ze hem niet kennen. Niet mans genoeg om de gevolgen van zijn eigen daden te dragen. Hij is niet langer de partner die zij dacht dat hij was. Ze lacht wrang om het cliché. Relationele blindheid. Wie lijdt er niet aan? De man op wie ze verliefd is geworden krijgt ze nog maar zelden te zien: de attente man die voor haar zorgt, die haar steunt, die haar beste vriend is. Daniël toont de laatste tijd steeds meer zijn minder aangename kant: hij daagt haar uit, probeert haar te onderwerpen. Ze staan meer tegenover dan naast elkaar. Ze merkt dat ze op haar binnenkaak kauwt. Iets wat ze doet als ze voor een probleem niet onmiddellijk een oplossing vindt. En Daniël is voor haar een probleem geworden. Ergens in haar hoofd sluimert het idee dat hun relatie al lang aan het verrotten is en nu volledig dreigt af te sterven. Ze weet het, maar ze wil niet denken aan het logische gevolg van die vaststelling. Ze kan nog niet geloven dat zij als koppel dood zijn. Het zijn gewoon moeilijke tijden. Daniël heeft het moeilijk. Zij moet nu even op haar tanden bijten. Ze komen er wel uit, samen. Opgelucht dat ze tot dit besluit gekomen is, duwt ze de glazen deur van het kantoorgebouw open. Gelukkig komt ze geen collega's tegen in de lift. Ze heeft even geen zin om te doen alsof er geen vuiltje aan de lucht is.

Daniël rekt zich uit en strekt zijn benen tot ver onder de stoel tegenover hem. Als Manon er nog had gezeten, zou ze er ongetwijfeld een pinnige opmerking over gemaakt hebben. Wat had ze trouwens de laatste tijd? Ze lijkt nog moeilijk te kunnen uitmaken hoe ze moet reageren. Hij zoekt naar bevestiging en steun en zij antwoordt met overdreven kritiek. Hij kan nog nauwelijks iets goed doen. Waar hij enthousiast over is, kan niet eens haar goedkeuring wegdragen. Neem nu die gemeenschapsdienst; een absolute meevaller, dat ziet iedereen. Behalve Manon. Om een of andere reden kan zij zijn vreugde niet delen. Daniël kan zich niet van de indruk ontdoen dat ze het met opzet doet. Kwaadwillig dwarsligt. Hoe kun je haar gedrag anders verklaren? De koffie en de bel cognac worden geruisloos voor hem neergezet. Hij knikt dankbaar en strekt zijn hand uit naar de cognac, de koffie is waarschijnlijk toch nog te warm. Hij maakt het haar natuurlijk niet gemakkelijk, maar daar kan hij toch niets aan doen? Juist daarom zou ze nu blij moeten zijn met zijn milde straf. Dat is toch ook goed voor haar? Ze zijn duidelijk elkaars golflengte kwijt. Terwijl de cognac warm door zijn slokdarm glijdt, roert hij in zijn koffie. Hij voegt suiker noch melk toe, maar toch roert hij. Het helpt hem nadenken. Hij kijkt op zijn polshorloge. Kwart over drie. Hij heeft geen zin om naar huis te gaan. Er wacht hem daar niets of niemand, buiten verveling. Hij zou iets kunnen gaan drinken met iemand. Het zou hem goeddoen zijn hart eens te kunnen luchten tegen iemand die wel enig begrip kan opbrengen voor zijn penibele situatie en het gevoel van opluchting dat hij zojuist nog voelde maar nu wegebt. Hij haalt zijn gsm uit zijn broek en bladert snel door zijn contactenlijst. Iedereen die min of meer in aanmerking komt voor een glas en een babbel is aan het werk. Hij zal minstens tot vanavond moeten wachten. Hij steekt zijn gsm weer weg en zucht. Hier zit hij nu. Alleen. Hij had gelukkig moeten zijn, blij met de goede afloop. Hij drinkt in enkele slokken zijn afgekoelde koffie op en schuift het kopje en schoteltje van zich weg om het cognacglas recht voor zich te kunnen zetten. Hij laat het laatste beetje vocht rondwalsen in de brede bocht van het glas. Hij voelt zich eenzaam, nutteloos.

'Zou u me nog een cognac kunnen inschenken?'

Het is halfzes als hij op het trottoir voor het restaurant staat. Hij voelt zich zo licht in het hoofd dat hij er kinderachtig gelukkig van wordt. Hij lacht luid. Enkele voorbijgangers kijken bevreemd achterom.

7

'Het liefst van al wil ik mijn leven geheel omgooien. Iets anders doen.' Giel en Manon lopen naar huis. Manon probeert de onbehaaglijke stiltes op te vullen door hardop na te denken. Toen ze klein was, verzon ze vaak verhalen over wie ze was, wat ze kon, wat ze zou worden. Zo kon ze in bed liggen tijdens koude winternachten, bibberend onder haar donsdeken dat nog niet de gelegenheid had gehad de warmte van haar lichaam op te vangen en weer af te geven. Ze beeldde zich in dat ze op straat lag, als het meisje met de zwavelstokjes. Ze had het koud, vooral aan haar voeten. Niemand die voorbijliep wilde haar helpen, haar voedsel geven of onderdak bieden. Ze was eenzaam, op zichzelf aangewezen. Ze bedacht hoe ze warmte zocht op een ventilatierooster van een metrostation, lichtjes bedwelmd door de geur van verbrande rubber die eruit opstijgt. Dat waren fantasieën die ze liever niet zag uitkomen, maar er waren ook andere, meer wensdromen. Over gebeurtenissen die ze zou willen meemaken of over zaken die ze zou willen kunnen. Ze deed alsof ze het echt had meegemaakt of kon en creëerde op die manier haar eigen fictieve leven. Ze had helemaal alleen door Italië gereisd op haar motor en de meest waanzinnige dingen meegemaakt. Zo was ze bestolen, waardoor ze verplicht was geweest enkele weken in een topless bar de bediening te doen, totdat ze voldoende geld verzameld had om haar reis naar huis te financieren. Ze had de nacht doorgebracht in een kerk en bezoek gekregen van de dienstdoende priester met wie ze de hele nacht was doorgezakt in het gezelschap van enkele flessen miswijn, ze had er bijna voor gezorgd dat hij zijn gelofte verbrak en met haar naar België terugkeerde. Ze had motorpech gehad en niemand bereid gevonden haar motor te maken, simpelweg omdat niemand wilde geloven dat een frêle vrouw als zij op zo een zware BMW helemaal alleen het land doorkruiste. Er moest een man in het spel zijn die haar gebruikte als lokaas om geholpen te worden. En ga zo maar door. Geen van die verhalen bevatten enige waarheid, maar ze vond het goddelijk ze te verzinnen. Nu voelde ze de drang ten minste een van die hersenspinsels werkelijkheid te maken. Dan was er iets spannends gebeurd in haar leven, dan was het avontuurlijk geweest, meer waard geleefd te worden. Het was niet altijd vanzelfsprekend geweest de fictie overeind te houden. Toen ze vijftien jaar was, had ze de bewondering van haar klasgenoten proberen af te dwingen door rond te bazuinen dat ze bijzonder goed was in het rampskaten: met een skateboard trucs uithalen, liefst iets met even ondersteboven hangen, dat was het indrukwekkendst. Ze dacht dat ze niet door de mand kon vallen, ze had immers voldoende opzoekwerk verricht om de verschillende figuren en stunts bij naam te kennen. Ze pochte met die kennis met het gewenste effect: ze werd bewonderd voor haar vermeende kennen en kunnen. Het liep vlotjes tot een schoolreis hen naar een park voerde waar zo een skateramp stond opgesteld. Ze werd gevraagd een demonstratie te geven, door de juffrouw nog wel, die het belangrijk vond de jongerencultuur een plaats te geven in het onderwijsgebeuren. Ze voelde de schaamte nu nog. Ze had zich publiek belachelijk moeten maken door toe te geven dat ze gelogen had, dat alles verzonnen was. De rest van het schooljaar was een hel geweest: ze was het mikpunt van getreiter en gespot dat de eerdere bewondering ruimschoots oversteeg. Het jaar erna had ze een flauw excuus verzonnen voor haar ouders en mocht ze van school veranderen, waar ze een ander fictief leven kon verkopen, zij het op minder grote schaal, dat lesje had ze wel geleerd.

'Ik overweeg een opleiding tot kunstschilder te volgen aan de academie. Ik denk er al een hele tijd over en vind dat ik het nu moet doen. Anders wordt uitstel toch maar afstel. Ik heb geen zin om aan het einde van mijn leven terug te blikken en mezelf te moeten verwijten dat ik het niet gedaan heb, snap je?' Giel knikt weinig overtuigd. 'Ik zou mijn werk dan wel even moeten stopzetten of toch terugschroeven. Een tijdje de molen stilleggen. Ik heb voldoende spaargeld, dat zou financieel moeten lukken. Ik zou ook eindelijk willen verhuizen naar een loft, niet naar een rijtjeshuis, villa, appartement of bungalow, maar naar een loft, liefst nog met daktuin. Daar droom ik al jaren van. Ik moet zeker ook meer reizen, er zijn nog te veel plaatsen die ik niet heb gezien.' Giel blijft stilstaan. Manon heeft het pas enkele stappen later door, draait zich om.

'Ik kom in geen enkel plan van jou voor, in geen enkele droom die je nu verwoordt.' Giel stelt het nuchter vast. 'Het is waar wat je daarnet zei in het restaurant: je denkt niet aan ons in de toekomst maar alleen in het heden. Dat spijt me oprecht, Manon. Ga maar naar huis. Ik ga niet met je mee.' Het doet meer pijn dan ze had verwacht.

'Waar ga je naartoe?' Giel haalt zijn schouders op: 'Ergens even bekomen. Misschien bij mijn ouders of vrienden, ik weet het niet, maar niet bij jou.' De stilte en het wikkende staren naar elkaar duurt maar even. Geen van beiden capituleert. Giel draait zich om en loopt de andere kant op.

Ze loopt helemaal alleen over de straat. Het is al donker en behoorlijk koud voor de tijd van het jaar. Vreemd eigenlijk hoe je levensstatus zo plots kan wijzigen: in geen tijd is ze van een gezonde vrouw in een stabiele relatie geëvolueerd naar een alleenstaande vrouw met potentieelkanker. Straks zal ze alleen thuiskomen, in het huis waar ze al zo lang weg wil zonder dat het haar lukt. Ze zal zich waarschijnlijk onmiddellijk onbehaaglijk voelen omdat ze alleen is, ondanks het feit dat ze het zo wilde. Niets en niemand om afscheid van te nemen.

***

'Ze heeft haar benen volledig laten behandelen, echt waar. Het deed pijn, maar het resultaat mag er zijn: nauwelijks nog een spoor van die dikke spataders die haar benen ontsierden. Fantastisch toch!' Manon glimlacht naar haar moeder.

'Ja mam, dat is ongelooflijk.' Ze heeft nauwelijks naar het verhaal geluisterd.

'Neem toch nog een koekje.' Het is al de vijfde keer dat Manon het schaaltje met koekjes onder haar neus geduwd krijgt.

'Ze heeft al koekjes gehad', helpt haar stiefvader haar zonder weg te kijken van de tenniswedstrijd op de televisie.

'Ze mag toch nog een koekje, Frans, of niet soms?' Het klinkt uitdagend, maar Frans gaat er niet op in. Hij kijkt Manon even aan en haalt bijna onmerkbaar zijn schouders op. Haar moeder is ondertussen al aan een ander verhaal begonnen. Manon glimlacht naar haar stiefvader. Ze bewondert zijn berusting in zijn lot. Kon zij dat maar op die manier.

'Nog koffie?' Manon schudt haar hoofd. Haar moeder kwekt verder. 'Nadia, de dochter van de bakker – je kent haar, ik geloof dat jullie nog in dezelfde klas hebben gezeten –,

schijnt haar eigen bakkerij te willen openen, niet zo ver hiervandaan. Dat kan natuurlijk niet! Ze zou een rechtstreekse
concurrent zijn van haar eigen ouders. Ze schijnt er zelf
geen kwaad in te zien. Het is haar natuurlijk ingefluisterd
door die echtgenoot van haar. Haar moeder is er niet goed
van. Had je Nadia maar wat beter gekend, dan had je haar
misschien op andere gedachten kunnen brengen.' Manon
knikt opnieuw. Zelfs al had ze Nadia beter gekend, dan nog
zou ze zoiets nooit doen, maar het had geen zin dat aan haar
moeder te vertellen. 'Heb je nog iets van je vader gehoord?'
Nu kijkt Frans wel even op. Hoewel Manons ouders al jaren
gescheiden zijn, is de relatie tussen haar stiefvader en haar
natuurlijke vader nooit echt optimaal geweest. Vreemd eigenlijk, want ze kennen elkaar nauwelijks. Mannelijke rivaliteit
om een vrouwtjesdier, een oerinstinct.
  'Nee, ik heb hem al enkele weken niet meer gehoord of
gezien.'
  'Ja, het moet ook altijd van jouw kant komen.' De lichte
ergernis in haar moeders stem ontgaat Manon niet. Hoe
haar vader ook zijn best zou doen voor zijn dochter, voor
haar moeder zou het altijd onvoldoende blijven. Zou ze hem
na al die tijd nog steeds iets kwalijk nemen? Manon heeft
er geen flauw idee van. Over de scheiding en het geruzie dat
eraan voorafging, werd nooit gesproken. Ook nu niet. Ze
maalt er niet om. Tegen de algemene opvattingen in, heeft
ze nooit stilgestaan bij de scheiding van haar ouders. Ze vond
niet dat het haar aanging. Ze was al zestien jaar toen haar
ouders samen haar slaapkamer binnenkwamen en aankon-
digden dat ze uit elkaar gingen. Manon was te veel met zichzelf en haar eigen kleine puberproblemen bezig om echt
teleurgesteld te zijn. Ze hebben haar toen meteen ook een
co-ouderschapsregeling voorgesteld. Ze had botweg gereageerd dat ze niet van plan was wekelijks met haar koffer

naar de andere partij te verhuizen. Ze zou wel bij mama blijven en regelmatig bij papa op bezoek gaan. Als het haar uitkwam natuurlijk. Haar zus zou wel wekelijks tussen ma en pa pendelen. Manon realiseert zich nu pas dat dit waarschijnlijk hard aankwam bij haar vader. Nochtans heeft hij het haar nooit aangewreven.

'Ik bel hem straks nog wel. Het zou fijn zijn hem nog eens te zien, het is te lang geleden.'

'Ja, dan heb je tenminste iets om over te praten.' Opnieuw dat lichte sarcasme. Manon negeert het. Zou ze haar vader inlichten over haar potentieelkanker? Bij hem was er geen gevaar voor betutteling. Daarvoor was hij te ver van haar verwijderd geraakt. Bovendien heeft ze hem steeds bewonderd, maar ook gevreesd en verafschuwd voor zijn vergaande nuchterheid. Hij zou haar voeten op de grond houden.

Als tiener had ze het erg moeilijk met het idee dat ze hoogstwaarschijnlijk haar ouders zou overleven. Er zou een moment komen waarop haar papa en mama zouden sterven en zij alleen achter zou blijven. Ouderloos. Uren had ze erom gehuild. Als haar moeder bezorgd vroeg wat er aan de hand was, kon ze het niet uitleggen. Doodgaan is zo vanzelfsprekend. Je vertelt toch ook niet dat je huilt omdat het nat wordt als het regent? Haar moeder begreep het niet, hoe kon het ook. Ze haalde haar schouders op en gebaarde naar papa dat ze haar maar even met rust moesten laten. Puberstreken. Haar vader was geen hardvochtig man, wel tactloos en onwetend. Hij kon het niet laten erop te wijzen dat het leven nu eenmaal zo in elkaar zit. De logica van geboren worden en sterven verliep volgens hem liefst zo natuurlijk mogelijk. Dat wilde zeggen dat het in zijn ogen niet hoorde – hij deed zelfs alsof het onwelvoeglijk was – dat ouders hun kinderen dienden te begraven. Hij kon er erg diep op ingaan, zo diep dat haar moeder ervan begon te snikken. Het was niet uit de lucht gegrepen. De kranten en tijdschriften stonden bol van geweld: zonder enige rationele aanwijzing werden jongeren, kinderen, zelfs baby's omgebracht door mensen die op het eerste gezicht geen kwaad in zich hadden. Plots leek er iets in hun hersenen te knappen, met de dood van enkele onschuldige stumpers tot gevolg die de pech hadden dat ze op het verkeerde moment op de verkeerde plaats waren. Het lijden van de familieleden – de ouders in de eerste plaats – werd breed uitgesmeerd in de media zodat het hele land het rouwproces kon volgen, bijna voelen, hoewel diezelfde familieleden opriepen hun een periode van rust te gunnen. Haar vader nam telkens de gelegenheid te baat om de onnatuurlijkheid van het gebeuren te onderstrepen: ouders moesten als eersten gaan, niet hun kinderen. Manon begreep zijn redenering wel, maar huilde om haar eigen, toekomstige verdriet. Ze wilde niet verlaten worden, niet achtergelaten door haar ouders. Ze wilde die pijn niet voelen. Door haar puberaal egocentrisme maakte ze zich geen zorgen om hun dood op zich, maar om haar eigen pijn, om de leegte die ze zou voelen. Het zou hard zijn, te hard om te dragen. Daar huilde ze om. Haar potentieelkanker veranderde de zaken en toch weer niet. Haar vader zou zijn zin niet krijgen, zij zou als eerste gaan – sorry paps – en haar dood zou haar verlossen van de pijn om die beangstigende leegte die hun overlijden zou achterlaten. Anderzijds moest zij nu alleen vechten tegen haar doodsangst. Tegen het verdriet dat het – potentiële – afscheid van haar familie en vrienden met zich brengt. En opnieuw weent ze om haar eigen verdriet, uit een zelfzuchtige behoefte.

Als Manon van haar moeder komt, voelt ze zich leger dan ooit. Ze had meer verwacht van het bezoek, al kan ze er de vinger niet opleggen. Haar vader belt ze morgen wel, of overmorgen. Ze kan er nu de energie niet voor opbrengen. Ze zal bij haar vader ongetwijfeld evenveel trivialiteit vinden als bij haar moeder. Misschien zal het bij hem meer over zijn werk gaan of over voetbal in plaats van over spataders, de overhangende takken van de fruitboom, de was en de strijk, maar het zou even gewoontjes zijn. Waarschijnlijk schuilt de zin van het leven in de banaliteit ervan.

***

'Natuurlijk, juffrouw. Het is niet nodig je onmiddellijk voor de volledige schildercursus in te schrijven. Dat is het voordeel van de modulaire aanpak: je kunt je het hele jaar door aansluiten. Naargelang je ervaring...'

'Ik heb sinds de kleuterklas geen penseel meer in mijn handen gehad', onderbreekt Manon haar. De vrouw lacht toegeeflijk.

'Ook dat is geen probleem, dan start je gewoon met module één. Daarin ligt de nadruk op techniek. Je leert alles stap voor stap, te beginnen met het vasthouden van het penseel.'

'Oh, maar dat kan ik nog net!' lacht Manon. De vrouw schudt haar hoofd.

'Onderschat het niet meisje, alles staat of valt met de juiste techniek.' Manon vraagt zich plots af wat de vrouw aan de balie van een academie doet. Haar passie voor de schilderkunst reikt duidelijk verder dan het informeren van leken zoals zij.

'Er is juist een schilderles bezig. Als je wilt, kunnen we een kijkje gaan nemen.' De vrouw wacht niet eens Manons reactie af, staat op en komt achter de balie vandaan. Ze draagt een lange, fel bedrukte rok tot aan haar enkels en slippers met voor elke teen een lederen lusje. Een hel om 's morgens aan te trekken. De blouse die ze nonchalant over de rok draagt, moet ooit opvallend blauw zijn geweest, maar is nu dof van kleur. De lange halsketting waarmee de vrouw on-onderbroken speelt, moet het geheel wat opsmukken. Het mag niet baten: de vrouw ziet er ronduit sjofel uit. Ze sloft voor Manon de gang in. Manon volgt gedwee. Het plafond van de gang is zeker acht meter boven haar. De gelige verf bladdert op verschillende plaatsen van de muur. De indruk-wekkende glas-in-loodramen laten het zonlicht met gemak binnenvallen. Als Manon door het venster van de grote eikenhouten deur links van zich kijkt, ziet ze een kleine jongen met een cello tussen zijn benen verwoede pogingen doen zijn leraar te imiteren. De leraar tikt keer op keer op de muziekpartituren en zegt bazig: 'Herhaal.' Het geluid achtervolgt Manon tot ver in de volgende gang.

'Je mag Agnes zeggen.' De vrouw heeft zich omgedraaid en herhaalt: 'Je mag Agnes zeggen, dat praat gemakkelij-ker.' Ze zou zich nu op haar beurt moeten voorstellen, maar ze knikt slechts. Ze heeft geen behoefte aan praten. Ze weet zelfs niet volledig zeker of ze hier wel wil zijn. Waar is ze naar op zoek?

'Hier zijn we dan.' Agnes legt haar wijsvinger op haar lip-pen ten teken dat ze stil moeten zijn. Ze duwt de deur open. Niemand kijkt op. Ook de leraar niet, een man met een erg gerimpeld gezicht en een klein sigaartje bungelend in zijn rechtermondhoek. Stilzwijgend wijst hij op het schilderij van een jonge leerling en vervolgens op een tafel die in het midden van het klaslokaal staat. Op de tafel staat een tin-nen kan, naast een appel en een ananas. Een vreemde com-binatie. De leerlingen staan in een halve cirkel rond de tafel en turen gespannen naar het stilleven om vervolgens achter hun schilderdoek te verdwijnen en enkele penseelstreken te trekken. Even plots als ze zich achter hun ezel verschansen, komen ze er weer vanachter en beginnen opnieuw te turen. Manon verbaast zich over het bont allegaartje leerlingen.

De jongste van de hoop is het schriele jongetje aan wie de leraar uitleg geeft. Ze schat hem nog geen twintig jaar. Hij heeft lang, kleverig haar en lijkt in geen dagen gegeten te hebben: zijn gezicht ziet vaalgrijs en zijn wangen zijn ingevallen. Naast hem duwt een vrouw van midden de dertig hardhandig haar borstel in een potje met een doorzichtige vloeistof. De vloeistof kleurt meteen blauwrood en vervolgens vuil bruin. Onder haar schilderschort komen twee elegante benen met slanke kuiten tevoorschijn. Ze draagt zwart glimmende sandalen op een laag maar fijn hakje. Het beeld dat je krijgt door naar de onderkant van haar lichaam te kijken contrasteert met de bovenkant: haar lichtblond halflang haar piekt langs alle kanten en op haar gezicht staan verschillende verfvegen. Ze zucht regelmatig en de diepe rimpel tussen haar twee blauwe ogen doet vermoeden dat ze niet erg tevreden is met haar versie van het stilleven. De derde leerling is de enige die zich met een stoel achter zijn schildersezel heeft gezet. Zijn gehele houding straalt rust en zelfverzekerdheid uit. Gericht beweegt zijn penseel over het doek. Hij kijkt zelden naar de tinnen kruik en het fruit op de kleine tafel. Hij lijkt het beeld tot in de details in zijn hoofd te hebben opgeslagen. Manon gaat twee meter achter hem staan en kijkt nieuwsgierig naar zijn schilderij. Tot haar grote verbazing is geen enkele vorm op zijn doek herkenbaar als een tinnen kruik, een appel of een ananas. Dat verklaart meteen waarom de man niet hoefde op te kijken van zijn kunstwerk.

'Prachtig, is het niet?' fluistert Agnes met een vage beweging in de richting van de leerlingen. Manon weet niet precies waaraan ze nu precies refereert en loopt zonder te reageren verder naar de voorlaatste leerling. Een oude vrouw met een bloemetjesschort aan. Als Manon schuin achter haar gaat staan en haar werk bekijkt, draait ze zich om.

'Het is maar tijdverdrijf.' Ze zegt het zo verontschuldigend dat Manon zich verplicht voelt haar gerust te stellen: 'Het is bijzonder precies.' Dat is het ook, maar ook niet meer dan dat. De vrouw is er in geslaagd de voorwerpen op de tafel exact weer te geven op het doek, maar om een of andere reden kan Manon het geen geslaagd schilderij vinden. Ze zou het alleszins nooit in haar huis ophangen. Nog voor ze bij de laatste leerling kan gaan kijken, komt de leraar naar haar toe. Kauwend op het sigaartje steekt hij zijn hand vol verf schaamteloos naar haar uit. Manon kan niet anders dan hem de hand te drukken. Agnes gniffelt even als ze ziet dat elke vinger een afdruk heeft achtergelaten op haar hand. De leraar kijkt er onbewogen naar.

'Geïnteresseerd in schilderlessen?' Manon knikt.

'Maar ik bak er ongetwijfeld niets van', antwoordt ze onzeker.

'Anders had je ook geen les nodig', antwoordt de man nuchter. 'Je kunt dan best starten met de eerste module, daar beginnen we met enkele technische aspecten van het schilderen.'

'Dat heb ik haar ook aangeraden', zegt Agnes flemend. Ze heupwiegt een beetje. 'Ze kan zich dan al inschrijven voor de cursus die volgende week start, tenzij die vol is natuurlijk.' De leraar mompelt iets over nooit voldoende leerlingen. Agnes lijkt het perfect verstaan te hebben en antwoordt: 'Maar Raf, dat ligt in het geheel niet aan jouw talent.' Ze legt uit aan Manon dat hij veel te bescheiden is. Manon heeft gezien wat ze wilde zien.

'Worden er alleen stillevens geschilderd?' vraagt ze Raf.

'Volgend op de technische lessen wel ja. Dat geeft de gelegenheid verschillende van de aangeleerde technieken te oefenen.'

'Spijtig, want dat is precies wat ik wilde vermijden: stil

leven.' Raf haalt zijn sigaartje uit zijn mond en lijkt iets te willen antwoorden, maar bedenkt zich. Agnes gniffelt even en zegt:

'We laten jullie nu verder werken.' Ze pakt Manon bij de arm en dwingt haar zachtjes naar de deur. Op de gang doet Agnes alsof er niets aan de hand is.

'Raf is werkelijk een fantastische leraar. Het is een voorrecht van hem les te krijgen.'

'Dank je voor de informatie, maar ik denk dat het al bij al toch niet precies is wat ik nodig heb.'

'Vergeef het me meisje, maar ik vrees dat ik je niet kan volgen.' Manon kijkt langs Agnes heen de gang in, alsof ze een snelle vluchtroute zoekt.

'Het is niet aan u zich te verontschuldigen, mevrouw. Dank u voor uw tijd.' Manon begint sneller te lopen en laat Agnes achter zich. In het kleine park achter het oude gebouw van de academie laat ze zich vallen in het gras. Ze rolt zich op haar rug en kijkt naar de slierten wolken die snel voorbijdrijven. Ze weet niet meer wie ze is. Eén enkele verdomde diagnose – potentieel dan nog – en haar persoon davert op zijn grondvesten. Ze zou willen dat iemand haar opbelt om haar gerust te stellen. Ze zou willen dat iemand haar hier en nu vastpakt zodat ze die persoon van zich af kan duwen. Ze zou willen dat er iemand haar kan uitleggen waarom dit met haar gebeurt. Ze zou willen dat ze sterk genoeg was, zodat ze hier niet als een klein kind met gebalde vuisten op het gras moet liggen met tranen die uit het niets telkens opnieuw opwellen in haar ogen.

Als ze eindelijk opstaat en de tranen van haar wangen wrijft, kijkt ze snel om zich heen. Heeft iemand haar gezien? Een nietsvermoedende passant zou haar gedrag op zijn minst vreemd vinden. Dat ze de controle over zichzelf verliest vlak bij de academie, speelt gelukkig in haar voordeel: het kan altijd als lichamelijke expressie en dus als kunst worden opgevat. Ze zucht een paar maal diep tot ze er een beetje duizelig van wordt, recht haar rug en loopt het grasplein af alsof er niets gebeurd is. Het is weer voor even achter de rug.

8

Zes jaar eerder

Er zijn van die dagen waarop je wakker wordt naast je partner en – hoewel je al enkele jaren lief en leed deelt – overvallen wordt door een vlaag van verliefdheid. Je voelt opnieuw die vreemde buiktintelingen en je vindt dat ene sproetje terug op haar gezicht dat haar die eerste keer zo onweerstaanbaar guitig maakte. Daniël draait zich om en strijkt de haren van Manon uit haar gezicht. Ze heeft gezweet tijdens de nacht. Haar haren zijn wat kleverig, haar hals vochtig. Ze ademt zwaar en er zit een onmiskenbare ruis op haar longen. Ze heeft nog steeds last van die aanhoudende verkoudheid. Nochtans klaagt ze er nauwelijks over. Zo is zijn Manon nu eenmaal. Hij glimlacht en blijft nog even naast haar liggen, gewoon om naar haar te kijken. Hij zal over enkele minuten opstaan en haar ontbijt klaarmaken zodat ze zich niet hoeft te haasten bij het douchen. Hij houdt van haar. Niet gewoon een beetje graag zien, maar intense liefde. Het idee dat ze er ooit niet meer zou kunnen zijn, om welke reden dan ook, beangstigt hem. Hij heeft haar nodig. Hij is er zeker van dat zij er ook zo over denkt. Ze heeft er alleen nog niet zo geheel aan toe kunnen geven als hij. Dat komt nog wel. Ze zal inzien dat ze bij elkaar horen, dat hij haar toebehoort en zij hem. Een twee-eenheid. Ze kreunt even en draait zich om als hij het donsdeken een beetje openslaat – niet te ver zodat zij geen last heeft van de koude luchtstroom – en zijn benen zachtjes uit het bed tilt.

'Wanneer ben je vanavond thuis?' Manon worstelt met haar haardos voor de spiegel. Daniël komt achter haar staan en kijkt haar over haar schouder aan in de spiegel terwijl hij zijn handen op haar heupen legt. Manon mompelt iets onverstaanbaars. De schuivertjes die de laatste haarlokken moeten vastzetten, zitten geklemd tussen haar lippen. Daniël glimlacht.

'Antwoord gewoon met ja of nee: zul je er zijn voor het avondeten?' Manon knikt ja. 'Oké, dan doe ik straks inkopen. Nadat ik ben gaan kijken of er nieuwe banen te rapen vallen', voegt hij er snel aan toe. Manon heeft nochtans niets gezegd, niets gemompeld, noch kwaad gekeken.

**

Deze avond moet bijzonder zijn. Daniël loopt door de gangen van het warenhuis en zoekt exclusiviteit. Iets verrassends. Ondertussen voelt hij regelmatig of het doosje nog in zijn binnenzak zit. Hij heeft een hele tijd moeten sparen voor een ring. Manon heeft niet veel juwelen. Verschillende oorringen – maar wel allemaal dezelfde zodat ze de kleine ringetjes die ze regelmatig verliest bij het sporten onmiddellijk kan vervangen – en enkele halskettingen. Van de paar reizen die ze samen hebben gemaakt, zitten er ook enkele armbandjes en amuletten aan lederen koordjes bij elkaar gepropt in het houten kistje dat ze tot juwelenkist heeft gepromoveerd. Maar geen ring. Die draagt hij hier in zijn borstzak. Het maakt hem zowel gespannen als blij dat hij dit gaat doen. Hij gaat Manon ten huwelijk vragen. Zijn vrouw tot zijn vrouw maken.

Ze zaten in het zuiden van Frankrijk toen hij haar de eerste keer vroeg hoe ze tegenover het huwelijk stond. Het was Manon die erover begon. Ze houden beiden van wijn proeven en waren die middag op een wijngaard aanbeland waar net een proeverij aan de gang was. Er werd al gauw wat geschoven met glazen en stoelen zodat er ook voor hen plaats was aan de lange houten, wat verweerde tafel die buiten stond. Achter hen bevonden zich de gebouwen waar het hele proces van druif tot wijn zich afspeelde. Voor hen strekten zich de lange rijen wijnstokken uit, vakkundig onderhouden door mannen die langs de kleine struiken liepen en hier en daar een rank afknipten. Het leek willekeurig te gebeuren, maar de man die de proeverij leidde, verzekerde hun dat willekeur wel het laatste was dat erbij kwam kijken. Het kostte moeite het Provençaalse dialect te volgen en zowel Manon als Daniël waren opgelucht als er na een uitleg waar maar geen einde aan leek te komen eindelijk geproefd kon worden. Je kunt dan toegeven dat je van wijn proeven geen kaas hebt gegeten, een flinke slok nemen, het even in je mond laten rondwalsen en doorslikken met de woorden: 'niet mijn ding' of 'erg lekker'. Helaas bleek dit al snel onvoldoende voor de gastheer. Bij elke wijn die werd ingeschonken, moesten de deelnemers een heel proces doorlopen: kijken, ruiken, nogmaals kijken, proeven met een kleine slok en het begin van de tong en ten slotte met een grote slok en je volledige tongoppervlak. Elke stap van dit proces werd vergezeld van een uiteenzetting over waar je op diende te letten, welke aspecten van deze wijn hem onderscheidden van de andere. De eerste keer deden alle deelnemers braaf wat hun gevraagd werd, maar het duurde niet lang of de proeverij ontaardde in een gezellig samenzijn van toeristen en lokale mensen – vooral de arbeiders wiens werkdag erop zat – die zich te goed deden aan de verschillende wijnen die werden aangeboden. De gastheer liet het gelaten zijn gang gaan. De gastvrouw voelde zich in haar nopjes en bood de toeristen aan mee te tafelen met de arbeiders, voor wie ze elke avond een stevig maal bereidde. Het plezier ging door tot in de late uurtjes en uiteindelijk hadden Manon en Daniël toestemming gevraagd hun tentje op te zetten op het terrein. Het plan om naar de camping in Isle sur la Sorgue te rijden, was enkele uren daarvoor al van tafel geveegd. Daniël maakte koffie terwijl zij geroutineerd de tent opzette. Ze sloten de avond af met zijn tweeën voor hun tent onder één deken, nippend van de hete oplosdrank.

'Het is hier ronduit prachtig', concludeerde Manon na enkele minuten stilte. 'Ik benijd de arbeiders hier. Ze moeten hard werken overdag, maar 's avonds kunnen ze hun benen onder tafel schuiven, krijgen ze een lekker maal voorgeschoteld, drinken ze wijn waaraan ze zelf hebben bijgedragen en kijken ze uit over een landschap dat gewoon vraagt om een huwelijksaanzoek.' Op dat moment proestte Daniël het uit.

'Een stille hint kun je dit nauwelijks noemen, Manon!' Hij zag haar wat dromerig glimlachen.

'Het flapte er gewoon uit, je moet er niet te veel achter zoeken. Het is een metafoor om te beschrijven hoe overweldigend mooi ik het hier vind. Het geeft me het gelukzalige gevoel tot een groter geheel te behoren, een gevoel van compleet te zijn.'

'En op zo een moment zou je ten huwelijk gevraagd willen worden?' Manon keek hem aarzelend aan.

'Als ik een huwelijksaanzoek droom, dan gebeurt het altijd op een moment dat rust en gelukzaligheid in zich draagt, nog voor de vraag wordt gesteld.'

'Manon, zou je graag hebben dat ik je ten huwelijk vraag?' Het had gekund maar Manon schudde resoluut haar hoofd.

'Nee, op dat moment wil ik in de eerste plaats nuchter zijn.' Daniël schoot in de lach. 'Maar ik wil ook echt overtuigd zijn dat we samen horen Daniël, en dat voel ik nu niet, nog niet.' Het was er wat harder uitgekomen dan ze had bedoeld, maar Manon meende wat ze zei. Ze was niet geheel overtuigd van haar relatie met Daniël. Ze vreesde even dat Daniël boos zou worden, het zou opnemen als een persoonlijke afwijzing en dat was het niet. Toch niet in de eerste plaats. Daniël reageerde nauwelijks, dronk van zijn koffie. 'Je hebt waarschijnlijk gelijk', zei hij uiteindelijk. 'Zo lang hebben we nog geen relatie, we zijn beiden nog jong, er is geen haast bij.' Er volgde een korte stilte. 'En bovendien zijn we veel te vrolijk in de wind.' Toen nam hij haar koffiekop uit haar handen en zette die weg. Hij ging schrijlings op haar zitten en begon haar te kietelen tot ze werkelijk dacht dat ze erin zou blijven. De volgende dag liep het al tegen het middaguur eer ze de wijngaard verlieten met een vijflitervaatje van de wijn waarvan ze dachten dat het degene was die ze gisteren het lekkerst hadden gevonden.

Sindsdien was hij beginnen te sparen. Maandelijks zette hij een bedrag voor de ring opzij. Niet veel, want dat kon hij zich niet veroorloven, maar na drie jaar was het een substantieel bedrag. Nu zou ze er klaar voor zijn, dat wist hij, dat voelde hij gewoon. Het geld had op dit ogenblik misschien kunnen dienen als appel voor de dorst. Hij had immers geen inkomen meer, maar dat kreeg hij niet over zijn hart. Je kunt een ring niet inruilen voor kaas, brood en vlees op je bord. Dat hoort niet. Hij staat aan de kassa met een overvolle kar. Helemaal bovenaan prijkt de fles champagne. In zijn hoofd speelt hij de film van de avond af. Terwijl hij de verschillende aankopen op de rubberen band plaatst, controleert hij of hij alles heeft om de film te draaien. De caissière lijkt niet in het minst verbaasd over zijn nogal exuberante aankopen. Weet zij veel. Ze zou misschien alleen maar jaloers zijn als ze het wist. Daniël geniet van zijn niet-aflatende binnenpret. Nu zou ze er wel klaar voor zijn.

Het is zes uur. Het kan niet lang meer duren voor Manon thuiskomt. Alles is piekfijn in orde. Daniël gaat op de sofa zitten en zet de televisie aan om naar niets bijzonders te kijken. Manon rijdt met haar auto de straat in. Ze is precies op tijd en heeft daar erg haar best voor gedaan. Niet omdat ze zo graag naar huis wilde, dat is al lang niet meer zo. Wel omdat ze nog niet bereid was de gemoedelijke sfeer die vanmorgen tussen haar en Daniël hing – iets wat haar aangenaam had verrast – op te geven. Toch voelt ze zich op een of andere manier onbehaaglijk. Honderd meter voor het door haar verafschuwde huis stuurt ze haar wagen naar de kant en zet de motor af. Ze zet de radio uit en legt haar hoofd op het stuur. Uiteindelijk stapt ze uit. Ze wil gaan lopen, haar hoofd leegmaken, maar ze heeft Daniël beloofd op tijd thuis te zijn dus neemt ze genoegen met de korte wandeling tot de voordeur.

Ze belt en steekt haar sleutel in de deur. Ze verwisselt routinematig haar hoge schoenen voor haar pantoffels en pakt de klink van de deur naar de woonkamer vast. Ze aarzelt een fractie van een seconde, duwt dan resoluut de deur open en wordt overvallen door de gezelligheid: verschillende kaarsjes branden her en der, er klinkt zachte muziek en op onverklaarbare wijze heeft Daniël de woonkamer behaaglijk warm gekregen. Hij zit ontspannen op de sofa en reikt haar een fluit bubbels aan. Onwillekeurig gaan haar ogen naar de fles: ze is nog voor meer dan de helft gevuld, hij is dus niet vroeger beginnen te drinken. Toch niet van de champagne. Ze lacht, gaat voorzichtig naast hem zitten en kust hem op zijn wang.

'Verrassing?' Ze knikt en heft haar glas:
'Gezondheid.'
'Op de liefde', antwoordt hij, maar zij vindt het moeilijk dat te beamen.

Het is behoorlijk laat. Daniël geniet van elke minuut. Hij heeft Manon de heerlijkste gerechten voorgeschoteld en zij heeft op elk ervan verrukt gereageerd. Ze drinken wijn en praten zoals ze vroeger praatten. 'Koffie?' Manon schudt haar hoofd. Ze heeft het zo al moeilijk genoeg om goed te slapen de laatste tijd. Koffie kan dat alleen verergeren, zelfs de cafeïnevrije variant. Dat werkt bij haar zoals alcoholvrij bier: hoewel het boosaardige middel amper in de drank verwerkt zit, heeft ze toch steeds de indruk de uitwerking ervan werkelijk te voelen. Ze slaapt niet na het drinken van cafeïnevrije koffie en ze voelt zich niet geheel nuchter als ze alcoholvrij bier drinkt.

'Nog een glaasje wijn dan? Of heb je liever nog een glas bubbels, dat is er ook nog.' Manon glimlacht een beetje loom van het uitgebreide avondmaal en de bijbehorende alcohol.

'Je bent verdacht attent deze avond', merkt ze op. Daniël loopt naar de keuken en komt terug met een nieuwe fles wijn. Hij schenkt zichzelf een glas in en zet dan vreemd genoeg de fles op de tafel zonder haar glas bij te vullen. Dat mocht anders gerust, vond Manon. Daniël zet het glas aan zijn lippen terwijl hij over zijn borst streelt. Manon kijkt hem bevreemd aan. Hij staat daar maar te staan. Uiteindelijk komt hij in beweging en gaat voor haar staan, zet zijn glas wijn weer op de tafel en knielt voor haar neer. Hij pakt haar benen en draait ze naar zich toe zodat hij recht voor haar zit. Manons wenkbrauwen schieten omhoog. Ze wil een flauwe grap maken om de spanning wat te breken, maar voelt dat het hem dodelijke ernst is. Laat het niet waar zijn, denkt ze nog met enige weerzin, en dan begint Daniël zijn toespraak.

'Ik weet, of liever: ik voel' – hij legt een niet mis te verstane nadruk op het woordje 'voel' – 'dat we er klaar voor zijn, Manon. Jij en ik, wij horen bij elkaar. Mijn liefde voor jou kent geen precedent en ik ben ervan overtuigd dat dat zo zal blijven. Daarom vraag ik jou te bevestigen dat dit wederzijds is, dat jij dat ook voelt, door met me te trouwen.' Het komt er enorm plechtstatig uit. Daniël grijpt naar zijn borstzak, vergist zich en tast snel en trillerig in de binnenzak van zijn vest. Het doosje komt tevoorschijn. Hij klapt het open en draait het om.

'Manon, alsjeblieft, wil je met me trouwen?' Manon staart naar een gouden ring. Ze houdt niet van juwelen in goud, tenzij het wit goud is. Het is de gelige kleur die ze verafschuwt. Dat hij dat niet weet!

'Ik', begint ze aarzelend. Ze verplicht zichzelf op te kijken naar zijn gezicht. 'Ik denk niet dat ik dat kan.' Nauwelijks hoorbaar slikt ze, in een poging het knellende gevoel in haar keel weg te werken. Ze merkt dat ze bang is. Ze kan beter 'ja' zeggen, dat is minder risicovol. Ze slaat haar ogen weer neer, staart naar de ring die ze oprecht niet mooi vindt en wacht af. Er gebeurt niets. Hij zit nog steeds geknield voor haar. Het ringdoosje klapt hij met één vinger weer dicht, maar verder blijft hij bewegingsloos zitten. Manon durft eindelijk weer op te kijken en dan komt zijn hand omhoog.

'Ik begrijp het Manon, je bent bang.' Zijn hand streelt haar wang, legt liefdevol een haarlok achter haar oor vast. 'Ik ben ook bang. Het houdt risico's in, maar die lopen we vandaag ook. Het kan mislopen tussen ons, absoluut, maar ik heb het gevoel dat we als koppel voldoende gegroeid zijn om een redelijke kans te hebben het "tot de dood ons scheidt" te halen.'

Het is onwerkelijk. Waar, of liever hoe diep, heeft hij zijn agressieve uitvallen begraven? Of vraagt hij juist om vergiffenis? Hij blijft haar strelen en legt uiteindelijk zijn hoofd op haar schoot. Ze begint automatisch zijn stugge haar te strelen. Misschien heeft hij wel gelijk. Hij is op verzoening uit en probeert zijn engagement naar haar toe onomstotelijk te bewijzen met zijn huwelijksaanzoek. Kan dat?

'Ik heb even tijd nodig om na te denken, Daniël. Ik heb hier niet meteen een antwoord op. Het komt op een nogal verrassend moment.' Daniël glimlacht en staat op.

'Dat weet ik, dat was ook een beetje de bedoeling, dat het een verrassing was. Maar voor de goede orde: ik wil gerust een lange verloving als je daar op uit bent. Misschien is dat verstandiger, gezien de huidige omstandigheden.' Zie je wel: hij is het niet vergeten, hij vraagt haar hem te vergeven. Meer nog: hij begrijpt dat het tijd zal vergen. Manon is enigszins opgelucht. 'Ik wil eerst opnieuw werk hebben zodat we kunnen rekenen op wat financiële stabiliteit. Ik zal tenslotte kostwinner worden, geen haar op mijn hoofd dat eraan denkt op kosten van mijn vrouwtje te leven. Misschien kun jij dan zelfs halftijds gaan werken als je dat zou willen', voegt hij er lachend aan toe en hij tilt haar op van de stoel. 'Mijn vrouwtje, dat klinkt fantastisch, niet?' en hij kust haar hard op de mond.

Manon laat Daniël begaan, ze is overmand door ongeloof. Als ze weer met beide benen op de grond staat, vraagt ze of ze mag gaan slapen.

'Ik ben moe', verklaart ze. Daniël knikt.

'Het overvalt je echt, hè, ik kan het aan je zien.' Dát ziet hij dan wel. Manon moet zich inhouden om niet te gillen. 'Ik blijf nog even en ruim de boel verder op, kruip jij maar onder de wol.' Hij kan zo lief zijn. Ze sloft de trap op, mentaal uitgeput door de tegengestelde emoties en signalen die vuurwerk geven in haar hoofd.

****

Manon schiet wakker. Iets heeft haar gewekt, al weet ze niet wat. Ze draait zich snel om en voelt aan de andere zijde van het bed. Daniël ligt niet naast haar. Ze luistert scherp, maar hoort geen geluid. Ze kijkt naar de wekkerradio die haar in lichtgevende groene cijfers vertelt dat het kwart voor drie 's nachts is. Wat doet hij nog beneden? Even twijfelt ze: zou ze gaan kijken? Nog voor ze eigenlijk echt een beslissing heeft genomen, zit ze al op de rand van het bed. Ze graait in het donker naar haar badjas, waarvan ze dacht dat ze die op de stoel naast haar kant van het bed had gelegd. Als ze het licht aanknipt, ziet ze dat Bastiaan op een bolletje gerold in de hoek van het bed ligt. Dat is helemaal zijn gewoonte niet. Als ze hem aait, jankt hij zachtjes. Ze trekt haar hand verbaasd terug en merkt dat er bloed aan kleeft. Snel onderzoekt ze Bastiaans kop maar ze ziet op het eerste gezicht niets, tot ze zijn oren aanraakt. Opnieuw lichtjes protest. Ze flapt zijn koddig omlaag hangende oor naar boven en ziet dan de wond aan de binnenkant. Hoe is dat kunnen gebeuren? Gelukkig ziet het er niet al te ernstig uit.

'Heb je je wat te wild gekrabd?' vraagt ze hem fluisterend. Hij kijkt haar slechts aan. Ze geeft hem een klopje op zijn rug en loopt naar de trap. Vreemd genoeg volgt hij haar niet.

De stenen vloer van de woonkamer voelt koud aan onder haar voeten. Ze rilt. Waarom heeft hij het licht niet aan gelaten als hij nog van plan was te nachtbraken? De schaduw die het licht vanuit de keuken achterlaat op de woonkamervloer is spookachtig: de saloonluikjes maken er iets vleermuisachtigs van. Ze slaat haar armen rond haar bovenlichaam en gaat naar de keuken. De luikjes duwt ze zacht open en in plaats van ze achter zich te laten dichtvallen, draait ze zich om en laat ze niet los zodat ze bijna geruisloos weer in hun originele stand komen. Van een afstand kijkt ze naar Daniël, die door het donkere keukenraam naar een tuin kijkt die niet te zien is. Hij moet haar al opgemerkt hebben in de reflectie van het raam. Nochtans blijft hij roerloos staan. De restanten van hun gezellige avondmaal staan nu chaotisch op het aanrecht. Hij heeft water laten lopen voor de afwas, maar is er blijkbaar niet aan begonnen. Ze loopt naar hem toe. Ze voelt een zekere neiging hem aan te raken, te liefkozen. Ze strekt haar armen naar hem uit. Ze wil zich tegen zijn rug aandrukken en zijn warmte voelen. Bruusk draait hij zich om. Hij had haar dus wel degelijk gezien. In een flits ziet ze doffe pijn in zijn ogen. Hij duwt haar van zich af. Niet gewoon zachtjes om te tonen dat hij geen behoefte heeft aan haar inhalige gedrag, maar hard, ruw. Verrast zet ze enkele stappen achteruit in een poging haar evenwicht te bewaren. Een beetje molenwiekend. Ze belandt alsnog op de grond en krabbelt snel overeind. Hij stapt op haar af en duwt haar opnieuw. Als de eerste duw nog ietwat impulsief geweest kan zijn, dan was daar nu geen sprake meer van. Zeer doelbewust duwt hij haar nogmaals, ze smakt tegen de muur. Eerst met haar rug, maar haar nek kan de schok niet geheel opvangen dus bonkt haar achterhoofd eveneens pijnlijk hard tegen de muur. Ze wordt plots razend, begint te schreeuwen: 'Daniël!' Ze weet niet wat ze daarmee denkt te bereiken. Dat hij stopt? Ze wil zich niet laten kennen. Haar trots zorgt ervoor dat ze overeind blijft. Ze is van plan met opgeheven hoofd de keuken te verlaten. Dit pikt ze gewoonweg niet. Daniël is een paar meter van haar af gaan staan en lijkt haar te zijn vergeten. Hij kijkt opnieuw door een donker raam naar de onzichtbare tuin. Die zal er nu armzalig bij liggen. In de lente hadden ze er samen nog bloembakken geplaatst vol kleine plantjes waarvan ze de naam niet kenden, maar die leuke kleurtjes hadden. Het vrolijkte de boel wat op en trok de aandacht weg van de lelijke betonnen platen die de tuin aan weerszijden afschermen van de tuin van de buren. Het grasperk hadden ze eveneens onder handen genomen. Het was bloedheet geweest toen ze elk aan een kant de aarde waren beginnen om te spitten zodat er gezaaid kon worden. Voor de grap had Manon net als Daniël na een halfuur haar T-shirt uitgedaan: als hij in bloot bovenlijf mocht werken, waarom zij dan niet? Het had hem aan het lachen gebracht. Toen het zaaiwerk achter de rug was, konden ze het nog net opbrengen een hok voor Bastiaan achter in de tuin te bouwen. Achteraf bekeken geheel overbodig, want het beest zat nagenoeg de hele tijd in huis, maar toen hadden ze nog het plan gehad hem buiten te laten als ze beiden het huis uit waren. Het was een weekend van intense handenarbeid, samen. Zondagavond hadden ze zichzelf getrakteerd op een bescheiden barbecue en een welverdiend glas bier.

Manon is niet snel genoeg. Ze wil ook niet rennen. Dat lijkt te veel op weglopen en dat gunt ze hem niet. Daniël posteert zich bliksemsnel voor de keukenluikjes. Hij staat ervoor als een uitsmijter bij een discotheek. Zwijgzaam, maar zijn gezicht straalt agressie uit. Ze komt er niet langs, zoveel is duidelijk.

'Daniël, alsjeblieft, laat me erlangs.' Ze legt kracht in haar stem. Beleefde kordaatheid. Daniël kijkt haar aan, maar lijkt haar niet echt te zien. Hij duwt haar opnieuw recht op haar borstkas, met een enorme kracht. Ze kan er niet tegenop. Onmiddellijk ligt ze opnieuw op de keukenvloer. Hij stapt op haar af en knielt. Is hij bij zinnen gekomen? Ze heft voorzichtig haar hoofd op. Dan volgt de klap in haar gezicht. Haar neus begint te bloeden. Ze buigt haar hoofd voorover. Zijn geschoeide voet raakt doelbewust haar kin. Automatisch klapt haar mond dicht. Haar tanden bijten op haar tong. Ze voelt de misselijkmakende pijn. Nu stroomt het bloed ook uit haar mond. Het vermengt zich met het bloed uit haar neus in de grijzige voegen tussen de witte tegels van de keukenvloer en begint aan een gestage afloop richting de koelkast. Zie je wel dat de keukenvloer helt, denkt ze grimmig. Het schenkt haar een onverwachte voldoening. Opnieuw staat ze op en veegt het bloed met een zekere nonchalance van haar gezicht. Het laat een lange, ononderbroken rode veeg achter op haar pyjama. Ongetwijfeld ook op haar gezicht, maar dat kan haar niet schelen. Daniël staat opnieuw in het deurgat. Ze vraagt het hem nogmaals: 'Daniël, ik zou echt graag gaan slapen, laat me door alsjeblieft.' Ze heeft het niet echt bewust gedaan, maar er klinkt iets smekends door in haar woorden. Daniël antwoordt nog steeds niet. Hij zegt in het geheel niets. Het begint haar niet alleen te ergeren, ze wordt ook hoe langer hoe angstiger. Ze kent deze man niet. Ze had het kunnen verwachten: meedogenloos duwt hij haar opnieuw bewust de grond op. Ze voelt hoe haar botten op de koude vloer terechtkomen en moeite hebben de schok op te vangen. Het doet verdomd pijn! Hij begint haar te schoppen. In haar maag. Haar ingewanden wijken uiteen en lijken collectief een weg naar buiten te zoeken. Het gevoel dat ze moet overgeven neemt toe. Als ze slikt in een poging haar maaginhoud terug te dringen, proeft ze de warme fletsheid van het bloed in haar mond. Ze draait zich van hem weg, haar armen rond haar maag ter bescherming. Ze ligt nu op haar zij met haar rug naar hem toegekeerd. Ze huilt zacht. Ze mag het niet laten merken. Wat gebeurt hier? Hij gaat met een voet op haar heup staan. Ze wil niet kijken, ze wil niet zien wat hij gaat doen. Ze wacht. Gewoon omdat ze niets anders kan bedenken. Zijn voet gaat omhoog en blijft even, heel even, hangen in de lucht, kracht verzamelend. Als ze de dreun voelt, krimpt ze in elkaar. In foetushouding ligt ze op de keukenvloer. Nu geeft ze op. Ze zal niet meer opstaan. Het beuken gaat nog even verder, zijn voeten boetseren haar gehele lijf. Dan is het over. Ze blijft liggen. Nog nauwelijks bewust van wie ze is, wie ze zojuist is geworden.

9

Hijgend staat Manon aan de voordeur. Ze kijkt op haar horloge, dat zowel haar hartslag weergeeft als het aantal kilometers dat ze heeft gelopen en de tijd die ze daarvoor nodig had. Een cadeau van haar ouders. Ondanks de aanhoudende pijn in haar heup, heeft ze een behoorlijke prestatie neergezet. Ze klikt haar iPod los van de broeksband van haar loopbroek en zoekt naar rustige muziek om wat te stretchen. Het zachte gitaargetokkel helpt onmiddellijk haar ademhaling te controleren. Ze zet haar beide handen tegen de gevel, een been achteruit en telt rustig tot tien terwijl ze de spieren in haar achterbeen voelt rekken. Hier geniet ze mateloos van: de eenheid die ze voelt met haar lijf als ze samen tot het uiterste zijn gegaan. Straks zal ze een lange douche nemen en zich volledig insmeren met een vochtinbrengende bodylotion. Ze weet dat ze zich dan herboren zal voelen. Zichzelf verzorgen is haar lichaam verzorgen. Ook al is het dan misschien zo ziek. Terwijl ze haar benen uit elkaar zet en haar bovenlichaam naar voren buigt, vraagt ze zich af wat ze bereid is op te geven om niet – of niet meer – ziek te zijn. Bij borstkanker amputeren ze de borst of borsten. Zou zij er een been of heup voor overhebben? Twee benen misschien? Of bepaalde ingewanden? Ze had al gehoord van ingrijpende darmoperaties om darmkanker te lijf te gaan. Het verkorten van de darm, want daar kwam het meestal op neer, zorgt ervoor dat de patiënt naderhand vooral het lekkerste eten moet laten en alleen nog in verafgelegen gelegenheden naar het toilet kan. Door het korte verblijf in het darmkanaal is de stank van de uitwerpselen immers niet te harden. Een flinke knauw in het sociale leven van velen. Gut, ze wil hier niet aan denken. Zij wil beslissingen van die aard niet nemen, niet moeten nemen. En als er geen weg meer terug is? Als de kanker niet langer bestrijdbaar is, zou ze dan een einde kunnen maken aan haar eigen leven? Zelfmoord plegen? Om euthanasie vragen? Maar dan moet je zelf de moed hebben om het te doen. De beslissing nemen dat het nu tijd is. Zelf het moment van sterven bepalen. Helemaal zelf. Misschien zou ze dat toch liever aan iets of iemand anders overlaten. Een god misschien. Ze blaast alle adem uit haar longen terwijl ze zich op haar tenen opricht, haar armen in de lucht steekt en zich zo ver mogelijk uitrekt. Het is simpel: ze wil gewoon haar leven terug. Haar lichaam.

Haar gsm rinkelt als ze de keuken binnenkomt. Eigenlijk wil ze het zo laten en gewoon doorlopen naar de badkamer om te douchen, maar haar nieuwsgierigheid dwingt haar te kijken wie het is. Hatelijk als het kleine scherm alleen maar 'privé' zegt. Het is onweerstaanbaar voor weetgierige mensen.

'Met Manon.' Niemand antwoordt. 'Hallo?' Een schaterlach.

'Oeps, Manon, nu ben je het écht.' Het is Dries. Ooit een gewaardeerde collega, nu absoluut haar beste vriend. 'Ik heb je al een paar maal proberen te bellen, maar het was telkens je voicemail en die klinkt zo verdomd natuurlijk, alsof je echt aan de lijn bent. Ik begin dus totaal nutteloos tegen je te praten en jij gaat onverstoorbaar verder dat je er niet bent en dat ik mijn ding mag doen na de piep. Dán pas heb ik door dat ik je elektronische evenknie aan het overstelpen ben met vragen over je verjaardag.' Manon is van haar stuk gebracht door de sneltreinvaart van Dries' gebabbel. 'Ik wilde dus nu gewoon wachten op de piep en dan blijk je wel degelijk zelf te hebben opgenomen. Begrijp je mijn verwarring?' Hij geeft haar niet eens de tijd om te antwoorden. 'Maar dus, hoe zit dat met je verjaardag?' Haar verjaardag. Ze had er geen seconde bij stilgestaan dat ze bijna jarig was. 'Ik word gewoon tweeëndertig, Dries, het is geen mijlpaal, het is geen andere voordeur.' Ze heeft het altijd een komische uitspraak gevonden: 'een andere voordeur', telkens als je een decennium viert en je leeftijd onvermijdelijk een nieuw eerste cijfer krijgt. 'Dat maakt toch geen mallemoer uit! Je wordt tweeëndertig en dus vier je feest. Dat hoort zo op verjaardagen. Het is ronduit zonde als je een aanleiding tot feestvieren aan je neus voorbij laat gaan. We nodigen wat vrienden uit, we zorgen voor wat hapjes, een fijn muziekje. Je zult zien, het wordt een fijne verjaardag die je niet snel zal vergeten! Kom op, Manon!'

Feesten. Ze heeft het altijd bizar gevonden met hoeveel enthousiasme mensen over feesten praten. Haar verbazing begon tijdens een eucharistieviering, een verplichte wekelijkse gewoonte opgelegd door haar ouders tot de leeftijd van twaalf jaar, daarna was je rijp genoeg om zelf te beslissen of je al dan niet een godsvruchtig leven wilde lijden. De priester heette iedereen welkom en nodigde de aanwezigen uit samen met hem te vieren, want de eucharistie, zo stelde hij, was een feest, het vieren van het leven in gemeenschap met God. Feesten is het vieren van het leven. Ze zou nu meer dan ooit de drang moeten voelen het leven te vieren, nu ze dreigt het te verliezen, maar dat is niet het geval. Telkens opnieuw wanneer feesten in het vooruitzicht liggen, kijken mensen,

Manon incluis, ernaar uit. Nieuwjaar wordt ongetwijfeld een knaller, het kerstfeest een gelukkig samenzijn met de familie, je eigen trouwfeest de dag van je leven. Dagen of weken op voorhand stel je een menu samen of bedenk je wat je zult aandoen. Je leeft naar die dag toe. De bewuste dag breekt aan en je maakt ruzie met je partner omdat je de praktische voorbereidingen niet rond krijgt zonder zijn hulp en hij je pas helpt als je het expliciet vraagt. Of je vertrekt te laat naar het feest omdat je op het laatste nippertje nog een vlek hebt gemaakt op je feestjurk en niet meteen een alternatieve outfit kunt vinden. Of de meest onverwachte vetes en conflicten steken na veel te veel drank de kop op. Zelfs als er helemaal niets van dit alles gebeurt, blijkt het feest niets anders dan een groep mensen die samen hebben gegeten, gedronken en gepraat over de oppervlakkige zaken die hun leven vullen. Uiteindelijk kom je tot de vaststelling dat je meer plezier hebt beleefd aan het uitkijken naar het feest, het verzinnen van hoe het zal zijn, dan aan de feitelijke gebeurtenis zelf. Zou dat ook het geval zijn met haar leven? Zou ze uiteindelijk tot de vaststelling komen dat het bedenken van wat ze allemaal met de haar resterende tijd kan doen plezieriger uitvalt dan die zaken ook effectief ten uitvoer brengen?

'Ik heb geen zin in een verjaardagsfeest, Dries. Ik haat al de voorbereidingen die eraan te pas komen, het opruimen achteraf.'

'Daar help ik je toch gewoon mee!' pareert hij snel.

Ik wil gewoon niet beseffen dat het misschien de laatste keer is dat ik mijn verjaardag zal vieren, denkt ze bij zichzelf.

'Ach, het is nooit wat je ervan verwacht. Het wordt een gewoon feestje waar een aantal mensen een glas te veel gaan drinken, een vaas wordt omgegooid en een van de koppels ruzie krijgt. Bovendien zal er geroddeld worden over wat ik aanheb en hoe het huis erbij ligt. Kortom: ik heb er geen zin in. En wees gerust: ik zal het wél vergeten!'

'Jouw beslissing, Manon. Zal ik je dan gewoon uitnodigen voor een glas bij mij thuis?'

'Mmm, dat klinkt al aannemelijker.' Manon begint te rillen. Het zweet plakt nog steeds aan haar lijf en ze begint af te koelen. 'Dries, ik moet dringend onder de douche, ik hoor je later wel.'

Ze kijkt in de spiegel van de badkamer. Het elektrisch vuurtje brandt hard, ze voelt de warme gloed tegen haar onderbenen. Nog even en de hele badkamer is behaaglijk warm. Pas dan zal ze zich uitkleden. Ze draait de douchekraan open en regelt de temperatuur, afwisselend de warm- en koudwaterkraan bijsturend. Opnieuw kijkt ze in de spiegel. Zo heeft ze er altijd uitgezien. Ze ziet geen tekenen van ziekte in haar gezicht. Zou dat veranderen? Als ze chemo nodig heeft, zullen haar lange haren uitvallen, de stugge wenkbrauwharen ook. Een gek gezicht. Ze kent het van beelden op de televisie. Je ziet er helemaal anders uit zonder wenkbrauwen. Ze bedekt de hare met haar vingers en probeert zich in te beelden welk effect het zou hebben op haar uiterlijk. Het lukt haar niet. Zichzelf kaal voorstellen gaat wel. Zou ze sjaaltjes dragen of een pruik om het te verbergen? Tja, het door de cortisone opgezwollen gezicht zal weinig aan de verbeelding overlaten, dus waarom de moeite doen de rest te verbergen? Uiteindelijk is het toch maar bedoeld om de omgeving niet af te schrikken, want de patiënt zelf moet sowieso aanzien hoe zijn lichaam aftakelt. Dat zichtbaar lijden kunnen we maar beter de mensen om ons heen – zij die niet ziek zijn – besparen, niet? Wat je niet ziet, is er niet, bestaat niet. Ziek zijn doe je best zo alleen mogelijk. Opnieuw gaat de gsm. Ze vloekt. Waarom kan de wereld haar niet gewoon met rust laten? Ze laat het ding rinkelen en stapt de douche in.

'Manon, ik vind dat we moeten praten. Ik heb erg lang nagedacht. Vooral dan over wat je allemaal zei toen we van het restaurant terugkwamen. Ik wil het daar met jou over hebben. Ik denk dat ik nu beter begrijp wat je me wilde zeggen. Ik heb te snel gereageerd omdat ik gekwetst was door je afwijzing. Ik...' Giel hapert. Meer stond er misschien niet op zijn schriftelijke voorbereiding. 'Bel me terug alsjeblieft', is het enige dat hij nog weet toe te voegen. Manon beluistert het berichtje opnieuw. Daarna nog eens. Ze belt niet terug.

***

'Hé Manon, wat hebben we gehoord?' Thomas, een veel te uitbundige vriend van haar, loopt op haar af en plant drie kussen op haar wang. Om geestig te doen geeft hij ze alle drie op een en dezelfde wang. Je staat voor schut als je je hoofd draait. Zo is hij nu eenmaal. Manon vindt het ronduit irritant. Ze glimlacht, omdat het zo hoort op je eigen verjaardagsfeest. Zeker als het een verrassingsfeest is, speciaal voor jou georganiseerd door je vrienden. Nochtans wist zeker één iemand van die vriendenkliek dat ze er niet voor te vinden was.

'Dat meende je toch niet', vergoelijkt Dries als ze een beetje beduusd de groep mensen grijnzend voor zich ziet staan. Belachelijke hoedjes, serpentines en toetertjes incluis. Feesten vieren het leven duidelijk vanaf het prille begin: volwassenen gedragen zich als losgeslagen kinderen. Dries is wel zo lief geweest het te laten doorgaan in zijn eigen flat. Zo zit hij tenminste met de rommel. Ze kan het moeilijk geloven dat ze erin getuind is. Ze had beter moeten weten. 'Gewoon iets drinken om je verjaardag toch een beetje te vieren.' Dries had onschuldig geglimlacht, zijn arm door die van haar gestoken en haar na het eten langs een omweg door het park – 'dat is op zijn mooist in de herfst' – meegetroond naar zijn appartement. Nu staat ze te glimlachen naar Thomas, zich nauwelijks bewust van wat hij zojuist gezegd heeft, met een glas margarita in haar hand. Ze nipt er even van.

'Wat heb je gehoord?' vraagt ze ongeïnteresseerd.

'Wel, het nieuws over je conditie natuurlijk!' De schrik slaat haar om het hart. Hij weet het! Hoe kan dat nu? Ze heeft het toch niemand verteld? Zelfs haar ouders niet. Het is onmogelijk dat iemand op de hoogte is. 'Je nieuwe conditie: je bent nu tweeëndertig.' Manon zucht hoorbaar. 'En naar ik verneem heb je meteen besloten een nieuwe wending aan je leven te geven – nu praat hij wat zachter – en heb je Giel aan de deur gezet?' Thomas heeft last van een overdosis oestrogeen: zijn nieuwsgierigheid en honger naar roddels stuiten zelfs menige vrouw tegen de borst.

'Mag ik me van commentaar onthouden?' probeert Manon tactisch. Ze draait zich meteen ook van hem weg ten teken dat voor haar het gesprek is afgelopen, al heeft ze langs de andere zijde niet meteen een alternatieve gesprekspartner. Ze voelt zich een verraadster. Zij houdt informatie achter, gedraagt zich zo goed en zo kwaad als het kan alsof er niets aan de hand is. Haar vrienden hebben de moeite genomen haar verjaardag mee te vieren, haar leven te vieren en zij kan niet vertellen dat het potentieel zal eindigen. Ze haat zichzelf voor wat ze doet. Ze slaat de rest van de margarita achterover en zet het glas op het eerste tafeltje dat ze tegenkomt.

'Ik voel me niet goed, Dries, het spijt me.' Ze fluistert het hem snel toe terwijl ze hem aan zijn arm even wegtrekt van het gezelschap waar hij de horrorverhalen van een eerste baby in huis aanhoort. Iets wat haar misschien niet te beurt zal vallen.

'Zal ik je naar huis brengen?' Het is duidelijk dat het een beleefdheidsvraag is, dat hij liever gewoon blijft, de gasten onderhoudt. Uiteindelijk zijn het zíjn gasten. Ze zullen ook feesten zonder haar. Ze voelt zich meteen al minder schuldig: haar verjaardag is slechts de aanleiding tot het feest, nu het begonnen is, heeft het nog nauwelijks iets met haar te maken. Ze pakt haar jas en vertrekt.

10

Zes jaar eerder

Eigenlijk weet ze niet hoe lang ze op de grond is blijven liggen. De eerste maal dat ze probeert op te staan, lijkt ze de controle over haar lichaam kwijt. De verschillende pijnboodschappen die haar lichaam uitzendt, doen haar opnieuw neerliggen. Ze zoekt voorzichtig in de zak van haar badjas. Geen gsm. Ze draagt dat ding bijna overal mee, zelfs in haar nachtkleding, waarom heeft ze het nu niet in de buurt? Dan herinnert ze zich dat ze hem had laten opladen toen ze gisteravond thuiskwam van het werk. Dat lijkt erg lang geleden. Hoe laat is het eigenlijk? Halfvijf 's nachts. Zou hij nog in huis zijn? Plots overvalt haar een golf van angst: hij kan nog hier zijn! Ze blijft stil liggen en luistert. Ze hoort niets. Misschien is hij in bed gekropen en slaapt hij. 'Bastiaan?' Ze fluistert het. Geen reactie. Ze probeert het nogmaals, iets harder nu. Geluid! Het geluid van Bastiaans teennagels snel achter elkaar op de houten trap. Zodra hij bij Manon is, begint hij haar in het gezicht te likken. Manon gniffelt een beetje en probeert zijn kop weg te duwen, maar is intens blij met de blijk van affectie. De hond jankt ingehouden terwijl hij naast haar door zijn poten zakt, gaat liggen en wacht. Bastiaan is Lassie niet, die zou hulp gaan halen. Maar ze is al blij met zijn gezelschap.

Met een hand steun zoekend tegen de muur, lukt het haar overeind te komen. Ze voelt aan haar gezicht, maar buiten wat bloed lijkt het niet ernstig gewond. Als ze probeert te stappen, schiet de pijn als een knikker in een flipperkast van haar bovenbenen naar haar maagstreek en verder naar haar onderrug om daar te blijven stuiteren. Ze strompelt naar de gootsteen, doet niet de moeite een glas te pakken, draait de kraan open en buigt zich voorover – opnieuw een pijnscheut – om gulzig te drinken. Ze gaat met haar tong langs haar tanden. Ze voelt niet meteen iets onbekends. Ze is enorm opgelucht: ze is nogal precies als het op haar gebit aankomt. Ze mag er niet aan denken ergens een zichtbare tand te verliezen en die te moeten vervangen door een vals exemplaar, hoe echt het ook zou lijken. Het is een stukje zelf dat definitief weg is en niet meer terugkomt. Om haar beurs geslagen lichaam maakt ze zich minder zorgen, dat geneest wel. Het vergt tijd, maar dat komt goed, dat weet ze gewoon, dat is altijd al zo geweest. Je valt, je hebt een schram, bult of verstuiking, je verzorgt het en het wordt weer als voorheen. Je houdt er hoogstens een litteken aan over. Stoer, toch? Ze schuifelt naar de woonkamer. Ze staat telkens even stil, niet alleen om de pijn te verbijten, maar ook om te luisteren. Is hij er niet meer? Hoort ze ademen? Straks zit hij achter de kast of... Ze moet hier mee ophouden! Ze doet alle lichten aan en probeert zichzelf opnieuw in de hand te krijgen. Zichzelf bang maken doet ze al jaren. Als ze alleen thuis is, beeldt ze zich in dat er iemand voor het raam verschijnt. Wanneer ze door de stad wandelt in de avondschemering, bedenkt ze zich dat de man die nu al een hele tijd achter haar aanloopt haar binnen enkele seconden kan vastnemen, tegen een muur duwen en bestelen; misschien bedreigt hij haar zelfs met een mes. Als ze gaat rennen in het bos, is ze er niet happig op andere mensen tegen te komen: op die ogenblikken flitsen beelden van aanrandingen achter dikstammige beuken door haar hoofd. Het is een beetje ziekelijk.

Plots valt haar het zwarte snoer van haar gsm-lader op. De stekker steekt nog in het stopcontact, maar haar gsm is verdwenen. Hoe kan dat nu? Ze had hem toch in de lader gestoken? Of niet? Haar hoofd is dof en zwaar. Nee, ze weet het bijna zeker. Ze zoekt haar handtas. Die ligt zoals gebruikelijk bij de kapstok in de gang. Het is niet dat ze het niet verwacht had, maar toch is ze wat teleurgesteld als ze haar gsm ook daar niet vindt. Wie gaat ze eigenlijk bellen in het holst van de nacht? Ze sloft naar de bank. Als ze zich moeilijk in de kussens laat zakken en haar bonzende hoofd neerlegt, merkt ze op dat ook de draadloze telefoon niet op de basis staat. Sinds Daniël en zij beiden een gsm hebben, wordt nog nauwelijks gebruikgemaakt van de vaste lijn. De snoerloze telefoon – enkele jaren geleden nog een geweldig gemak omdat je al wandelend kan telefoneren in plaats van verplicht in de buurt van het toestel te blijven en dan maar de draad rond je vingers te draaien – blijft dan ook op zijn plaats op de vensterbank. Daar staat hij nu niet meer. In een opwelling staat ze op en hinkt zo snel ze kan naar de voordeur. Die is op slot. Haar sleutels! Ze pakt opnieuw haar handtas en begint te graven. Uiteindelijk draait ze de grote zak – dat vindt ze handig, daar kan alles in, je vindt alleen moeilijk iets terug – gewoon om. De hele inhoud valt kletterend op de grond. Haar sleutels zijn er niet bij. Ze zou paniek moeten voelen, maar constateert nuchter dat hij haar van de buitenwereld heeft afgesloten. Vogeltje, gij zijt gevangen. Naar de badkamer strompelen kost haar de volle tien minuten. Voorzichtig dept ze haar neus en mondhoeken, verwijdert het bloed met een ontsmettingsmiddel waarvan de producent er prat op gaat dat het niet prikt. Ze voelt zich leeg en moe. Ze wil nu naar bed. Op de trap moet ze zich optrekken aan de leuning. De kracht lijkt uit haar benen gevloeid. Ze huilt als ze zonder haar badjas uit te doen in het bed gaat liggen en de donsdeken over zich heen trekt. Een vals gevoel van geborgenheid.

Ze lijkt nauwelijks geslapen te hebben als het gerinkel van de telefoon haar wekt. Ze vloekt en kijkt op de wekker: elf uur 's morgens. Welke dag is het? Het gerinkel houdt op, om vrijwel onmiddellijk opnieuw te beginnen. Vrijdag, het moet vrijdag zijn. Ze moet gaan werken! Manon probeert zich op te richten. Ze draait zich op haar zij en drukt vervolgens haar lichaam op met haar handen. Zo kan ze niet gaan werken. Ze kan bellen dat ze ziek is. Bellen. De telefoon! Het is niet haar gsm. Ze staat op en probeert zich te herinneren waar het geluid vandaan kwam. De telefoon begint opnieuw te rinkelen. Aandachtig luisterend loopt ze op het geluid af. Het ding gaat ergens in de woonkamer af, maar waar? Ze zucht als het gerinkel stopt nog voor ze het toestel heeft kunnen vinden. Ze gaat op een stoel aan de tafel zitten. Hier zat ze gisteren ook toen hij plots op zijn knieën voor haar zat. Had ze het moeten zien aankomen? Had ze het moeten weten dat hij haar ten huwelijk zou vragen, dat hij haar afwijzing niet licht zou verteren? Had ze haar jawoord moeten geven? Dan was alles ongetwijfeld anders verlopen. De telefoon gaat opnieuw over. Gelukkig. Ze staat op en begint weer te zoeken. Dan ziet ze de reflectie van een klein lichtje in de aluminium binnenbekleding van de prullenbak naast het bureau. Hij heeft de telefoon gewoon weggegooid. Ze schiet in de lach. Ze hikt nog even als ze opneemt, waardoor haar voornaam halverwege in haar keel blijft steken.

'Eindelijk!' Het is Dries. 'Waar ben je? Waar blijf je? Maar vooral: wat bezielt je?' Haar hikkend gelach gaat over in hysterisch snikken. Aan de andere kant blijft Dries stil. Het duurt even voor Manon in staat is iets te zeggen.

'Kun je op het werk laten weten dat ik er vandaag niet zal zijn? Ik voel me niet goed. Zeg maar dat ik ziek ben.'

'Manon, ik heb de halve nacht telefoontjes van je gekregen, van je gsm. Telkens als ik opnam, werd er opgelegd. Ik kreeg ook sms'jes van je: soms gewoon lege berichten, maar ook enkele met hele scheldtirades, eentje was ronduit angstaanjagend en bedreigend. Wat is er in godsnaam aan de hand? Heb jij ze gestuurd?' Dries beantwoordt zijn eigen vraag: 'Natuurlijk niet, maar wie dan wel? Wie heeft jouw gsm?' Manon antwoordt niet. Verstijfd hoort ze het verhaal aan. Dries vraagt zacht: 'Is het Daniël?' Manon knikt als een klein kind dat niet vat dat je dat aan de andere kant niet kunt zien. 'Is hij nog bij jou? In huis?' Manon schudt haar hoofd. 'Manon?' Ze wordt wakker. 'Ja, het is Daniël. Nee, hij is hier niet meer. Hij heeft mijn gsm. Hij heeft mijn sleutels. Hij heeft de voordeur gesloten. Hij heeft...' Het is voorbij. Nu ze weet dat Dries iets zal doen, dat ze het initiatief uit handen kan geven, kan ze even niets anders zijn dan geslagen.

'Manon, voel aan de achterdeur. Is die ook gesloten?' Manon doet wat hij vraagt. Daar had ze zelf niet aan gedacht, aan de achterdeur.

'Ja, ook dicht.' Ze klinkt volledig uitgeput.

'Manon, ik kom je halen.'

'Hoe kom ik uit het huis?'

'Door een venster, Manon, die kan hij niet gesloten hebben.' Natuurlijk. Vensters.

'Kan Bastiaan mee?'

In Dries' stem klinkt ongeduld.

'Ja, natuurlijk kan hij mee. Ik ben over een halfuurtje bij jou. Pak een tas of koffer en verzamel wat kleding, schoenen, ondergoed, een tandenborstel. Je komt bij mij logeren.' Dries klinkt strijdlustig. 'Doe voor niemand open tot ik er ben.' Dat kan ik toch niet zonder sleutels, redeneert ze, maar ze zegt niets.

***

Dries stelt geen vragen terwijl hij vanaf het bed toekijkt hoe Manon met moeite kleding pakt en in haar weekendtas laat vallen zodat ze zich niet hoeft te bukken. Hij vindt het gemakkelijker de praktische zaken te regelen dan Manon emotioneel op te vangen. Hij kan niets bedenken om te zeggen, behalve dat ze haar ondergoed niet mag vergeten. Manon schudt zwijgend haar hoofd en gaat stuurs verder met kleding vanuit de kast in de tas te laten vallen. Dries kan zich niet van de indruk ontdoen dat ze het arbitrair doet zonder na te denken wat ze wel en niet nodig zal hebben de volgende dagen.

'Kom we gaan.' De weekendtas puilt uit. Dries hupt van het bed af, duwt de ordeloze hoop kleren de tas in en zipt de rits dicht. Met een zwaai belandt de tas op zijn rug. Hij heeft de neiging zijn vrije arm beschermend rond haar schouders te slaan, maar iets in haar verslagen houding houdt hem tegen. Hij laat haar voorgaan op de trap en kijkt verbaasd toe met hoeveel omzichtigheid en duidelijke pijn ze de traptreden neemt. Mijn god, wat is er gebeurd? Wat heeft hij haar aangedaan? Hij durft niets te vragen. Hij zou de juiste woorden niet vinden.

Het raam waarlangs Dries is binnengekropen, staat nog steeds open. Manon staat er een beetje verweesd voor, haar weekendtas naast zich, als een vogel waarvan het kooitje eindelijk wordt opengezet maar dat uiteindelijk beslist de vrijheid niet tegemoet te vliegen uit angst voor het onbekende. Dries wacht geduldig af, maar als Manon bewegingsloos blijft staan, duwt hij haar zachtjes weg van het raam.

'Ik zal aan de andere kant gaan staan, probeer jij door het raam te kruipen, ik help je.' Dries springt gemakkelijk op de vensterbank en laat zich er langs de andere kant afglijden. 'Kom maar.' Hij steekt zijn handen uit naar Manon, die met moeite haar ene been omhoog heft.

'Je kunt het, kom op', moedigt hij haar aan.

'En mijn tas?' bedenkt ze plots.

'Die pakken we straks wel.' Manon moet haar tranen bedwingen als ze haar tweede been op de vensterbank probeert te zwaaien. Uiteindelijk pakt ze het onwillige been met haar handen vast en legt het als een lamme naast het andere. Dries helpt haar verder door het venster en pakt haar bij haar heupen zodat ze licht neerkomt op de stoep. Hij ziet haar gepijnigde gezicht en legt troostend zijn handen op haar schouders. Hij wil zeggen dat het wel goed komt, maar slikt de woorden in. Hij kan het immers onder geen beding echt weten. Manon draait zich onder zijn omhelzing uit en reikt door het venster naar haar weekendtas. Als ze het zware ding wil heffen, brullen haar buikspieren van de pijn. Ze laat de tas kreunend vallen. Dries neemt het snel van haar over en haalt met gemak de kleding naar buiten. Ze schrikken beiden als de gsm van Dries afgaat. Hij kijkt naar het schermpje en dan naar haar.

'Jij bent het.' Het klinkt belachelijk. 'Wil jij opnemen?' Manon schudt snel haar hoofd. Dries drukt op een knopje. Het muziekje stopt onmiddellijk. Enkele seconden later klinken drie snel op elkaar volgende piepjes. Dries kijkt naar zijn gsm.

'Hij heeft een bericht achtergelaten. Zal ik het beluisteren?' Manon beantwoordt de vraag niet.

'Laten we hier weggaan', is het enige dat ze zegt en ze loopt met stramme benen naar de passagierskant van de wagen. Dries laadt haastig Manons spullen in de koffer en helpt haar plaats te nemen in de auto.

'Wat heb je op het werk gezegd?' Dries is opgelucht dat ze zelf ook slechts de praktische kant van de zaak ter sprake brengt.

'Dat je ziek bent.'

'En welk excuus heb je voor jezelf uit je mouw geschud?'
Ze kan zelfs glimlachen ondanks de verkrampte houding waarin ze naast hem in de autostoel zit.

'Ik heb een snipperdag genomen.' Hij laat het met opzet luchtig klinken.

'Dat is erg lief van je. Dank je.' Hij haalt alleen zijn schouders op. Als ze de Warandelaan uitrijden en de hoek omrijden, trekt een auto achter hen luid op en schiet met gierende banden uit zijn parkeerplaats. Manon schrikt op, kijkt onmiddellijk angstig in de zijspiegel.

'Sst, rustig maar,' sust Dries, 'die heeft gewoon haast.'

'Zin in een bad?' Dries laat de weekendtas in zijn kleine maar gezellige keuken op de grond vallen. Manon knikt.

'Graag.' Ze voelt zich erg vuil. Bovendien wil ze haar tanden poetsen. In haar mond blijft een hardnekkige film achter die maar niet wil verdwijnen ondanks het feit dat ze met haar tong veelvuldig haar tanden afgaat in de hoop ze op die manier schoon te likken. Dries gaat haar voor naar de badkamer en laat het bad vollopen.

'Heb je graag badschuim of liever een badolie?' Manon vindt zijn zorgzaamheid aangenaam.

'Doe maar olie.' Dries draait zich om naar een witte kast met hoge spiegel. Als hij de deur opendoet, wordt Manon onaangekondigd geconfronteerd met haar eigen gezicht. Ze schrikt van de wilde blik in haar ogen. Met haar handen gaat ze langs haar wangen, glijdt met haar vingers over haar wenkbrauwen, langs haar neus, haar lippen die gezwollen zijn. Alsof ze wil voelen dat ze leeft. Ze gaat verder naar beneden en begint haar trui open te knopen. Ze heeft geen moeite gedaan zich behoorlijk te kleden. Onder de trui draagt ze slechts een topje, geen beha. Ze laat het kledingstuk op de grond vallen. Als ze met gekruiste armen het topje over haar hoofd wil trekken, vergaat ze van de pijn. Ze laat haar armen zakken en schuift de bandjes van haar schouders, duwt de stof naar beneden en neemt in één beweging haar trainingsbroek mee. Ze stapt uit het hoopje kleren en kijkt dan op naar zichzelf in de spiegel. Ze ziet een vrouw in een paarse slip. Ze had het verwacht maar toch schrikt ze ervan: blauwzwarte vlekken, rode striemen. Overal. Op haar armen, haar schouders, haar buik, maar vooral op haar bovenbenen en schenen. Ze draait een beetje van links naar rechts zonder haar voeten op te heffen. Het ziet er vanuit alle hoeken eender uit: beschadigd en lelijk.

Dries duwt de deur van de kast dicht, haar spiegelbeeld glijdt weg. In de plaats staat Dries naar haar te kijken, verbaasd. Om haar naaktheid? Ze blijft staan. Ze heeft niet het gevoel nog tot schaamte in staat te zijn. Ze heeft niet het gevoel dat het aan haar is zich te schamen. Dries fluistert: 'Manon?' Er volgt niets. Hij zet het flesje badolie op de rand van het bad en zet een stap in haar richting. Hij doet zijn armen open. Manon stapt snel naar voren en laat zich omarmen.

'Het doet zoveel pijn!'

Als ze in het hete water van het bad ligt, slaagt ze er eindelijk in zich wat te ontspannen. Dries heeft een krukje naast het bad gezet met shampoo, zeep en een glas sinaasappelsap. Nu spreidt hij enkele handdoeken uit op de verwarming zodat ze straks warm zullen aanvoelen als ze zich afdroogt. Ze kijkt naar hem en verbaast zich over de situatie. Hier ligt ze naakt in het bad van een man die tot voor kort slechts een collega was – een goede collega weliswaar, maar toch. Als de situatie even bevreemdend is voor hem als voor haar, laat hij daar niets van merken. Integendeel. Hij gaat op de rand van het bad zitten en streelt haar natte haar. Een intiem gebaar waar ze vreemd genoeg niet voor terugdeinst.

'Ik loop even naar de apotheker voor wat zalf of iets dergelijks.' Manon kijkt hem zwijgend aan. 'Ik kan je ook naar een dokter brengen.'

'Nee.' Het komt er kordaat uit, hoewel ze er niet echt over nagedacht heeft.

'Je kunt interne letsels hebben opgelopen.'

'Dat zou ik voelen, niet?' Dries haalt zijn schouders op. Een dubbelzinnig gebaar: weet hij het niet of legt hij zich neer bij haar beslissing geen dokter te raadplegen? Het maakt niet uit. Ze wil niet naar een dokter.

'Dan ga ik even naar de apotheker.' Als hij wil opstaan, pakt Manon impulsief zijn pols vast.

'Doe je de deur dicht als je weggaat?'

'Natuurlijk. Geniet jij nu maar van het bad.'

'Denk je dat hij weet dat ik hier ben?' Manon zit op de bank terwijl Dries voorzichtig haar blauwe plekken insmeert met een sterk ruikende crème. Hij kijkt niet op als hij antwoordt.

'Ja, ik denk het wel. Hij heeft het in zijn hoofd gehaald dat ik de vijand ben, een bedreiging voor hem. De berichten die hij achterlaat met jouw gsm spreken boekdelen. Ik...' Hij aarzelt. 'Manon, kun je me vertellen wat er gebeurd is, al is het dan in grote lijnen? Ik begrijp het als het nog te vroeg is, maar... ik denk dat het me zou helpen iets van dit alles te vatten.' Daarbij gebaart hij naar haar blote, geschonden benen, glimmend van een mengeling van olie en zalf die hij vingerdik heeft aangebracht. Manon volgt zijn blik naar haar eigen benen, maar die lijken niet meer bij haar te horen. Ze herkent ze niet. Ze kijkt even in de vragende ogen van Dries, maar fixeert haar blik snel op Bastiaan, die zich bijzonder rustig gedraagt ondanks de vreemde omgeving waarin hij terechtgekomen is. Het duurt even voor ze iets zegt.

'Hij heeft me ten huwelijk gevraagd en ik heb geweigerd.

132

Ik denk dat het hem gekrenkt heeft.' Ze wil het aannemelijk doen klinken wat hij heeft gedaan. Verantwoorden. Ze wil het rationeel kunnen begrijpen, net als Dries, maar dat lukt haar niet.

'Was het de eerste keer?' Hij wijst met zijn kin opnieuw naar haar blauw gekleurde benen.

'Ja.' Ze aarzelt. 'Toch op die manier', voegt ze eraan toe. Dries hoest. Het klinkt als een afkeuring. Er gaat opnieuw een gsm af. Manon kijkt automatisch naar de gsm van Dries die op de salontafel ligt, maar daar komt geen geluid uit. Ze kijkt Dries verward aan. Hij streelt haar even over het hoofd en staat op.

'Ik vind wel waar het geluid vandaan komt.'

'Dries?' Ze zegt het stil. 'Wees voorzichtig, het is het geluid van mijn eigen gsm.'

***

Daniël blijft rondtasten in zijn geheugen. Hij begrijpt niet hoe het komt dat hij wakker wordt in het grenen eenpersoonsbed dat hij van zijn ouders heeft gekregen toen ze hem groot genoeg vonden om zijn spijlenbed in te ruilen voor wat zij een écht bed noemden. Hij kijkt naar het plafond. Er zitten nog steeds dezelfde barsten in het stucwerk. Hij weet ze feilloos te vinden. Hij draait zijn hoofd naar de muur. Het gekribbel in rode balpen is er ook nog, net onder de rand van de matras. Hij was nog klein toen hij uit wraak voor een verdiend pak slaag zijn woede had getemd door met balpen de pas behangen muur te lijf te gaan. Zijn durf reikte echter niet ver genoeg om het duidelijk zichtbaar te doen. Hij had de matras naar beneden geduwd en snel cirkels en lijnen door elkaar getekend. Als hij de matras weer liet opveren, was er weinig te merken van zijn ongehoorzaam kunstwerk. Hij heeft nooit geweten of het zijn ouders is opgevallen. Het feit dat de kleine ontsieringen van zijn kinderkamer er nog steeds zijn, heeft iets troostends. Hij hoort zijn moeder tot bij de kamerdeur lopen. Hij verwacht een korte klop en de deur die openzwaait. Dat deed ze vroeger ook nadat hij al zijn moed bij elkaar had geraapt en zijn ouders verzocht niet langer zomaar onaangekondigd zijn kamer binnen te stormen. Ze waren met zijn drieën rood geworden. Zijn ouders stemden met een hoofdknik in. Het was ook een bijzonder beschamend tafereel geweest. Met zijn zakgeld had hij een mannenblad met heel wat naakt gekocht in de krantenwinkel. 'Voor mijn papa', verzekerde hij. Ondanks een grote frons in het voorhoofd van de winkelbediende kreeg hij het blad probleemloos mee naar huis. Op zijn bed, naakt, spelend met zijn piemel, staarde hij naar de plaatjes. Mooi vond hij die vrouwen wel met hun wijd uiteengetrokken schaamlippen en volle borsten. Hoewel sommige poses hem te ver gingen, wond het hem erg op. Hij masturbeerde terwijl de blonde vrouw op de foto hem toelachte, slechts gekleed in een doorzichtige kanten slip, haar ene hand onder haar rechterborst, de andere verleidelijk haar sliprand lager trekkend. Zo had zijn moeder hem aangetroffen toen ze met de wasmand vol fris gewassen en gestreken kleding zijn kamer binnenkwam. Zonder kloppen. Het duurde een aantal tellen van complete verbijstering eer ze de wasmand neerzette, zich omdraaide en zonder iets te zeggen zijn kamer verliet.

Er volgt geen klopje. Ze staat gewoon aan zijn kamerdeur te luisteren. Hij houdt zijn adem in. Pas als hij haar hakken op het linoleum hoort weggaan van de deur, laat hij de lucht uit zijn longen. Waarom is hij hier? Als hij zich opricht, merkt hij dat hij volledig gekleed in bed ligt. Alleen zijn schoenen staan netjes naast elkaar half onder het bed geschoven. Dat heeft hij niet zelf gedaan. Het is eerder iets voor zijn moeder. Een slecht geoefende bigband leeft zich uit in zijn hoofd. Vruchteloos probeert hij beelden van de avond ervoor op te roepen. Hij heeft geen houvast, niets om zijn herinnering aan op te hangen. Het is één zwart gat. Leeg. Woedend pakt hij een schoen en gooit hem tegen de muur. Dit is zo frustrerend. Een black-out. Hij laat zich op zijn kussen vallen. Hij wil slapen om niet te hoeven beseffen dat hij een stuk verleden kwijt is. Zijn geweten belet het hem. Er moet iets gebeurd zijn. Hoe komt hij hier? Waarom is hij hier? Misselijkheid welt plots in hem op. Hij kan nog net zijn hoofd buiten het bed houden als een guts zurig geel zijn mond vult. Instinctief laat hij de brij op de grond lopen. Hij voelt medelijden met zichzelf. En schuld. Schuld over iets wat hij zich niet meer kan herinneren. Schuld omdat hij het zich niet meer kan herinneren. Hij wil opnieuw kunnen slapen, verlost worden door bewusteloosheid. Na een kwartier staren naar het plafond geeft hij het op. Als hij zich opricht, dringt de geur van het braaksel naast zijn bed diep door in zijn neusgaten. Hij schuift een beetje naar het voeteneinde toe om de plas met zijn voeten te kunnen omzeilen. Alleen al de aanblik van de gele, schuimachtige plas doet hem opnieuw kokhalzen. Hij loopt in versneld tempo naar de wastafel in de kamer, maar een nieuwe golf braaksel blijft uit. Er komen slechts oncontroleerbare geluiden naar boven; zijn lichaam schreeuwt het uit.

'Daniël?' Nu is er wel de korte klop. Ze klinkt bezorgd, lief. Daniël kreunt. Hij had zijn moeder niet horen aankomen.

'Ja?'

'Ben je wakker?' Het is opvallend hoe weinig mensen zich bewust zijn van de domheid van een vraag als deze aan iemand die zojuist antwoord heeft gegeven.

'Ja, ik ben wakker.' Het klinkt weinig overtuigend.

'Kom je iets eten?' Daniël weet even niet wat zeggen. Hij heeft geen idee hoe laat het is. Eten? Zijn maag voelt leeg zonder dat hij honger heeft.

'Ik kom eraan.' Met dit antwoord geeft hij zichzelf wat speelruimte. Zijn moeder lijkt tevreden. Het getik van haar hakken verwijdert zich opnieuw van de deur. Daniël zucht. Zijn handen omklemmen de wastafel. Voorzichtig heft hij zijn hoofd op om zichzelf de tijd te gunnen zich voor te bereiden op zijn spiegelbeeld. Hij ziet asgrauw. Onder zijn ogen tekenen zich donkere, halve cirkels af. Hij kijkt onmiddellijk weg van zijn weerspiegeling en plenst koud water in zijn gezicht. Het helpt nauwelijks. Zijn hoofd voelt als een kanonskogel. Daniël heeft de indruk dat zijn lichaam niet lang in staat zal zijn het te dragen. Een witte handdoek hangt netjes gevouwen over de ring aan de muur. Traag trekt hij de badstof van de ring, hopend dat het een zacht exemplaar is en niet de ruwere soort die zijn vader zo graag heeft. 'Dat droogt tenminste je lijf', vindt zijn ouweheer. Met deze heeft hij geluk. Hij dept zijn gezicht met de zachte stof en kijkt opnieuw in de spiegel. De grauwheid is er nog, maar het koude water heeft zijn bloedstroom zichtbaar weer op gang gebracht. Daniël legt de handdoek in de wastafel en draait de kraan volledig open. Zijn moeder zal dit niet kunnen appreciëren, denkt hij nog als hij het katoen uitwringt, traag naar zijn bed stapt, voorzichtig op zijn knieën gaat zitten en met ingehouden adem zijn braaksel begint op te vegen. Het laten liggen is geen optie. Hij heeft nog net de tegenwoordigheid van geest om de handdoek vervolgens grondig te spoelen en open te spreiden over de wastafelrand om te drogen. Het wit van de stof wordt nu doorbroken door gelige vlekken.

'Ik vind het niet fijn als je jezelf zo van de wereld drinkt.' Zijn moeder doet duidelijk moeite kordaat te klinken, maar het feit dat ze niet van haar bord opkijkt, getuigt van haar onzekerheid. Daniël heeft zich voorbereid op dit gesprek en besloten het niet te voeren. Hij antwoordt dan ook niet, maar kijkt eveneens naar zijn bord, plukkend aan zijn boterham met omelet die zijn moeder hem geserveerd heeft. Gelukkig is zijn vader er niet. Bij hem zou deze tactiek niet werken. Die zou een antwoord eisen, een uitleg, een verklaring. Daniël zou het hem niet kunnen geven: hij herinnert het zich niet.

'Heb je problemen, mijn jongen?' De kentering in de toon van haar stem is onmiskenbaar. Daniël moet zich inhouden om niet triomfantelijk te glimlachen. Zijn moeder is gezwicht, ze is bezorgd! Ze zal altijd in de eerste plaats zijn verzorgende moeder blijven, daar kun je gif op innemen.

'Ik heb het niet gemakkelijk, mamskie.' Hij gebruikt bewust zijn koosnaampje voor haar. 'Mijn ontslag heeft me gekwetst. Ik vat het persoonlijk op, persoonlijker dan het bedoeld is', benadrukt hij. Zijn moeder knikt.

'Ik weet het jongen, het is niet gemakkelijk, maar dat drinken zal het niet verbeteren.' Hij kijkt haar schuldbewust aan en begint te huilen. Hij schrikt zelf van zijn reactie. Zijn tranen zijn niet voorbereid. Het is haar blik vol authentieke bezorgdheid die zijn ellendige schuldgevoel in alle hevigheid oproept.

'Mamskie, ik weet niet eens hoe ik hier ben gekomen.' Zijn moeder gaat met een schok kaarsrecht zitten. Haar zachte ogen verharden.

'Ik heb je gevonden op de bank. Ik weet ook niet hoe je hier bent gekomen. Je vader vond dat ik je moest laten liggen, maar ik heb je jas uitgetrokken – die hangt trouwens op zijn plaats aan de kapstok in de hal – en je naar bed gesleurd. Uiteindelijk moest je vader wel komen helpen, je was volledig van de wereld en ik kon je gewicht niet alleen dragen.'

Er viel een stilte. 'Weet je wel hoe bang we waren?' Ze gooit het in zijn gezicht, woedend. 'Eerst dachten we dat het om dieven ging, maar je maakte zoveel lawaai dat het onwaarschijnlijk leek, dus zijn we komen kijken. Je vader stond erop langs de keuken de woonkamer binnen te gaan. Op die manier kon hij nog een keukenmes uit de lade meepakken, als verdedigingswapen! Stel je voor: een wapen ter verdediging tegen je eigen kind.' Daniël vindt dat ze overdrijft. Hij was gewoon stiepelzat, niet veranderd in de Hulk. Hij voelt wrevel opkomen. Waarom valt ze zo tegen hem uit, net nu hij zich zo beroerd voelt? Dat is gewoon niet eerlijk. Hij wil dat ze stopt.

'Hou gewoon je mond, mam!' Ze stopt abrupt met praten. 'Ik had te veel gedronken, dat is alles.' Zijn moeder kijkt hem even aan. Hij kan haar ogen niet lezen. Ze staat op en ruimt de tafel af. Ook zijn bord waarop de boterham met omelet in stukjes uiteen getrokken ligt.

'Mamskie?' Ze zit in de woonkamer een vrouwenblad te lezen. Hij gaat recht voor haar staan, dwingend. Hij wil dat ze opkijkt, maar dat doet ze niet.

'Mmm.' Hij had zich voorgenomen zich te verontschuldigen, maar nu hij voor haar staat en haar onuitgesproken afwijzing merkt, haperen de woorden.

'Mag ik de auto lenen?' Ze knikt. 'Ik breng hem straks terug.' Nu pas kijkt ze op.

'Blijf je eten vanavond?'

Hij weet dat hij haar een plezier doet als hij ja zegt.

'Ja, graag.' Hij liegt. Hij verfoeit die zogenaamde gezellige etentjes bij zijn ouders. Zijn pa en ma zitten naast elkaar aan de ene kant van de tafel, hij aan de andere. Een voor een kijken ze hem aan en wachten tot hij iets zegt waarop ze kunnen reageren. Zelf hebben ze zelden iets te vertellen.

'De sleutels van de auto zitten in mijn handtas. Mijn handtas hangt...'

'Aan de kapstok in de gang', maakt hij haar zin af. Ook dat is onveranderd gebleven. Ze glimlacht. Zijn uitval is hem vergeven.

In de gang pakt hij zijn jas van de kapstok en graaft in zijn moeders handtas op zoek naar de autosleutels. Het is een grote sleutelhanger dus vindt hij ze onmiddellijk. Licht geërgerd merkt hij dat zijn moeder nog steeds een kinderfoto van hem in een gebarsten plastic houdertje aan haar sleutelbos draagt. Hij trekt zijn jas aan en laat de sleutels in de rechterzak glijden. Zijn vingers stoten op iets hards dat hij niet meteen herkent. Verbaasd haalt hij de gsm van Manon boven. Wat doet die in zijn jas? Als hij een toets aanraakt, licht het schermpje onmiddellijk op. Het telefoontje op de display geeft aan dat er een oproep onbeantwoord is gebleven. Zou hij kijken wie het is? Waarom niet, het is niet dat hij en Manon voor elkaar zaken verborgen dienen te houden. Hij duwt snel op het telefoontje: het is Dries, tot driemaal toe, de klootzak! Vlug toetst hij verder op het toestel. Hij vindt verschillende telefoongesprekken met Dries. Er is afgelopen nacht verschillende keren naar hem gebeld. Afgelopen nacht? Hij begrijpt het niet. Manon kan die gesprekken niet gevoerd hebben, hij had immers haar gsm. Zou híj...? Godver... Hoewel er beeldfragmenten door zijn hoofd flitsen, kan hij geen er enkel grijpen en uitvergroten. Hij ziet niets. Hij kan zich wat er precies gebeurd is in de verste verte niet voor de geest halen. Hij slaat de voordeur achter zich dicht. Iets wat zijn moeder vervelend vindt.

Hij ziet haar onmiddellijk als hij de straat inrijdt. Hij zou haar van kilometers ver herkennen, zijn Manon. Er staat nog iemand bij haar die hij niet kent. Een man. Hij is lief voor haar, legt zijn handen op haar schouders. Hij blijft kijken vanaf een afstand. Hij wil dit niet meemaken. Als hij blijft staan waar hij staat en ernaar kijkt vanuit de auto, is het als televisie kijken: het gebeurt niet echt, het lijkt alleen maar zo. Manon steekt haar handen door het raam aan de voorkant van het huis. Het is een gek gezicht. Waarom gebruikt ze niet gewoon de voordeur? De man snelt haar te hulp. Zijn armen verdwijnen door het raam en hijsen een weekendtas naar buiten. Het lijkt alsof Manon weggaat met die man, maar dat kan niet, dat zou hij nooit toelaten. Hij tast naar Manons gsm in zijn jaszak en roept snel Dries' nummer op. Als de telefoon overgaat, staart hij gespannen naar de man die wat verder zijn vrouw aanraakt. Jawel! De man is Dries. Hij neemt zijn gsm in de hand en lijkt iets te vragen aan Manon, die haar hoofd schudt. Wat is er aan de hand? Waarom neemt hij niet op? De voicemail slaat aan. Hij zegt het enige dat in zijn hoofd opkomt: 'Klootzak!' en gooit het toestel op de zetel naast hem. Hij tuurt geconcentreerd verder naar wat er zich voor zijn huis afspeelt. Zijn slapen kloppen hevig, de hoofdpijn is niet te harden. Hij probeert het te negeren. Hij ziet Dries de koffer van zijn wagen openen en de tas erin zetten. Hij helpt Manon in zijn auto, een oude Volkswagen Golf. Het doet hem plezier dat het geen wagen is waar hij jaloers op kan zijn. Wat doet Manon vreemd, ze loopt zo houterig. Nu stapt Dries snel naar de andere kant van de Golf en neemt plaats aan het stuur. De auto start onmiddellijk en komt Daniëls richting uit gereden. Daniël schiet wakker, schakelt in achteruit en manoeuvreert snel achterwaarts om de hoek een parkeerplaats in. Hij is net op tijd om de wagen van Dries met Manon op de passagierszetel rustig voorbij te zien rijden. Noch Manon, noch Dries merken hem op. In een reflex geeft hij hard gas, de wielen van de wagen draaien kort door, waarna ze grip krijgen op de weg. De auto schiet met gierende banden de parkeerplaats uit. Daniël heeft moeite de controle over het stuur te bewaren in de bocht. Als hij voorbij hun huis raast, komt hij bij zinnen. Hij stopt abrupt en slaat hard met beide handen op het stuur. Hij moet snel beslissen wat te doen. Zijn hoofd suist. Hij zet de auto in zijn achteruit en draait een halve cirkel; achter hem wordt getoeterd. Een straat die doodloopt, een straat waar zelden verkeer is en precies nú moeten hier mensen zijn. Hij steekt zijn middelvinger op naar de chauffeur, zet de auto opnieuw in de eerste en trekt hard op. Hij kan ze nog inhalen. Aan de verkeerslichten om de grote baan op te draaien kunnen ze alleen naar rechts zijn gegaan, de andere kant is afgesloten voor wegenwerken, een constante in een verkiezingsjaar.

Hij heeft het gewoon geweten, gevoeld, het is zijn hoofd al lang binnen gesijpeld, maar hij heeft het domweg genegeerd: zijn slet van een vrouw heeft een ander en hij heeft het voor zijn ogen laten gebeuren. Het is zonneklaar – dat was het eigenlijk al – maar hij heeft het niet willen zien. De puzzelstukjes vallen nu met gemak op hun plaats: daarom heeft ze hem afgewezen. Hij had erop durven wedden dat die man Dries is. Het kon ook niet anders. Ze werken samen, gaan iets drinken samen, ze belt hem, hij belt haar, berichtjes gaan heen en weer. Hij duwt het gaspedaal diep in. Als hij nog een paar oranje lichten negeert, kan hij ze bijbenen, tenzij ze ergens afgeslagen zijn. Hij haalt enkele keren gevaarlijk in. Waarom zetten ze ook van die overbodige gele pilaartjes in het midden van de rijbaan? Zijn inhaalmanoeuvres worden allerminst geapprecieerd. Een golf van getoeter achtervolgt hem. Zijn rijbewijs is hij toch al kwijt, bedenkt hij smalend terwijl hij extra gas geeft ondanks het feit dat het licht zojuist op rood sprong. Eindelijk ziet hij de groene Golf vijf auto's voor zich. Hij slaakt een zucht van opluchting, heel spontaan. Hij neemt gas terug en volgt de stroom van het verkeer. Nu hij ze kan volgen en zal weten waar Manon naartoe gaat, sijpelt een gevoel van bevredigende genoegdoening zijn lichaam binnen.

Het duurt nog ruim vijf minuten alvorens de auto links afslaat. Daniël kent deze buurt niet en probeert zich de straatnamen in het hoofd te prenten. Het lukt hem niet, het gaat te snel. Hij is even verrast als de wagen stopt en links afslaat om de parkeergarage van een klein appartementsblok in te rijden. Hij herpakt zich snel en rijdt voorbij alsof hij een andere bestemming heeft. Gelukkig is hij met de wagen van zijn moeder; Manon zal die niet snel herkennen. Ze hebben beiden niets gemerkt van de achtervolging, daar is hij van overtuigd. De eerstvolgende straat slaat hij in en hij zet de wagen half op het voetpad. Hij laat de motor draaien. Hij wil gewoon even wachten om er zeker van te zijn dat ze het appartement binnen zijn. Na tien minuten draait hij terug en rijdt langzaam voorbij het appartementsblok, alles gedetailleerd in zich opnemend. Het is een modern blok. Recent gebouwd waarschijnlijk want er staat nog een appartement te koop. Zou Dries het zijne ook gekocht hebben? Hij wil geloven van niet. Zelf is hij er nooit in geslaagd voldoende geld bij elkaar te krijgen voor een redelijk startkapitaal om een eigen woning aan te kopen. Dries is toch maar een collega van Manon, hij kan dan toch niet zo een hoge positie bekleden? Of zou Manon gelogen hebben over haar inkomen? Dat Manon dat nooit zou doen, is een gedachte die vanaf heden niet langer geldig is. Manon is blijkbaar tot alles in staat, weet hij nu.

Het is even zoeken als hij weer naar de grote baan rijdt. Intuïtief voert hij de wagen terug naar hun huis. Hun huis. Het is hun huis niet meer. Manon is vertrokken. Zouden ze er samen gevrijd hebben als hij er niet was? In hun bed? In de douche? Manon doet het graag in de douche. Zouden ze samen gelachen hebben om zijn onwetendheid? Hij kan het zich niet voorstellen, wil dat ook niet. Het hoerenjong! De ondankbare overspelige del! Eigenlijk een geluk bij een ongeluk dat hij werkloos is geworden, anders had hij dit waarschijnlijk niet ontdekt. Nu had hij er tijd en dus oog voor.

Daniël parkeert de wagen voor de deur, zet de motor uit en drukt zijn rug tegen de stoel van de auto in een poging de spanning in zijn lichaam de baas te blijven. Loeihard slaat hij met beide handen op het stuur. Nogmaals. En opnieuw. Dan laat hij zijn hoofd zakken op het groezelig geworden pelsje dat zijn moeder over het stuurwiel heeft getrokken. Zijn handen omklemmen het stuur. De stof prikt in zijn voorhoofd, waarop zweetdruppels parelen. Hij heeft dorst. Hij draait zijn neus naar zijn oksels, ruikt het zweet dat de restanten van een zware alcoholische nacht doet vermoeden. Hij stinkt. Hij wil niet huilen, hij zal niet huilen, niet om haar. Om zijn gedachten kracht bij te zetten gaat hij met een ruk overeind zitten. Meteen voelt hij de pijn in zijn hoofd, dat de snelle beweging niet meteen verwerkt krijgt. Hij legt zijn handen op zijn schedel en begint de schedelhuid te masseren. Hij zal zich niet laten kleineren. Hij zal haar voor zijn. Hij zal de vernedering aan zich voorbij laten gaan. Ze zal hem niet hoeven vertellen dat ze bij hem weggaat. Hij gaat bij haar weg.

Hij bijt op zijn lip en stapt uit. Uit zijn jaszak vist hij de sleutels. Opnieuw voelt hij de gsm van Manon. Wat loopt hij eigenlijk met dat kledeing in zijn zak? Hij steekt de sleutel in het slot en is verbaasd dat hij tweemaal moet draaien alvorens de deur opengaat. Heeft die trut echt alles op slot gedraaid? Hij loopt onmiddellijk door naar de achterdeur. De sleutel die normaal gezien aan de binnenkant van de deur op het slot zit, is verdwenen. Hij geeft een ruk aan de klink, maar de deur is op slot. Hij vloekt binnensmonds. Hij gooit zijn sleutels op de keukentafel en slentert naar de badkamer. Hij draait de douchekraan open en begint zich traag uit te kleden. Zijn hoofd bonst aanhoudend. Hij trekt de badkamerkast open op zoek naar een pijnstiller. De leegte van de kast slaat hem in het gezicht. Ze is vertrokken, weg; ze heeft haar toiletgerei meegenomen: haar deodorant, haar kam – ze wil geen borstel, er blijven te veel haren in achter – haar parfum dat hij graag ruikt, haar elektrische tandenborstel. Het is allemaal weg. In een hoekje op het bovenste schap staan zijn spullen. Hij heeft er nog plagend over gezeurd dat hij naar de bovenste verdieping van het badkamermeubel werd verbannen en dan nog slechts de helft van het glazen schap kreeg toegewezen terwijl zij met al haar potjes en zalfjes de rest schaamteloos bezette. Toen waren ze nog maar net gaan samenwonen. Toen was het alle dagen feest, ook al gebeurde er niets speciaals. Toen hielden ze van elkaar.

Hij pakt scheerzeep en een mesje en begint zich wild in te zepen. Onzorgvuldig zet hij het mesje op zijn huid en schraapt routinematig de stoppels eraf. Onder zijn neus loopt het mis, het bloed welt op uit een klein sneetje. Hij negeert het en scheert verder. Zonder zijn gezicht van de resterende zeep te ontdoen gaat hij onder de douche staan en laat het water hard kletterend op zijn gezicht neerkomen. De douchegel heeft ze gelukkig wel laten staan.

Het is koud als hij uit de douche stapt. Rillend grijpt hij naar een handdoek en slaat die over zijn schouders. Terwijl hij het spontane daveren van zijn lichaam onder controle probeert te krijgen, kijkt hij door de badkamerdeur rond in de keuken op zoek naar andere spullen die niet langer staan waar ze stonden. Zaken die ze heeft meegenomen waar ze geen recht op heeft, die van hem zijn, eventueel voor de helft. Hij merkt niet meteen ontbrekende stukken, wel wat bloed op de grond. Of is het vleesjus? Nee, hè! Zeg dat het niet waar is. Met zijn handdoek om zijn blote lijf beent hij door de keuken. Manon vergeet het zo vaak! Ze pakt vlees uit de diepvries en legt het op het aanrecht in plaats van in de koelkast om te ontdooien. 'Zo gaat het sneller', argumenteert ze. 'Het vermenigvuldigen van de bacteriën zul je bedoelen.' Hij spiedt het aanrecht af, maar vindt geen vlees. Misschien heeft de hond het ondertussen opgegeten. De hond! Waar is Bastiaan? Bastiaan ontbreekt! Bastiaan is van hém!

Hij loopt snel terug naar de badkamer en droogt zich verder af. Hij ruikt aan zijn T-shirt en gooit het met een zwaai in de wasmand. Geen idee wie de was zal doen. In zijn blootje gaat hij naar de slaapkamer en trekt de kast open. Ook hier heeft ze duidelijk flink huisgehouden, maar ze heeft niet alles meegenomen. Hij wil het ontkennen, maar het geeft hem hoop. Snel grist hij een jeans en T-shirt van de plank. In de lade vindt hij een propere boxershort en kousen. Daniëls bewegingen vertragen als hij alles begint aan te trekken. Hij voelt zich plots ellendig en moe.

Weer beneden wil hij de sleutels van de keukentafel nemen als hij de sleutel van de achterdeur opmerkt tussen de andere. Hoewel hij duidelijk herkenbaar is, probeert Daniël de sleutel op het slot. Hij glijdt met gemak de gleuf in. Tweemaal draaien. Ook de achterdeur zat volledig op slot. Manon kan dit niet gedaan hebben, hij heeft de sleutel. Hij schudt zijn hoofd, zacht. Zijn geheugen laat niet toe de gaten op te vullen. Hoe hij ook zoekt, hij kan geen aanknopingspunten vinden om te reconstrueren wat er gisteravond gebeurd is. Kan ze nu niet gewoon met hem praten? Hem vertellen wat er gaande is? Waarom ze het zo plots voor bekeken houdt? Hij kan dit toch onmogelijk verdiend hebben.

Hij haalt enkele dozen uit de kleine voorraadkelder en begint in te pakken. Als zij dat kan, kan hij dat ook. Het badkamerkastje is snel leeg. Het koffiezetapparaat neemt hij ook mee, zij drinkt toch zelden koffie. Hij kijkt rond: wat nog meer? Wat kan hij nu meenemen zodat het onmiddellijk opvalt als ze het huis weer binnenkomt. Ze moet weten dat hij niet met zich laat sollen. Hij zal geen slachtoffer zijn. Hij blijft dit voor zichzelf herhalen terwijl hij een paar planten in de auto zet en de replica van de Venus van Milo tussen de voorstoel en achterbank van de auto klemt. Met de laatste doos gaat hij naar boven, hij trekt de kast open en veegt met zijn arm al zijn kleding in de doos. De laden trekt hij geheel uit de kast en keert ze om boven de kartonnen bak. Over de beddenlakens twijfelt hij. Die hebben ze samen gekocht. Laten liggen, besluit hij, de doos is immers vol. Hij duwt de flappen naar beneden en vouwt de ene onder de andere zodat ze niet opnieuw openplooien. Met moeite krijgt hij het lompe gewicht de trap af.

Als Daniël de voordeur achter zich sluit, let hij erop dat hij de sleutel tweemaal omdraait. Hij weet niet eens waarom, maar hij voelt de drang om het huis zo veel mogelijk in dezelfde toestand te laten als waarin hij het twee uur geleden aantrof, met uitzondering van de zaken die hij er uit weggenomen heeft. Hij kruipt achter het stuur van zijn moeders wagen en start de auto. Rustig trekt hij op. Deze keer vindt hij het rode appartementsblok waar Dries woont moeiteloos terug. Hij parkeert de wagen verder in de straat. Te voet keert hij terug en blijft vlak voor het blok aan de overkant van de straat staan. Verschillende ramen zijn verlicht. Hij gaat ze een voor een af. Misschien herkent hij het silhouet van Manon. Na een halfuur geeft hij het op, steekt de straat over en gaat de hal van het gebouw binnen. Twee rijen metaalgrijze brievenbussen bedekken de zijkant van de hal. Sommige inwoners wilden niet wachten op een aangepast naamplaatje en hebben alvast een papiertje met hun naam naast de bel gehangen. Dries niet. Dries heeft een echt naamplaatje, eveneens in grijs metaal, aangepast aan de kleur van de brievenbus. Appartement 4A. Naast 4B hangt nog geen naam. Daniël drukt op de bel van 3A bij 'Anke S.' Hij zou zich uitgeven voor Dries en zeggen dat hij zijn sleutel vergeten is of zeggen dat hij zijn broer is en hem wil verrassen voor zijn verjaardag of... Het is niet nodig. Anke S. neemt niet de moeite de parlofoon te gebruiken. De zoemer weerklinkt en met een lichte duw is Daniël in de traphal. Vier verdiepingen. Hij besluit de lift te nemen. De rode liftknop licht helder op in de duistere hal. Wat als de deur openschuift en Manon voor hem staat? Het idee brengt hem in de war. Impulsief wil hij weggaan, maar de lift is er al en de deuren glijden met een zacht gesis open. Er staat niemand. Daniël stapt naar binnen en drukt op het knopje van de vierde verdieping. Het is warm in de lift. Zouden ze hier gevrijd hebben? De alarmknop ingeduwd en van bil gegaan? Of hebben ze zich gewoon van boven naar beneden en terug laten voeren, zich niets aantrekkend van de mensen die vruchteloos om de lift vroegen. Hij verafschuwt de fantasiebeelden die ongevraagd in zijn hoofd opduiken. Op de vierde verdieping onderdrukt hij de neiging zijn oor tegen de deur van appartement 4A te leggen. Hij haalt Manons gsm uit zijn zak, kijkt nog even naar het scherm als om afscheid te nemen en legt het fel gekleurde ding op de mat voor de deur. Dan begint hij te lopen. Zo snel hij kan rent hij de trap af, telkens de laatste treden afspringend. Hij wil hier weg!

Op het voetpad voor het appartement blijft hij hijgend staan. Hij kijkt niet achterom, steekt zijn hand in zijn zak en haalt zijn eigen gsm tevoorschijn. Hij wandelt rustig naar de auto, zoekt ondertussen het gsm-nummer van Manon op en laat haar telefoon rinkelen.

***

'Ja, mevrouw, natuurlijk kun je de sloten van je woning laten vervangen, maar aangezien het een huurwoning is, heb je de goedkeuring van de eigenaar nodig.'

'Als ik die goedkeuring heb...' De slotenmaker vult haar zin aan:

'Dan kan het binnen de twee uur gepiept zijn, mevrouwtje, op voorwaarde dat je de enige bent die op dat adres gedomicilieerd is.'

'Hoe bedoel je?' Manon moet moeite doen zakelijk te blijven. Al die voorwaarden. Het enige dat ze wil is terug naar huis gaan zonder bang te hoeven zijn dat Daniël elk moment kan binnenvallen. Ze wordt onpasselijk bij het idee.

'Zijn er andere mensen die daar wonen?'

'Ja, is dat een probleem?'

'Nee, niet noodzakelijk, tenzij die mensen zich net als u officieel hebben laten inschrijven op dat adres, dan heb je ook hun goedkeuring nodig voor de vervanging van de sloten.' Manon denkt na. Hoe kan ze nu te weten komen waar Daniël zijn domicilie heeft? Ze bedankt de slotenmaker en belooft hem, zoals hij haar heeft gevraagd, zo snel mogelijk contact op te nemen als ze gebruik wenst te maken van zijn diensten.

De eigenaars van het huis baten een goeddraaiende bakkerij uit. Als Manon binnenkomt, steunend op één kruk, lacht de vrouw van de bakker haar toe.

'Als je voor huurkwesties komt, moet je mijn man hebben. Die zit achterin, loop maar door.' De klanten in de bakkerij observeren enigszins nieuwsgierig Manon, die zich excuserend langs de rij wachtenden wringt. Ze aarzelt even aan het einde van de toonbank. 'Ja, ja, loop maar verder', moedigt de vrouw haar aan. Manon komt in een schemerige plaats. Langs weerszijden staan rekken vol hoog opgetaste broden. Er hangt een weeïge geur die eerst aangenaam lijkt maar al snel beklemmend kleverig wordt. Achter de donkere ruimte baadt de eigenlijke bakkerij in het zonlicht. Er loopt een jonge man voorbij zonder haar op te merken. Zijn mouwen opgestroopt, zijn handen en onderarmen onder een witte, brokkelige pasta. Manon voelt zich ongemakkelijk. Ze leunt op haar kruk en twijfelt of ze verder moet gaan of beter even wacht tot iemand haar opmerkt. De jonge man passeert opnieuw, nu met schone handen en onderarmen. Plots draait hij zijn hoofd alsof hij haar gevoeld heeft.

'Zoek je iemand?' Het klinkt niet onvriendelijk, maar duidelijk verstoord. Manon probeert zich snel de naam van haar huisbaas te herinneren. De jongeman heeft geen zin om haar antwoord af te wachten. 'Jean, hier is iemand!' Jean, dat was het! Een struise man komt aangewandeld, terwijl hij zijn handen droogt aan een handdoek. Hij draagt een besmeurde schort, witte klompen en een T-shirt waaronder zijn gespierde borstkas opbolt. Hij herkent haar niet.

'Goedemiddag, meneer. Ik ben Manon, ik huur het huis in de Warandelaan.'

'Is er iets kapot?'

'Nee, meneer.'

'Zeg maar Jean, dat praat gemakkelijker.' De man blijft ijverig zijn vingers afdrogen met de handdoek. Nodeloze arbeid. Manon kijkt er afwezig naar terwijl ze naar woorden zoekt.

'Ik had graag een ander slot op de voordeur laten zetten.'

'Is er ingebroken?' De man klinkt verrast. Het zou ook vreemd zijn, inbrekers in die buurt. Er valt niets te halen.

'Nee, maar,' – zou ze de waarheid zeggen of niet? – 'het slot wringt wat tegen, ik ben bang er een sleutel op te breken.' Ze durft hem niet aan te kijken. Liegen heeft ze nooit goed gekund. Jean houdt zijn hoofd een beetje scheef.

'Nu ja, als je zelf de kosten draagt, is er voor mij geen probleem, maar je kunt het slot niet laten veranderen zonder goedkeuring van alle bewoners die er gedomicilieerd zijn...' Hij zegt het op informatieve toon, maar uit de nadruk die hij op het woord 'alle' legt, blijkt duidelijk dat hij het verhaal niet slikt. Manon wacht af wat hij zal doen: haar verder uitvragen of besluiten dat de ware toedracht er niet toe doet. Ze hoopt het laatste. 'Laten we dan maar eens in de huurovereenkomst kijken welk domicilieadres je partner heeft opgegeven, dan kun je er meteen werk van maken.' De knipoog spreekt boekdelen. Manon durft even te glimlachen, verontschuldigend, verlegen. Het is niet gemakkelijk je een houding te geven tegenover iemand die weet dat je hem zojuist op een leugen hebt getrakteerd.

Het duurt niet lang voor Jean terugkomt met enkele papieren in de hand. De handdoek die hij zopas nog druk bezigde om zijn handen schoon te wrijven, ligt nu werkloos over zijn schouder. Hij kijkt op van een blad en glimlacht naar haar.

'Geluk, dametje, hier staat Boslaan als officieel adres.' Manon slaakt een zucht van verlichting. Het is het adres van zijn ouders. Ze had het kunnen weten dat hij nog niet officieel onder moeders vleugels vandaan was gekropen: het moederskindje, de gluiperd, de rotzak! De traan die over haar wang kruipt, wrijft ze bruut weg.

'Hij kan zich natuurlijk alsnog hebben gemeld op het gemeentehuis om zijn domicilie te wijzigen.' Manon kan de paniek in haar ogen niet verbergen. 'De huurovereenkomst stipuleert echter dat je dat per aangetekend schrijven moet laten weten aan de eigenaar en dat heeft hij nooit gedaan.' Jean verlaagt zijn stem tot een troostend gebrom. 'Je kunt dus vrij zeker zijn dat hij de Warandelaan niet als officieel adres heeft.' Hij kijkt haar onderzoekend aan als om te zien of zijn woorden het gewenste effect hebben.

'Heb je deze papieren nodig?'

'Nee, of wacht, ja, misschien wel, dat kan als bewijs dienen voor de slotenmaker.'

'Gelijk heb je', zegt hij ferm en hij overhandigt haar de bundel papier. 'Neem maar mee, het is een kopie. Succes', voegt hij eraan toe. Manon knikt, haar ogen gefixeerd op zijn witte klompen.

'Dank je wel.' Ze draait zich om voor de sfeer helemaal ongemakkelijk wordt en pikkelt weer naar de winkel. Ze weet niet of hij haar nakijkt, maar ze durft te wedden van wel.

Als Manon buiten staat, ademt ze diep in. De buitenlucht verdrijft de zware bakkerslucht in haar longen. Ze lacht triomfantelijk. De symbolisch belangrijke eerste stap is gezet. Ze weet nu dat het wel goed komt met haar. Ze tikt snel enkele toetsen op haar mobiel in en vindt het nummer van de slotenmaker. Straks zal alleen zij nog het huis in de Warandelaan kunnen openen en sluiten. Ze hoopt bijna dat Daniël vruchteloos zal proberen binnen te komen. Dan weet ook hij dat ze het wel zal redden zonder hem.

11

Manon ligt op de sofa en staart door het raam naar buiten, waar niets te zien is afgezien van een grijze lucht en wat dappere vogels. Ze haat het dat ze niets kan verzinnen dat de moeite waard is om tijd aan te besteden. Verveling. Zij die elke minuut zou moeten koesteren, weet niet wat te doen. Of liever: alles wat in haar hoofd opkomt, wordt afgedaan als te onbenullig. Mensen van wie het leven plots verkort, beginnen aan een reeks activiteiten die ze steeds hebben willen doen maar waar ze nooit aan toegekomen zijn. Manon ligt gewoon op de bank te liggen, niet meteen iets waarvan ze voordien geen werk gemaakt heeft. Eigenlijk heeft ze wel zin om te lezen. Anderzijds vindt ze het een onverantwoorde vlucht: waarom zich verdiepen in een fictieve wereld terwijl ze de kans zou moeten grijpen de realiteit zo veel mogelijk te beleven. Ze zucht als ze tot de conclusie komt dat het sympathieke aan leven, zonder het besef van je eigen sterfelijkheid, is dat je niets speciaals hoeft te doen. Er is geen dwingende reden om uitzonderlijke prestaties te leveren, unieke plaatsen te bezoeken, zinvol bezig te zijn. Je kunt je gewoon verdiepen in banale, dagelijkse bezigheden. De hond uitlaten, boodschappen doen, het gras maaien, het huis poetsen, een boek lezen en niemand – ook jijzelf niet – zal je dat kwalijk nemen.

De telefoon rinkelt. Afleiding. Manon springt op uit de

bank, maar moet meteen weer gaan zitten: in haar gezichtsveld vliegen honderden komeetjes met lange witte staarten rond. Ze wacht tot de kometen uitdoven. Het gerinkel houdt aan. Manon gaat weer staan, traag nu, en neemt de telefoon op.

'Mevrouw Manon Schu...?' Weer de hapering.

'Dat ben ik', zegt ze vlug. Ze klinkt jeugdig opgewekt, blij contact te hebben met de buitenwereld.

'U spreekt met het secretariaat van het universitair ziekenhuis. Uw labresultaten zijn bekend.' Manon houdt haar adem in, haar hart klopt snel. 'Ik bel u om een afspraak vast te leggen zodat u ze kunt bespreken met de dokter.' Manon wordt koud.

'Ze zijn niet goed? De resultaten, bedoel ik. Heb ik kanker?'

'Mevrouw, daar kan ik geen antwoord op geven. Ten eerste ben ik geen arts en ten tweede zijn dat niet meteen onderwerpen om aan de telefoon te bespreken.' Ze klinkt betweterig. Manon wipt van haar ene been op het andere. 'Hebt u een agenda bij de hand?'

'Nee', antwoordt Manon plompverloren.

'Misschien kunt u die er dan even bijnemen?' De suggestie komt voorzichtig. Ze zal wel ontzettend dwaas overkomen, denkt Manon.

'Uiteraard, een ogenblik.' Manon legt de telefoon neer en spurt naar het toilet. Ze moet plots onbedwingbaar plassen.

'Ja, hallo, ik ben er weer.' Het toiletbezoek en het zoeken naar haar agenda – die altijd in haar handtas zit behalve als ze hem nodig heeft – hebben haar de tijd gegeven om bij te komen.

'De volgende data zijn nog vrij.' De secretaresse is hoorbaar hervallen in de voorgeschreven routine voor het maken van een afspraak. Haar stem klinkt nasaal en onpersoonlijk.

Manon wil nu onmiddellijk op consultatie, maar de eerstkomende datum is pas over twee dagen en dan nog midden in de ochtend. Ze zou verlof moeten aanvragen en dat moet minstens drie dagen van tevoren. Of hoe administratie je het leven bijzonder moeilijk kan maken. Nog drie dagen wachten, nog driemaal slapen, nog driemaal douchen, nog negenmaal eten.

**

Het is lang geleden dat Manon zo zenuwachtig is geweest. Vroeger op de universiteit was ze wel vaker zo gestrest dat haar maag ervan samentrok. Tijdens de examenperiode at ze nauwelijks. Het had gewoon geen zin: ze gaf nagenoeg alles binnen het uur weer over. Volgens een bizarre hersenkronkel waren enkelen van haar vriendinnen hier jaloers op: ze had een prachtfiguur om aan de zomervakantie te beginnen. In de meest extreme gevallen stonden haar nek- en schouderspieren zo gespannen dat ze met een gekromde rug rondliep. Vandaag voelt ze de pijnlijke strakheid langs haar ruggengraat omhoog kruipen. Ze draait met haar hoofd en rolt haar schouders naar achteren terwijl ze koffie zet. Misschien, als ze straks nog tijd heeft, kruipt ze nog even onder de douche. Als het koffiezetapparaat geruststellend begint te prutelen, gaat ze achter haar computer zitten en neemt ze de nieuw binnengekomen mails door. Ze is niet van plan ze op dit moment te beantwoorden, maar het zorgt voor wat afleiding. Ze botst op een mail van Dries. De laatste keer dat ze hem nog gesproken of gezien heeft, was op haar onverwachte verjaardagsfeest vorige week. Ze klikt het bericht open en begint het lijvige verhaal te lezen. Hij werkt nu al een hele tijd als klinisch psycholoog met losgeslagen tieners. Zijn verhalen zijn altijd hilarisch en schrijnend tegelijkertijd. Door zijn drukke consultatieagenda zien ze elkaar nu wat minder dan vroeger, maar hun intense band is gebleven. Manon is zijn virtuele klaagmuur en dat geldt evengoed andersom. Terwijl ze glimlacht om het sarcasme waarmee hij zijn verhaal doet, pakt ze een kauwgom uit het handige doosje met hersluitbaar deksel. Ze pakt er altijd twee tegelijk, dan kun je tenminste behoorlijk kauwen. De eerste kauwbewegingen doen een pijnscheut door haar kaken trekken. Ze stelt nu pas vast hoe hard ze op haar tanden heeft zitten bijten. Nog zo een zenuwtrek. De jongen in het verhaal van Dries vindt geen zin in het leven en animeert Dries met zijn fantasieën over hoe hij dat leven op een originele manier kan beëindigen. Hij is immers niet van plan het te doen op een manier die vele anderen hem al hebben voorgedaan: door zich op te hangen, onder een trein te springen, pillen te slikken of zich een kogel door het hoofd te jagen. De ideeën van de jongen zijn ludiek, angstaanjagend, vaak luguber. Waarom krijg ik dit juist nú te lezen? vraagt Manon zich driftig kauwend af. Nog voor ze het verhaal helemaal doorgelezen heeft, gaat de deurbel. Manon kreunt: wie het ook is, hij is niet welkom. Manon overweegt de deur niet te openen. Buiten de mensen op het werk weet niemand dat ze een dagje verlof heeft, in theorie kan ze dus evengoed niet thuis zijn. De bel gaat opnieuw. Manon staat op en wandelt traag naar de deur. Wanneer ze in de hal is, klinkt de deurbel voor de derde keer. Het wekt weerstand op. Toch opent Manon de deur en ze vindt haar oude buurvrouwtje Celine leunend op haar driepoot.

'Manon, ik heb appels nodig!' Manon schiet in de lach. Het is de spanning in combinatie met de ridiculiteit van de vraag die haar doet gibberen. Ze is even niet tot bedaren te brengen. Celine staat er wat onbeholpen bij.

'Manon?... Manon?' probeert ze, maar nu lukt het voor Manon even niet. Ze hangt voorovergebogen te hikken van het lachen. Even snel als het is opgekomen, ebt de drang om te lachen weer weg. Manon droogt haar lachtranen en gaat overeind staan. Terwijl ze haar haren achterover schudt, zegt ze:

'Oef, dat kan zo opluchten!' Ze meent het. Celine kijkt haar dwaas aan.

'Ik heb appels nodig', herhaalt ze. Manon knikt ernstig.

'Nu dadelijk?' Celine knikt nadrukkelijk.

'Het is dringend', stelt ze. Celine is het laatste half jaar sterk achteruitgegaan, niet zozeer fysiek dan wel mentaal. Soms is ze zo ver van de wereld dat Manon betwijfelt of ze haar dagelijkse leven nog ingericht krijgt. In overleg met de weinige familieleden die Celine nog bezoeken, komt er nu hulp aan huis en worden er dagelijks warme maaltijden gebracht. Celine vindt het maar niets. 'Ik eet niet uit een aluminium bakje, ik ben geen hond.' Dan herinnert ze zich steevast Bastiaan, hoewel die al verschillende jaren weg is. Manon laat het doorgaans gewoon over zich heen komen, althans als ze er tijd voor heeft.

'Celine, ik kan nu geen appels voor je halen, maar ik beloof dat ik ze vanmiddag voor je meebreng.'

'Van de markt', eist Celine. Het is donderdag, het is pas dinsdag markt.

'Natuurlijk, Celine,' sust Manon, 'van die grote rode van de markt, ik weet het.' Celine knikt goedkeurend. Manon verwacht dat ze zich zal omdraaien en over de stoep naar huis zal schuifelen, maar ze blijft staan. Ze kijkt langs Manon heen de gang in, in het niets. Haar ogen staan wazig.

'Celine?' Manon onderdrukt de neiging om haar hand voor de ogen van Celine te zwaaien. Als Manon haar bovenarm vastneemt, lijkt ze te ontwaken. Zachtjes draait Manon haar in de richting van haar huis.

'Zal ik je naar huis brengen?' Celine antwoordt niet, maar

sjokt gewillig met haar mee. De appels zijn nu blijkbaar ook vergeten.

Als ze Celine veilig in haar stoel heeft achtergelaten, rent Manon terug naar huis, blij dat haar eigen benen nog wel fit genoeg zijn om wat snelheid te maken. Ze is laat, te laat zelfs voor de bus. Ze vloekt. Dan moet het met de auto en heb je onvermijdelijk een ellendige zoektocht naar een parkeerplaats aan je been. In haar haast krijgt ze de sleutel niet behoorlijk in het slot van de voordeur. Nog meer gevloek. Die douche kan ze nu ook vergeten. In de badkamer plenst ze snel wat water in haar gezicht en gaat ze met een vochtige washand even onder haar oksels. Een flinke dosis deodorant zal de rest moeten doen. Ze laat haar hoofd snel links en rechts op haar schouder vallen. Die gekke Celine heeft het toch maar voor elkaar gekregen: de stijfheid in haar nek is volledig verdwenen. Ze heeft zelfs het afgelopen halfuur niet hoeven denken aan wat er komen zal. Het is alsof ze berecht zal worden, een laatste oordeel: zal Pietje de Dood aan haar voeteneinde of haar hoofdeinde postvatten, zal ze leven of doodgaan? Gelukkig moet ze zich haasten, ze wil absoluut geen tijd hebben hierbij stil te blijven staan. Ze grist haar handtas van de leuning van de keukenstoel en stormt het huis uit terwijl ze onhandig naar haar autosleutels zoekt. Ze ploft achter het stuur en ademt even diep in en uit. In de achteruitkijkspiegel fatsoeneert ze haar haartooi. Het moet dringend gewassen worden. Haar gsm gaat over: Giel. Alweer! Hij belt haar niet-aflatend en zij laat telkens haar voicemail het werk doen. Ook nu. Ze start de wagen en tracht zo beheerst mogelijk haar parkeerplaats uit te rijden.

Ze heeft geluk. Als ze bij het ziekenhuis aankomt, rijdt er net een auto voor haar weg. Ze zet snel haar richtingaanwijzers aan en heeft maar twee pogingen nodig om haar auto mooi in de parkeerplaats te manoeuvreren. Pech voor de wagen die uit de andere richting kwam en dit plekje eveneens op het oog had. Manon kan de kwade blik van de bestuurster voelen, maar besluit de vrouw volledig te negeren als ze nonchalant uitstapt en de straat oversteekt. De deuren van het ziekenhuis gaan open zodra ze haar voet op de zwarte, geribbelde mat voor de glazen hal zet. Net als de vorige keer is het er druk. Een bijenkorf. Het lijkt pure chaos, maar ongetwijfeld zit er een zekere logica in het heen en weer lopen van al die mensen. Ze baant zich een weg naar het rode machientje dat volgnummertjes uitspuwt als je aan de hendel trekt. Nummer 67, het had erger gekund: 666 bijvoorbeeld. Met het papiertje in haar hand gaat ze in een van de kuipstoelen met biluitsparing zitten. Ze heeft er niet aan gedacht om wat lectuur mee te nemen. Nu is ze verplicht opnieuw de beduimelde magazines met achterhaald showbizznieuws te lezen. Het is ongetwijfeld een besparingspost: in plaats van zich te abonneren op enkele nuttige of ontspannende magazines, wordt er maandelijks een collecte gedaan onder de werknemers van het ziekenhuis om oude exemplaren te verzamelen voor het goede doel: de wachtkamer. Zonder veel enthousiasme leest ze een artikel over het harde leven van een pas ontdekt tieneridool en zijn beslissing om zijn studies even te laten voor wat ze zijn. 'Studeren kan ik later ook nog, het succes dat ik nu heb, kan morgen verdwenen zijn', verklaart hij aan de pers. 'Ik wil ervan genieten, elke minuut', kopt het artikel. De moderne versie van carpe diem.

Manon kijkt op van het artikel. Tegenover haar is een vrouw komen zitten met een kind. Manon herkent haar onmiddellijk als de vrouw van wie ze de parkeerplaats heeft afgesnoept. Ze geeft het kind naast haar een boekje dat ze uit haar handtas opdiept. Het kind – of het een jongetje of een meisje is valt moeilijk van het gezicht af te lezen – begint er druk in te bladeren. Het draagt een bandana rond het hoofd, heeft geen wenkbrauwen meer en heeft het typische wat opgeblazen gezicht van iemand die cortisone toegediend krijgt. Manon kijkt naar het kind, dan naar de vrouw. Hun blikken kruisen elkaar. De vrouw kijkt haar uitdagend aan. Manon ziet haar denken: 'En, hoe voel je je nu, wetend dat je de parkeerplaats hebt ingenomen van een kankerpatiënt?' Manon voelt zich ongemakkelijk. Het moet een voorteken zijn dat ze juist tegenover een kankerpatiënt met spiedende moeder komt te zitten in de wachtkamer. Ze kijkt weg. Ze voelt zich schuldig en probeert het weg te redeneren. Je hebt een parkeerplaats ingenomen die vrij was, daar is niets verkeerds aan. Ook niet als er toevallig een kankerpatiënt en zijn moeder wilden parkeren. Als je ook daarmee rekening moet houden, kun je eenvoudigweg nooit parkeren. Het zou immers altijd kunnen dat er iemand beklagenswaardiger dan jij daardoor een plekje mist. Bespottelijk. Bovendien heb je potentieelkanker, dat is ook een nabijgelegen parkeerplaats waard. Maar van dat laatste krijgt ze zichzelf niet geheel overtuigd. De moeder blijft haar aankijken en Manon probeert uit alle macht niet terug te kijken.

'Nummer 67.' Manon staat opgelucht op, blij dat ze onder de blik van moeder kankerpatiënt uit kan. Aan de inschrijfbalie gooit ze het nummertje in een rieten mandje dat uitpuilt van de papiertjes. Er zijn er maar weinig die de wachttijd ongeschonden overleefd hebben: de meeste nummertjes zijn verfrommeld, half verscheurd of in een andere vorm gevouwen. De vrouw achter de computer draagt een limoengroen hemd dat voldoende ver openstaat om te onthullen dat ze een witte beha met gedurfd kant draagt. Manon steekt haar identiteitskaart in de gleuf van de kaartlezer, geheel volgens de voorschriften die op een blad staan dat nogal amateuristisch met plakband op de achterkant van het computerscherm is geplakt. De vrouw zegt niets, tokkelt wat op het toetsenbord van haar pc, duwt de kaart wat dieper in de gleuf en tikt verder op de toetsen. Manon wacht af en schrikt een beetje als de vrouw plots haar adres opdreunt en vraagt te bevestigen dat ze daar nog steeds woont. Manon knikt, maar als ze merkt dat de vrouw niet van plan is haar ogen van het scherm te halen, herhaalt ze hardop: 'Ja.' Alsof het om een commando gaat, krijgt ze enkele etiketten toegeschoven die de printer zojuist heeft voortgebracht.

'U mag nog even wachten in de wachtzaal. Nummer 68!' Manon neemt de etiketten aan en staat op. Even wil ze nog 'dank u' zeggen, maar aangezien de vrouw haar nog steeds niet heeft aangekeken en nu nonchalant haar nagelriemen naar achteren duwt in afwachting van de volgende patiënt, laat ze het zo. Manon loopt terug naar de wachtruimte. Gelukkig zijn het kankerpatiëntje en zijn moeder nergens meer te bekennen.

'Manon?' Ze kijkt op. Stan, de verpleger die haar tijdens de scintigrafie begeleid heeft, staat haar met een brede grijs aan te kijken. 'Je ziet er goed uit', zegt hij joviaal. Manon negeert zijn uitgestoken hand en staat op eigen kracht op. 'Hoe voel je je?' De uitgestoken hand kon ze nog onbeantwoord laten, maar niet reageren op een rechtstreekse vraag is ronduit onbeschoft.

'Prima', antwoordt Manon dan maar opgeruimd. Ze liegt. Ze voelt zich gespannen. Haar handen zweten en ze zou op dit moment niets door haar keel krijgen, al was het kaviaar.

'Goed, professor Pieters wacht op je.' Professor Pieters dus. Ze heeft de naam nog nooit gehoord. Alsof hij haar gedachten kan lezen, geeft Stan uitleg: 'Professor Pieters is een van onze specialisten. Hij heeft de resultaten van de scintigrafie bekeken en zal zo dadelijk zijn bevindingen met je bespreken.'

'Is het goed nieuws?' Manon klinkt hoopvol. Als Stan zijn hoofd schudt, slaat haar hart over.

'Dat mag ik je niet vertellen,' verduidelijkt hij, 'laten we maar naar professor Pieters gaan, dan kun je hem je vragen voorleggen.' Manon volgt Stan. Er is nog maar weinig over van die oversekste verpleger van enkele dagen geleden, denkt ze onwillekeurig. Bij een deur in de lange gang die er eender uitziet als alle andere houdt Stan stil. Een korte klop gevolgd door een 'binnen'. Manon ademt nog even diep in en uit en volgt Stan door de deur. Ze had allerminst de man verwacht die achter het bureau zit: middelbare leeftijd, lang haar, versleten jeans, hoge wandelschoenen die hun beste tijd hebben gehad. Hij ziet er slordig uit, constateert ze ontsteld. In deze situatie had ze liever een oude, kalende man gehad, eventueel met baard, gekleed in een witte jas met daaronder een onopvallend grijs kostuum en een weinig frivole das. Dat is betrouwbaar. Dat betekent ervaring en boekenwijsheid. De onverzorgde man staat op.

'Dag Manon.' Manon ziet dat hij nog gauw even haar naam controleert op het dossier dat voor hem ligt. 'Die mag u aan mij geven.' Manon kijkt hem niet-begrijpend aan. 'De etiketten, die mag u aan mij geven.' Het duurt nog enkele seconden vooraleer het tot Manon doordringt dat hij het over het vel papier in haar hand heeft. Zonder zich te verontschuldigen overhandigt ze hem de etiketten. Stan schuift ondertussen de stoel aan het bureau van de professor een beetje achteruit en gebaart dat ze mag plaatsnemen. Manon wandelt naar de stoel en ploft onelegant neer terwijl ze professor Pieters blijft aanstaren. Stan klikt de lichtbak tegen de muur aan. Die knippert een paar keer en straalt dan een hel wit licht uit. Uit het dossier op het bureau haalt Stan enkele foto's en hangt ze naast elkaar op de lichtbak. Uit zijn borstzakje vist hij een pen op en geeft ze aan professor Pieters. De professor heeft ondertussen een witte doktersjas aangetrokken en een stethoscoop om zijn nek gelegd. Hij beantwoordt nu al iets meer aan Manons beeld van een specialist. Ze ontspant een beetje.

'Ik zal maar meteen met de deur in huis vallen.' Manon gaat op het puntje van de stoel zitten. 'Er is wel degelijk sprake van een hogere botactiviteit ter hoogte van het heupbeen.' De professor schuift de pen uit elkaar tot een lang metalen aanwijsinstrument en cirkelt ermee rond een voor Manon nietszeggende plek op de eerste foto. 'Maar die verhoogde botactiviteit heeft niets te maken met een zich ontwikkelende kanker. Dat is het goede nieuws.' Manon zucht luid. Stan is naast haar komen staan om een duidelijk zicht op de foto's te hebben en legt kort een hand op haar schouder. In andere omstandigheden zou ze hem een onverbeterlijke pervert hebben gevonden, maar nu is ze hem dankbaar. 'Het is een oude breuk, weliswaar op een erg vreemde plaats. Het lijkt op een soort scheurtje veroorzaakt door iets hards. Iets waar u vroeger op gevallen bent misschien?' Hij kijkt haar vragend aan, maar Manon schudt haar hoofd. Voor zover ze weet is ze nooit op iets hards gevallen met die heup. 'Of iets dat u heeft geraakt. U hebt toch nooit een auto- of fietsongeluk gehad, wel?' Manon wil opnieuw haar hoofd schudden als haar geheugen plots vlijmscherp het beeld opnieuw oproept: ze ligt op de keukenvloer en het bloed sijpelt uit haar mond, ze draait zich van hem weg en hij... hij zet zijn voet op haar heup, alsof hij goed wil mikken, dan gaat zijn voet omhoog en komt krachtig weer neer. Recht in het doel, recht op haar heup. Ze zal het nooit vergeten. Daniël. In haar hoofd heeft ze hem kunnen beheersen, maar hij is haar lichaam binnengedrongen, heeft haar gebrandmerkt als een stuk vee, een blijvende herinnering.

Het lijkt of ze verschillende minuten in gedachten verzonken was. Wanneer ze als antwoord op de vraag toch haar hoofd schudt, kan ze noch uit de reactie van Pieters, noch uit het gedrag van Stan afleiden dat ze een hele tijd niet heeft gereageerd. Professor Pieters vervolgt: 'Het maakt uiteindelijk weinig uit hoe het gebeurd is. Het belangrijkste is dát het gebeurd is en helaas kunnen we daar niets meer aan doen.' De pijnlijke waarheid. 'U zult er dus blijvend last van hebben. Dat is het slechte nieuws.' Ze voelt de tranen pas als ze van haar wangen op haar handen vallen. Ze laat het gebeuren, veegt ze niet weg. Ze heeft er recht op, vindt ze.

'Het is helemaal niet zo ernstig, Manon', sust Stan. De professor knikt bevestigend. Weten zij veel.

'Op voorwaarde dat u oplet voor peesontstekingen rond het gewricht, zult u er nauwelijks iets van merken.' Manon reageert niet. Ze is bang dat ze nog harder zal beginnen te huilen als ze nu haar mond opendoet. 'Concreet kunt u dus verdergaan met het nemen van ontstekingsremmende medicatie en raad ik u aan de sessies bij de kinesist niet te stoppen zolang de pijn in uw heup niet volledig verdwenen is.' Professor Pieters knipt de lichtbak uit en laat de grijze doorlichting van Manons lichaamsdelen hangen. Hij neemt plaats achter zijn bureau, pakt een vergulde pen uit zijn borstzak en begint voorschriften te schrijven. Daarin is hij dan wel van de oude stempel: hij schrijft nog met pen en inkt. Manon lacht om haar eigen gedachten. Ze voelt de lach kriebelend in haar borstkas omhoog kruipen. Hiervoor is ze de afgelopen dagen zo vaak nutteloos gestorven in haar hoofd, heeft ze haar leven voor het rode licht doen staan: voor een paar voorschriften geschreven met pen en inkt. Ze schatert het uit. De beide mannen kijken haar verbaasd aan. Stan maakt een beweging in haar richting, maar Pieters houdt hem met een hoofdknik tegen.

'Laat haar maar even', zegt hij zacht en hij gaat verder met schrijven.

'Excuseer.' Manon komt tot bedaren. 'Ik kon me gewoon niet beheersen.' Haar schaamtevolle verlegenheid is oprecht.

'U zult wel enigszins onder spanning hebben gestaan. Dat is volkomen begrijpelijk', wuift professor Pieters haar excuses weg.

'Meer dan u denkt', antwoordt Manon. Een reactie blijft uit.

'Stan zal u begeleiden naar de uitgang. Rest mij nog u de voorschriften te geven en u een prettige dag te wensen.' Manon neemt met een glimlach de hand van professor Pieters in de hare en knijpt er stevig in als ze hem schudt. Ze zit boordevol energie.

Stan loopt naast haar door de gang.

'Ik weet de weg, je hoeft niet mee te lopen,' verzekert ze hem, 'tenzij je erop staat, natuurlijk. Je zou dan aan de uitgang om mijn telefoonnummer kunnen vragen, omdat je met me uit wil. Dan kan ik je zeggen dat je mijn type niet bent en heupwiegend het ziekenhuis verlaten, terwijl jij verslagen achterblijft in de hal. Wat denk je daarvan?' Stan blijft staan en kijkt haar ongelovig aan. 'Oké, dan niet.' Ze draait zich om en laat Stan in de gang staan terwijl ze met grote passen de bordjes uitgang volgt. Ze geniet van het geluid van haar hakken op de pas geboende vloer en het euforische gevoel dat zich in haar lichaam nestelt. Haar potentieelkanker is geen kanker. Ze mag weer leven.

Buiten zet ze onmiddellijk haar gsm aan en roept het nummer van Giel op. Als het signaal overgaat, bedenkt ze zich. Wat gaat ze hem vertellen? Hoe gaat ze uitleggen wat er precies aan de hand was? Ondanks de intieme momenten die ze samen beleefd hebben, heeft ze zichzelf er nooit toe kunnen brengen hem te vertellen wie Daniël Verrichte werkelijk was, wat hij haar heeft aangedaan. Het heeft enkele keren op haar lippen gelegen. Die keer dat ze naar het park gingen om te picknicken bijvoorbeeld. Ze voerden elkaar druiven. Het was romantisch bedoeld, maar zoals zo vaak bij hen algauw een heel andere kant op gegaan: de ene hield zijn mond open en de andere probeerde van minimum een meter afstand – dat was op voorhand als spelregel afgesproken – een druif precies in de opengesperde mond te mikken. Onbegonnen werk. Opeens stond er een jonge vrouw naast hen. Slank. Donker van huidskleur.

'Hé, Giel!' En ze gaf hem een kus vlak naast zijn mond. Een ongelukje? Of moest het alleen zo lijken? Hoewel ze niet echt jaloers is aangelegd, stonden de haartjes op haar armen meteen overeind. Een instinctmatige verdedigingsreflex. 'Wat vreselijk lang geleden.' De geaffecteerde manier waarop ze sprak, maakte haar meteen onsympathiek. Ze had bovendien erg lelijke schoenen aan. Gelukkig stelde ze zichzelf meteen spontaan aan Manon voor: 'Hallo, ik ben Suzanne, Giel en ik kennen elkaar van vroeger.' Van een understatement gesproken. De naam Suzanne deed een belletje rinkelen. Suzanne was een ex-vriendin van Giel, maar meer wist ze eigenlijk niet. Ze had wat staan kirren tegen hem over hoe fantastisch haar leven nu wel was – ze deed sinds een jaar modellenwerk, ook internationaal – en had afscheid genomen. Opnieuw met een betwijfelbare wangzoen voor Giel en twee luchtkussen voor Manon. Ze koestert een zekere argwaan tegenover mensen die meteen aan het kussen gingen, ook al heb je elkaar pas ontmoet. Er viel een wat ongemakkelijke stilte toen Suzanne koket van hen wegliep.

'Dat was Suzanne', zei Giel uiteindelijk overbodig. 'Eigenlijk een ex-lief van mij.' Manon knikte.

'Weet ik, je hebt het over haar gehad.'

'Heb ik je bij die gelegenheid ook verteld dat ze eens auditie heeft gedaan voor een nieuw vlekkenmiddel?' Manon schudde haar hoofd. Giel sprong overeind, liet zijn heup vrouwelijk opzij vallen, nam zijn T-shirt vast en bracht een lofdicht uit over de krachtigheid van het nieuwe product. Manon proestte het uit. Het was ronduit belachelijk. Op haar beurt vertelde Manon Giel over de onhebbelijke gewoonte van Daniël om openlijk in zijn neus te peuteren en zijn neusafval af te vegen door zijn vinger door zijn knieplooi te halen. Afschuwelijk! Ze vond geregeld zijn broeken in de was terug met groengele korsten op de achterkant van de stof ter hoogte van de knie. Ze hadden tegen elkaar opgesnoefd met de kleine en grote onhebbelijkheden van ex-partners. Het enige taboe was seks. Je klapte nu eenmaal niet uit bed. Dat vonden ze allebei. Het werd een heel intieme dag. Manon wilde de uitgelaten sfeer niet verpesten door dat ene vergaande mankement van Daniël te vermelden. Ze heeft het toen niet gedaan, maar ook op elke andere gelegenheid nagelaten. Ze heeft gezwegen; dat is het eerste wat je eruit leert. Alsof je het door te zwijgen ongedaan kunt maken, kunt veranderen in iets dat je je levensecht hebt voorgesteld, maar in werkelijkheid nooit hebt beleefd. Ze voelt zich schuldig. Schuldig ten opzichte van zichzelf. Waarom heeft ze dit nooit aan iemand kunnen vertellen? Waarom heeft ze het begraven? Wie heeft ze daarmee een dienst willen bewijzen? Zichzelf allerminst. Hem des te meer.

12

Zes jaar eerder

Het is de zesde dag die hij in zijn ouderlijk huis doorbrengt. Hij zit – net als toen hij nog stiekem zelfgerolde sigaretten rookte en dacht dat zijn ouders niets zouden merken – op de vensterbank in zijn kamer met het raam wijd open naar buiten te staren. De radio die tot voor kort nog zachte achtergrondmuziek speelde, heeft hij uitgezet. De herrie in zijn hoofd is meer dan lawaai genoeg. De vraag naar wat er enkele dagen geleden precies gebeurd is tussen hem en Manon, terroriseert nog steeds zijn gedachten. Het schuldgevoel daarentegen is weggeëbd. Hij drinkt van het flesje bier in zijn hand en bestudeert een duif op de tak van een boom nog geen vijftien meter van het raam. Het dier zet trots zijn borstveertjes dik in een poging er aantrekkelijk uit te zien.

Er wordt kort op de deur geklopt. Daniël schrikt op. Normaal gezien kan hij de klop voorspellen aangezien zijn moeder zelden zonder hakken loopt.

'Ja?' Het is zijn vader die de slaapkamer binnenkomt, hem even aankijkt, maar gauw zijn blik afwendt, duidelijk niet op zijn gemak. Daniël wacht af. Zijn vader en hij hebben eerder een verstandhouding dan een relatie. Ze zijn er nooit in geslaagd op een vertrouwelijke manier met elkaar om te gaan. Daarvoor ontbrak de tijd. Zijn vader begroef zich in zijn werk en zelfs nu hij met pensioen is, is hij nauwelijks thuis. Wat hij buitenshuis precies te zoeken heeft, daar heeft

Daniël het raden naar. Het interesseert hem niet, maar zijn moeder lijkt er niet altijd mee opgezet, heeft hij al gemerkt. Vooral de etenstijden zijn haar heilig, dat was vroeger ook al zo. Als je zonder kennisgeving niet aan tafel verschijnt, kun je je hoofd erop verwedden dat je ruzie met haar krijgt. Ruzie met zijn moeder is ronduit pijnlijk. Ze scheldt niet, schreeuwt niet, geeft je geen klappen. Ze negeert je. Naargelang van de ernst van wat je op je kerfstok hebt, kan dat doodzwijgen uren of dagen duren. Een gemiste maaltijd levert je ongeveer een dag loochening op. Hij gruwelt ervan. Ze geeft geen antwoord op je vragen, ze zet geen bord en legt geen bestek voor je op tafel, wekt je niet op het juiste uur en zegt steevast dat je niet thuis bent als er iemand voor je belt.

'Het is kaal hier', merkt zijn vader op terwijl hij de kamer rondkijkt.

'Ik kan moeilijk mijn AC/DC- en Nirvanaposters van toen ik zestien was weer tevoorschijn halen, pa', reageert Daniël bits. Hij laat zijn lege bierflesje in de krat zakken en probeert zonder van de vensterbank te komen een volgende eruit te halen. Het lukt niet. Zijn vader schiet hem te hulp.

'Pak er ook één', biedt Daniël hem aan, maar zijn vader schudt het hoofd. Daniël haalt zijn schouders op. Zijn vader zal altijd de bestofte kerel blijven die hij als tiener heeft gekend. Met de onderkant van zijn aansteker wipt hij het kroonkrukje van de fles en drinkt gulzig. De luide boer die erop volgt, doet zijn vader geërgerd in zijn richting kijken. 'Excuseert u mij.' Het klinkt gemaakt beleefd en allerminst gemeend. Papa Verrichte gaat op de rand van het bed zitten. De matras zakt zwaar door. Nu zijn vader zit, merkt Daniël hoe dik hij geworden is. Zijn buik ligt als een kangoeroebal in zijn schoot. Hij ademt zwaar. Komaan man, als je iets te zeggen hebt, steek dan van wal! De stilte werkt op Daniëls zenuwen.

'Is het nu uit tussen jou en Manon?' Het komt er zo plomp-verloren uit dat het Daniël licht schokt.

'Uit?'

'Heet het tegenwoordig niet zo als een relatie afspringt?' verdedigt zijn vader zich. Afspringt, nog zo een vreemd woord in combinatie met een relatie, alsof het om een schakelaar in een zekeringkast gaat die uit veiligheidsoverwegingen tuimelt bij kortsluiting. Daniël kijkt zijn vader aan en twijfelt of hij hem een oprecht antwoord zou geven. Hij wil het wel. Hij verlangt ernaar, even hard als vroeger, een vader te hebben die hij in vertrouwen kan nemen, bij wie hij zich veilig voelt, die zijn armen rond hem slaat en hem vanuit dat veilige nest beschermt tegen de buitenwereld die nooit precies is wat je verhoopt. Maar dat kent hij niet. Hij voelt het niet. Nu niet, vroeger niet. Het is er gewoon niet. Het blijft dus bij onverstaanbaar gemompel waaruit zijn vader mag afleiden dat het zijn zaken niet zijn.

'Nou', zegt zijn vader terwijl hij zichzelf weinig spontaan op de bovenbenen slaat en moeizaam overeind komt. Het is nu lang genoeg stil geweest tussen hen beiden. 'Ik mag ervan uitgaan dat je hier nog even blijft logeren?' Papa Verrichte stelt de vraag terwijl hij via de spiegel zijn zoon aankijkt. Tegen zijn spiegelbeeld kan hij wel rechtuit zijn, stelt Daniël vast. Hij kijkt arrogant terug.

'Daar mag je inderdaad van uitgaan, tenminste als het niet te erg stoort.' Daniël vraagt zich af of zijn vader de spottende ondertoon opmerkt, zijn denigrerende houding weet te lezen. Als dat al zo is, laat hij het niet merken.

'Het stoort niet, nee, maar je begrijpt dat je op jouw leeftijd niet bij de minste geringste tegenslag naar huis kunt komen lopen om uit te huilen. Je moet je leren wapenen tegen de wereld, Daniël, dat wordt dringend tijd. Dat je je wapent.' Daniël zucht overdreven luid. Hij had kunnen weten dat hij er zonder moraliserende speech niet vanaf zou komen. Laat het maar gauw voorbij zijn. 'Nou,' zegt zijn vader opnieuw, 'dan laat je ons maar weten op welke manier we kunnen helpen je weer vlot te trekken.' Zijn vader lacht om zijn beeldspraak. Als hij een stap in zijn richting zet, vreest Daniël even dat zijn pa er nog een gemoedelijke schouderklop aan zal toevoegen om te laten zien dat hij al bij al toch een toffe peer is. Gelukkig lijkt hij zich op tijd te realiseren hoe gekunsteld het gebaar zou zijn en draait onverhoeds af naar de deur. Zonder nog iets te zeggen doet hij de deur open en achter zich weer dicht. Daniël kijkt al lang weer uit het raam en drinkt nogmaals van zijn biertje. De duif is verdwenen.

***

Dries stopt haar voor de vierde keer haar gsm in haar hand.

'Bel hem! Hij kan niet bijten door de telefoon.' Manon steekt haar tong naar hem uit. Zelfs nu de sloten van het huis vervangen zijn en ze al enkele dagen niets meer van Daniël heeft gehoord, heeft ze niet het gevoel de situatie helemaal meester te zijn. Ze krijgt maar geen vat op haar eigen leven. 'Zijn sofa, al zijn boeken, kasten, gordijnen en wat weet ik nog allemaal moeten hier weg. Pas dan kun je beginnen met je eigen leven in te richten.'

'Het huis, bedoel je', antwoordt Manon wrang. Ze speelt met de gsm in haar hand, zucht diep en drukt op het cijfer één, de sneltoets waarop nog steeds Daniëls nummer geprogrammeerd staat. Als ze de beltoon hoort, moet ze de neiging onderdrukken om op te hangen. Ze haalt snel het timbre van zijn stem op uit haar geheugen om niet te hard te schrikken als ze hem aan de lijn krijgt. Na een halve minuut klikt er iets en hoort ze hoe zijn stem zegt dat hij niet aan de telefoon kan komen maar zal terugbellen als je een bericht achterlaat. Ze luistert naar het bericht tot de pieptoon aangeeft dat het haar beurt is, dan hangt ze op. Hij heeft niet opgenomen. Hij heeft haar naam zien verschijnen op de display en bewust niet opgenomen. Hoewel ergens in haar hoofd wordt gefluisterd dat het niet helemaal onbegrijpelijk is dat hij haar niet wil spreken, is ze boos. Boos op zichzelf vanwege de opluchting die ze voelt. Ze heeft niet met hem hoeven praten. Dries staat naar haar te kijken.

'Hij neemt niet op', zegt ze zo opgewekt mogelijk, maar ze voegt er tandenknarsend aan toe: 'Die klootzak vertikt het gewoon op te nemen.'

'Dan stuur je toch gewoon een berichtje met datum en uur, dan is het aan hem met jou contact op te nemen als het niet past.' Manon knikt. Ze vindt het een prima idee haar stem niet te hoeven gebruiken en de zijne niet te hoeven horen. Geroutineerd duwt haar duim de verschillende toetsen in op haar gsm. De letters verschijnen snel na elkaar: *Kun je zaterdag e.k. jouw spullen uit huis komen halen om 14u?* Ze drukt op de verzendknop en legt haar mobiel op de tafel. Enkele minuten later licht het scherm al op: *Ja, dat kan; al begrijp ik niet waarom je me verlaat voor die oetlul. Je zult altijd de mijne zijn en blijven Manon, dat weet je.* Hij heeft zijn gsm dus wel bij de hand. Het antwoord blijft in Manons keel steken. Het voelt als die keer dat ze op de lagere school een muntstuk had ingeslikt. Ze gooide tijdens de speeltijd keer op keer het metalen rondje in de lucht om het net tussen haar twee handen opnieuw op te vangen. Het was een kwestie van timing: in je handen klappen op het moment dat het muntstuk hulpeloos tegen de zwaartekracht voorbijschoot op weg naar het harde asfalt van de speelplaats. Automatisch viel haar mond open telkens als ze de vijftig cent de lucht ingooide. Het voorwerp was in haar keel terechtgekomen, niet op haar oog, voorhoofd of kin, maar recht in haar keel. Ze had reflexmatig met wijd open ogen naar haar keel gegrepen alsof ze zou stikken. Ze merkte echter dat ze nog met gemak lucht in en uit kon blazen. Die munt zat slechts vervelend vast in haar slokdarm, ergens halverwege, ze kon de plaats tonen: midden op haar borstkas. Het was een akelig gevoel. De juf die toezicht hield stuurde haar naar de verpleegster, die er met een forse klap op haar rug voor zorgde dat ze de munt doorslikte. Twee weken lang bestudeerde ze angstvallig haar uitwerpselen in de wc-pot op zoek naar het muntstuk; ze heeft het nooit teruggevonden.

'En?' Dries kijkt haar ongeduldig aan. 'Wat staat er?' Ze moet zich inhouden om niet tegen hem uit te varen; haar teleurstelling, gefrustreerde woede en verdriet niet op hem te botvieren. Hij is erg lief voor haar, verzorgend, te bezorgd. Het immobiliseert haar. Het liefst was ze nu alleen, om bevestigd te zien dat ze dat kon, alleen zijn met zichzelf.

**

Daniël zit in de auto van zijn moeder naar de gevel van het huis te staren. Hij staat te ver om haar scherp te zien. Desondanks geniet hij ervan Manon af en toe het raam te zien voorbijlopen. Soms blijft ze staan, net voor het raam, speciaal voor hem. Het eerste wat hij had gezien toen hij de straat inreed, was de groene Golf die voor de deur stond. Het verbaasde hem niet. Onderweg had hij het zich zo al voorgesteld. Niet dat het hem onberoerd laat – hij voelt wel degelijk de jaloezie in zijn borst prikken – maar de irrationele woedeaanval is bezworen omdat hij het zich op voorhand heeft ingebeeld, het reeds in gedachten heeft beleefd. Manon volgen alsof hij nog steeds deel van haar leven uitmaakt, brengt hem tot rust. Hij weet wat ze doet, bij wie ze is, wanneer ze belt, wat ze aanheeft, hoe haar haren zitten. De kleine details van haar die hij kent, beter dan wie ook.

Hij heeft haar gezien bij de bakker. Het was hem opgevallen dat ze zonder brood, koffiekoeken of taart weer naar buiten kwam. Ze belde iemand op. Het is vervelend niet te weten naar wie ze belt. Hij heeft de slotenmaker aan het werk gezien. Zijn eigen sleutel heeft hij diezelfde nacht nog uitgeprobeerd op de voordeur. Hij wachtte tot het licht boven in de slaapkamer uitgeknipt werd. Manon had nog lang gelezen in bed, een onhebbelijke gewoonte. Hij kon niet slapen als ze het nachtlampje liet branden en zij kon niet slapen zonder enkele bladzijden in een boek te hebben gelezen. Het was de eerste keer dat ze weer in hun huis sliep. Hij was opgelucht toen ze uit het appartement van Dries stapte met haar weekendtas, nog steeds trekkend met haar been. Dries had haar naar huis gebracht en was weer vertrokken. Nu konden ze verder met hun leven. Daniël was verheugd, wilde meteen uit de auto springen en haar omhelzen, haar vertellen hoezeer hij haar had gemist, hoe graag hij haar zag. Hij had het niet gedaan. De vrouw die had toegekeken hoe een man in blauwe overall het slot van de voordeur veranderde, leek opeens erg ver weg. Manon was niet langer Manon. Hij kon er zijn vinger niet opleggen wat er precies anders was. Het was niet die vreemde manier van lopen, of haar haren die ze niet meer strak achterover droeg zoals hij van haar gewoon was maar los liet hangen zodat het haar gezicht meer verborg. Het was iets subtielers. Het leek alsof ze omringd was door een nieuw aura. Ze straalde iets anders uit. Het stootte hem af. Hij was – net als nu – in de auto blijven zitten en had naar haar gekeken.

De trilling in zijn broekzak doet hem schrikken. Ongetwijfeld zijn moeder weer die zeurt dat ze de auto nodig heeft of wil weten of hij al dan niet komt eten. Hij krijgt het haar maar niet aan het verstand gebracht dat hij niet bemoederd wil worden, dat hij niet als haar zoon weer naar huis is gekomen, wel als een volwassen man. Kan het hem schelen dat er geen eten meer over is als hij later dan zeven komt binnenwaaien. Hij weet welke frituur in de buurt de beste frieten heeft – dikke frieten waar je de aardappel nog echt in proeft, niet van die met olie doordrenkte knapperige stokjes – of hij kan een boterham eten. Zal ze ooit moeder af zijn? Voor hem wel, voor haar niet. Het is Manon! Er gaat spontaan een rilling door hem heen, een korte aangename schok. In zijn nervositeit verbreekt hij de oproep in plaats van het gesprek te beantwoorden. Hij vloekt. Zou hij terugbellen? Opnieuw een trilling. Manon stuurt een bericht. Hij wil lezen dat ze wil afspreken, of nog beter: dat ze vraagt wanneer hij bij haar terugkomt. Maar ze wil niet afspreken of bij hem terugkomen. Zij wil dat hij vertrekt, dat hij de rest van zijn huisraad komt ophalen. Hij leest het bericht snel, verschillende keren. Als ze het zo wil. Hij bijt op zijn lip en typt een bericht terug. Hij gunt haar een adempauze. Ze heeft het ongetwijfeld nodig om tot zichzelf te komen, te beseffen dat zij samen horen. Ze is niet dom. Ze komt terug, dat weet hij. Ze moet terugkomen. Het berichtje is verzonden. Hij ziet haar zaterdag. Hij zal vlak bij haar staan. Zij bij hem. Hij gooit zijn gsm op de passagiersstoel en start de wagen. Langzaam rijdt hij voorbij hun huis. Manon staat niet voor het raam. Als hij achteraan in de straat draait en opnieuw voorbijrijdt, staat ze er nog steeds niet. Het geeft niet. Hij ziet haar zaterdag.

***

Ze is zenuwachtig. Manon loopt naar de keuken, draait er even rond, maar kan niet meteen iets nuttigs bedenken om te doen en keert terug naar de woonkamer. Dries zit op de bank de krant te lezen, kijkt af en toe op en glimlacht.

'Maak je niet zo druk, je hebt lang genoeg met die man

samengeleefd, deze enkele uren kunnen er best nog bij.' Manon kijkt hem verward aan. 'Je bent zenuwachtig, dat is nergens voor nodig.' Dries, de alwetende. Manon reageert niet. Muziek, ze zal muziek opzetten, dat is huiselijk. Hij mag vooral niet de indruk krijgen dat ze in zak en as zit zonder hem. Dat is gewoon niet zo. Het schilderwerk in de keuken heeft ze deze morgen nog afgewerkt. Ze vindt het mooi, het is een combinatie geworden van kikkergroen en chocoladebruin, moderne kleuren, helemaal van haar. Alsof ze de angst en de pijn heeft willen overschilderen. In de slaapkamer staan de houten boekenrekken van Daniël al uit elkaar geschroefd tegen de muur. Het werk van Dries. Ze begint langzamerhand het gevoel te krijgen dat ze hem misbruikt. Hier zit hij nu op de bank samen met haar te wachten op Daniël, omdat ze de confrontatie niet alleen aandurft. Hij helpt haar nieuwe meubels kiezen, geeft tips bij het schilderen, legt uit hoe ze kan vermijden dat de gordijnroedes over twee weken loshangen aan de muur. Hij is er, voor haar. Waarom kan ze dat zo moeilijk aanvaarden?

Als de deurbel gaat, begint Bastiaan luid te blaffen. Hij heeft geen sleutel meer van de voordeur. Manon kan een licht gevoel van triomf niet onderdrukken. Hij is maar een gast die ze kan buitenzetten wanneer het haar goeddunkt.

'Zou je niet opendoen?' Manon blijft nog enkele tellen besluiteloos staan, maar stapt dan resoluut de gang in. Met een breed armgebaar draait ze de deur open. Daniël staat voor haar in jeans en een T-shirt met lange mouwen. Ze kan er niets aan doen, ze vindt hem nog steeds knap. In een fractie van een seconde moet ze beslissen hoe ze hem zal begroeten: ijskoud, vrolijk, vriendelijk, uitgelaten, boos.

'Dag Daniël, kom binnen. Je kunt het best beginnen in de slaapkamer boven, daar liggen de zwaarste stukken. De bank staat hier nog in de woonkamer. Dries kan je helpen.' Ze doet praktisch, onpersoonlijk. Daniël komt binnen en kijkt haar aan. Haar gezicht is nagenoeg genezen, al ligt er nog een gele schijn over haar wang en is haar onderlip nog onnatuurlijk dik. Het wit van haar ogen kleurt langs een kant nog wat rood.

'Ben je gevallen?' Hij wijst met zijn vinger naar haar wang. Voor ze er erg in heeft, duwt hij haar losse haren achter haar oor en strijkt met een gestrekte vinger vluchtig en zacht over haar wang. Snel legt ze haar hand erop. Ze wil haar lichaam beschermen tegen hem, tegen zijn liefkozingen, tegen wat al onomkeerbaar gebeurd is. Hij loopt verder de woonkamer binnen, schijnbaar op zijn gemak. Hij lijkt thuis te komen. Manon kauwt op haar binnenkaak. Ze verzet zich uit alle macht tegen het gevoel dat er een riem rond haar borstkas wordt gelegd die langzaam wordt aangespannen. Onhoorbaar ademt ze een paar maal diep in en uit, voordat ze Daniël de woonkamer in volgt. Dries is ondertussen opgestaan. De mannen staan tegenover elkaar. Daniël is iets kleiner. Dries steekt zijn hand uit, maar Daniël omzeilt handig de uitnodiging door langs hem heen naar Bastiaan te lopen en hem uitbundig over de kop te strelen. Het is niet uit te maken of hij bewust Dries' hand heeft genegeerd of het gebaar gewoon niet gezien heeft. Bastiaan laat zich met tegenzin aaien. Manon verbaast zich over het gebrek aan enthousiasme van de hond. Als Daniël even stopt met strelen, springt Bastiaan uit de stoel en loopt naar de keuken. Manon hinkt hem achterna.

'Misschien moet hij plassen', verklaart ze. In de keuken nestelt Bastiaan zich onder de tafel op de koude tegels, een plaats waar hij alleen ligt als het onweert. Hij zoekt bescherming, beseft Manon. Ze draait zich om naar het aanrecht en duwt hard haar beide handen tegen de rand. Ze mag nu niet huilen. Pas als ze voelt dat ze haar tranen onder controle heeft, draait ze zich opnieuw om. Ze gaat op haar knieën zitten en aait Bastiaans kop.

'Manon?' Dries roept.

'Ik kom!'

'Heb je last van je been?' Daniël klinkt oprecht bezorgd. Manon is zich al niet meer bewust van haar haperende pas, haar lichaam doet het intuïtief om de pijn in haar heup en bovenbeen te verlichten. Doordat ze haar rechterbeen wat achterop laat lopen bij elke stap doet haar linkerbeen het meeste werk. Het zichzelf herstellende evenwicht.

'Ja, natuurlijk heb ik last van mijn been!' schiet ze uit. Daniël steekt meteen zijn beide handen vol overgave in de lucht.

'Ik wilde alleen maar weten of alles goed met je gaat Manon. Je gezicht, je been, ik dacht dat je gevallen was. Ik...' Hij last een pauze in. 'Ik ben gewoon bezorgd, Manon.' Hij kijkt haar aan en kijkt dan even vluchtig naar Dries. Manon kan haar oren niet geloven. Is dit theater? Heeft hij het zo ingestudeerd? Kan hij zo zijn geweten sussen? Maar hij brengt het zo goed, het klinkt overtuigend, gemeend, niet gemaakt.

'Daniël wil weten of je het tapijt graag houdt.' Dries moet haar verwarring gevoeld hebben. 'Nee, neem het maar mee, ik vind het toch niet mooi.' Dat laatste is niet waar, maar het helpt als je afstand van iets moet doen: jezelf wijsmaken dat het je nooit heeft bevallen. Dat je hem nooit graag gezien hebt, nooit van hem hebt gehouden. Soms werkt het echt.

'Ik heb een lijst gemaakt van zaken die we gezamenlijk hebben aangekocht.' Manon pakt het A4'tje uit de achterzak van haar grijze broek. 'Ik heb meteen ook aangeduid wat je voor mijn part kunt meenemen en wat ik graag zou willen houden.' Ze vouwt het blad open, kijkt er even naar zonder iets te zien en geeft het aan Daniël, die het onmiddellijk begint te lezen. Manon verwacht dat hij elk moment kan uitvliegen, boos omdat ze iets heeft aangeduid waarvan hij vindt dat hij er recht op heeft. De gespannen stilte wordt na enkele minuten doorbroken.

'Het is prima zo. De wasmachine mag je ook hebben, ik heb nu echt geen plaats om ze ergens te zetten. Het zou zonde zijn ze in een opslagplaats stof te laten vergaren terwijl jij naar een wasserette moet zeulen met je vuil goed.'

'Moet je dan niets anders in de plaats hebben?' Het flapt eruit. Dries slaat achter Daniëls rug zijn hand tegen zijn hoofd. Een stomme zet, ze weet het, maar ze heeft nu eenmaal een groot gevoel voor rechtvaardigheid.

'Nee, echt niet, ik heb de sofa al, die is meer waard dan de wasmachine bijvoorbeeld.' Manon knikt, dringt niet verder aan. Rechtvaardigheid is een subjectief begrip: als hij zich niet benadeeld voelt, zal zij dit niet tegenspreken.

'Dit is het laatste.' Dries hijgt hoorbaar als hij samen met Daniël de laatste planken van een boekenrek naar beneden manoeuvreert. De plank is te lang om de flauwe bocht te nemen die de trap maakt. Alsof ze al jaren samen verhuizen, heft Daniël de plank hoger de lucht in terwijl Dries door zijn knieën gaat. Er wordt geen woord gewisseld, het spreekt voor zich dat een plank die verticaler gehouden wordt de bocht moeiteloos kan nemen. Manon volgt de mannen tot op de drempel van de voordeur. Daniël heeft de wagen van zijn moeder iets verder in de straat moeten zetten, er was geen parkeerplaats meer voor de deur.

Celine is in aantocht op haar driepotige kruk. Ze knikt de mannen zwijgend toe wanneer ze haar passeren. Manon glimlacht naar haar.

'Dag Celine, kom je helpen?' roept ze haar toe. Celine lacht om het grapje. Ze moet er even voor stilstaan, maar schuifelt dan dapper verder. Als ze Manon heeft bereikt, moet ze even op adem komen. Tussen elk woord lucht happend vraagt ze:

'Gaat hij nu helemaal weg?'

'Ja, hij verhuist.' Het klinkt neutraal, maar voor Manon is het de eerste maal dat ze het hardop uitspreekt. 'Het is over tussen ons', bevestigt ze ferm. Celine zet haar hand voor haar mond en wacht tot Manon zich wat voorover heeft gebogen:

'Hij was niet goed voor je, meisje, je verdient beter.' Zelfs de buurvrouw helpt haar in het zelfbedrog dat de pijn van het afscheid moet verzachten. Manon ergert zich aan de leegheid die ze voelt. Ze ziet Daniël de plank in de auto leggen, het zweet van zijn voorhoofd vegen en wil op hem toelopen, hem tegengehouden.

'Maar gaat hij helemaal weg?'

'Wat bedoel je?' De verwardheid van Celine neemt hand over hand toe, bedenkt Manon. Hoe lang zal ze nog alleen kunnen blijven wonen voordat ze zichzelf verliest?

'Zal hij ook stoppen met kijken?'

'Kijken?'

'Hij staat hier bijna elke dag met de auto in de straat te kijken naar het huis, soms tot 's avonds laat. Ik kan het zien vanachter mijn raam. Nu hij verhuist zal dat wel over zijn, zeker?' Manon kijkt haar met grote ogen aan.

'Alleen Bastiaan nog.' Daniël stapt langs haar en Celine het huis weer in. Het is alsof hij haar een stomp in haar maag geeft.

'Neem je Bastiaan mee?' Manon loopt hem achterna.

'Het is mijn hond, Manon, ik heb hem binnengebracht, ik neem hem dan ook weer mee.'

'Maar heb je ruimte voor hem? Waar zal hij slapen?' Manon raakt in paniek.

'En dat vraag je nu pas, nu het over de hond gaat?' Ze heeft zich inderdaad niet afgevraagd waar hij verbleef.

'Hij heeft een tuin nodig, een omgeving die hij gewend is', probeert Manon. Daniël negeert haar terwijl hij Bastiaan roept.

'Waar zit dat beest?' Bastiaan reageert niet op Daniëls gefluit en geroep.

'Misschien is hij weggelopen', oppert Manon. Daniël kijkt haar smalend aan.

'Hij loopt niet weg, Manon, dat weet je net zo goed als ik.' Daniël loopt de keuken in, even staat hij stil als de klapdeurtjes achter hem dichtvallen en kijkt rond. 'Je hebt geverfd', stelt hij vast. Manon knikt achter hem, hoewel hij dat niet kan zien. 'Was je maar zo actief geweest toen ik hier nog woonde.' Zonder een reactie af te wachten, beent hij naar de keukentafel en knielt neer. Bastiaan ligt nog steeds met zijn kop tussen zijn poten, kijkt Daniël aan, maar verroert geen vin. Daniël pakt zijn halsband en geeft er enkele korte rukjes aan. 'Kom jongen, meegaan.' Bastiaans lijf glijdt telkens een stukje over de tegelvloer in Daniëls richting, maar zijn houding blijft ongewijzigd. Zodra Daniël de halsband loslaat, kruipt de hond bliksemsnel opnieuw onder de tafel. In andere omstandigheden zou het koddig zijn geweest.

'Hij wil niet mee, Daniël, dat zie je toch.' Manon voelt zich gesterkt door de reactie van Bastiaan. 'Ik wil hem gerust houden.'

'Ja, dat weet ik, juist daarom neem ik hem mee.' Daniël trekt Bastiaan opnieuw aan zijn halsband onder de tafel vandaan, legt zijn hand onder zijn lijf en probeert hem op zijn poten te zetten. Bastiaan weigert te reageren en zakt telkens als plumpudding opnieuw tegen de grond.

'Kom aan Daniël, wees redelijk, laat dat beest hier.' Manon zet enkele stappen in de richting van Bastiaan. De hond richt zich al naar haar op. Daniël gaat abrupt staan, buigt zich voorover, pakt met enige moeite Bastiaan in zijn armen en loopt de keuken uit. Bastiaan stribbelt niet tegen.

'Daniël! Alsjeblieft!' Manon roept het hem vruchteloos na.

Haar gehuil echoot door de kamer. Het is de leegte die ze betreurt, niet het verlies van Daniël op zich, noch van de spullen die hij meenam. Ze is teruggekeerd op haar stappen. Ze is opnieuw vrijgezel in een huis gevuld met leegte. 'Nu kun je er iets van jezelf van maken.' Dries doet zijn best haar te troosten. Maar hij mist het punt.

'Ik denk dat ik op reis ga.' Het is een ingeving die ze hardop uitspreekt.

'Op reis? Nu?'

'Waarom niet?' Ze wil even uit haar leven weg, uit het huis met lege gaten, weg van het verlies van een hond, een partner, haar eigenwaarde. 'Ik ga naar L.A.'

'Amerika? Waarom ga je niet verder weg?' Ze mist het sarcasme. Manon veegt de tranen ruw van haar wangen, als om zichzelf streng toe te spreken.

'Ik ga nu niet zitten kniezen. Ik moet iets doen.'

'Gewoon opnieuw gaan werken en centen sparen voor nieuwe meubelen is geen optie?' Manon negeert hem.

'Ik moet mezelf weer opblazen.' Dries schiet in de lach. 'Ik meen het. Het voelt alsof er niets meer in me zit, alsof het allemaal op is, alsof mijn leven zojuist is leeggelopen. Dat wil ik niet voelen.' Dries ontkurkt een flesje bier en reikt het haar aan, samen met een glas. Manon pakt het flesje, laat het glas in Dries' hand voor wat het is en drinkt gulzig.

13

Manon steekt de straat over en stelt tot haar ergernis vast dat er een boete tussen haar ruitenwissers wappert in de wind. Zo wordt ze alsnog gestraft voor het stelen van een parkeerplaatsje van een moeder en haar zieke kind. Ze ziet het gesjaalde hoofdje opnieuw voor zich en voelt zich intens dankbaar dat ze niet ziek is. Daar, met de sleutel van haar auto in de hand, zweert ze beter voor zichzelf te zorgen. Haar eigen carpe-diembelofte waarvan ze op voorhand weet dat ze die nooit echt zal kunnen inlossen, hoe oprecht het voornemen ook. Daarvoor is ze te veel mens. Ze trekt de boete achter haar ruitenwisser vandaan en leest diagonaal dat ze het bedrag van vijfendertig euro verschuldigd is, het onbaatzuchtige voorstel tot minnelijke schikking. Op dit moment zal het haar worst wezen. Ze gooit het stukje papier achteloos op het dashboard terwijl ze instapt. Ze zal haar wagen in de parkeerruimte onder het kantoorgebouw waar ze werkt plaatsen. Dan kan ze probleemloos uren door de stad drentelen zonder zich te hoeven houden aan parkeertijden die niet toelaten dat je een halfuur twijfelt over de aankoop van een jurkje dat je budget ruimschoots overschrijdt.

Het begint zachtjes te regenen als ze uit de parkeergarage komt. Manon trekt de kraag van haar trenchcoat wat rechter en loopt stevig door. Ze weet precies waar ze naartoe gaat: de schoenwinkel op de hoek van de winkelstraat. Ze heeft er nog maar zelden schoenen gekocht om de simpele reden dat ze veel te duur zijn. Het unieke design van de schoenen in de etalages heeft haar echter al vaak uitgedaagd. Nu zou ze zwichten met voorbedachten rade. Ze heeft het verdiend.

Als ze het schoonheidsinstituut Lucie voorbijloopt, krijgt ze een ingeving. Ze heeft zich nooit zo ingelaten met schoonheidsbehandelingen. Ontharen doet ze op de ouderwetse manier, met een scheermesje. Van haar wenkbrauwen blijft ze af. Mensen die vallen over die paar zwarte haartjes die niet in het gareel willen lopen, zijn zo oppervlakkig dat Manon het niet de moeite waard vindt ze te leren kennen. Haar arsenaal aan gezichtscrèmes beperkt zich tot een vochtinbrengende dikke lotion die ze in de winter gebruikt om haar wangen en handen te beschermen tegen de bijtende koude tijdens het lopen. Oogschaduw, een oogpotlood, foundation en aanverwante producten vervallen steeds eerder dan ze ze opgebruikt. Het is niet dat het haar niet interesseert. Integendeel. Als vrouwelijke collega's of vriendinnen de loftrompet over een schoonheidsmiddel steken, is ze niet te beroerd om het zelf ook uit te proberen. Maar doorgaans blijft het bij die ene keer. Ze kan voor die intense lichaamsverzorging gewoon de tijd niet opbrengen en, toegegeven, ook het geld niet. Haar manier om voor haar lichaam te zorgen is grenzen verleggen bij het joggen, steeds verder, steeds sneller. Daar ziet ze meer heil in dan het dagelijks aanbrengen van crèmes in een bij voorbaat verloren strijd tegen ouderdomsrimpels. Vandaag kan geld haar niet schelen. Ze zal zich laten verzorgen, tot in de puntjes, een ode aan een kankervrij lichaam.

De geblindeerde glazen deur van het schoonheidsinstituut glijdt gewillig voor haar open. Ze overweegt nog even een vriendin te bellen om haar te vergezellen tijdens haar totaalverzorging, maar ziet al snel van het plan af. Dit moment, deze dag is van haar, van haar alleen. De ontvangstruimte van het salon is ingericht als kleine winkel waarin je de producten die tijdens de verzorgingen gebruikt worden, kunt kopen. Uiteraard tegen ondemocratische prijzen, maar daarvoor krijg je wel exclusiviteit in de plaats. Een jonge vrouw schikt flesjes op een smalle plank en knikt haar vriendelijk toe.

'Kan ik u helpen, mevrouw?' Zoals steeds in de buurt van perfect opgemaakte en geklede vrouwen voelt Manon zich onwennig. Zulke vrouwen zien eruit alsof ze juist zowel van de kapper als van de pedicure, manicure en kledingzaak komen. Manon glimlacht een beetje onnozel terug wanneer ze antwoordt:

'Ik hoop het.' De vrouw stapt bevallig van het kleine laddertje, klapt het dicht en bergt het op achter de hoge smalle toonbank die in een L-vorm de achterwand van het winkeltje vult.

'Zegt u het maar', moedigt de vrouw haar aan terwijl ze een grote agenda openslaat.

'Ik zou me eigenlijk zo snel mogelijk van top tot teen willen laten verzorgen, kan dat?' De vrouw kijkt verbaasd op, maar herstelt zich snel en tovert opnieuw een onnatuurlijke glimlach op haar mooie gezicht.

'Wat had u precies in gedachten?' Manon aarzelt.

'In alle eerlijkheid ben ik nog nooit in een salon als dit geweest. Ik heb er gewoon nog niet de gelegenheid toe gehad. Ik zou het graag uitproberen. Misschien kunt u me iets aanraden?'

'Ons schoonheidsinstituut' – ze beklemtoont dit woord zo nadrukkelijk dat Manon binnensmonds een excuus mompelt, al begrijpt ze niet precies waarom – 'heeft een volledig aanbod aan lichaamsverzorging, gaande van een eenvoudige gelaatsverzorging tot een volledige, diepgaande lichaamsreiniging en -verzorging. Indien gewenst kan dit gepaard gaan met kleur- en kledingadvies.'

'Kleur- en kledingadvies?' De vrouw onderdrukt een lichte zucht.

'Ja, wij geven professioneel advies inzake de kleuren die bij uw type huid, haarkleur en algemeen voorkomen passen. Bovendien kunnen we u ook tips aan de hand doen over wat niet of juist wel te dragen om de pluspunten van uw lichaam in de verf te zetten en de minpuntjes te verdoezelen.' De minzame glimlach die hierop volgt, doet Manon bijna naar buiten rennen, maar ze houdt zich in. Ze is niet van plan zich te laten intimideren. Uiteindelijk kan het haar niet verdommen wat die vrouw van haar denkt. Ze wil verzorgd worden, de hele rimram, en ze zal ervoor betalen dus verdient ze een klantvriendelijke behandeling. Ze hoopt wel dat het niet deze vrouw is die haar straks van haar weerbarstige wenkbrauwharen zal verlossen.

'U kunt ons aanbod rustig doornemen en een keuze maken.' De vrouw draait een geplastificeerde kaart naar haar toe waarop in twee gescheiden kolommen een lange lijst van mogelijke behandelingen staan met hun respectieve kostprijzen. Manon kan zich bij sommige zaken amper voorstellen wat ze dan precies doen. Perfect gelakte nagels tikken zenuwachtig op het bovenblad van de toonbank. Manon loopt de verschillende behandelingen af, maakt eerste en tweede keuzes en rekent na hoeveel het totaalpakket haar zal kosten.

'Als ik een volledige kruidenstempelmassage vraag, een diepreinigende gelaatsverzorging en een – voor dit laatste moet ze even de kaart opnieuw raadplegen – wenkbrauwmodellering, kan dat dan vandaag nog?' De vrouw trekt haar ogen wijd open en trekt haar mond in een lange lijn. Manon vindt haar kunstmatige manier van doen stilaan lachwekkend.

'Bij Lindsey is er nog plaats om halfvier. Iets anders kan niet.' De vrouw lijkt niet echt te verwachten dat ze zal instemmen. Manon denkt snel na: ze wil absoluut nog iets eten en schoenen kopen. Ze kijkt op haar horloge, het is nu net na één uur. Dat moet lukken.

'Prima, zeg maar tegen Lindsey dat ik er zal zijn.' Manon imiteert met opzet de gemaakte maniertjes van de vrouw. Die kijkt even op, maar laat verder niets merken.

'Uw naam?'

'Manon.'

'Is er een telefoonnummer waarop we u kunnen bereiken?' Manon dreunt haar gsm-nummer op.

'Heeft u nog bijkomende informatie nodig?' Manon vraagt het zo overdreven toeschietelijk dat de vrouw moet doorhebben dat Manon een loopje met haar neemt.

'Nee, dat was het, u wordt verwacht om halfvier.'

'Goed hoor, tot zo!' Tot zo? Dat heeft Manon nog nooit over haar lippen gekregen! Met een theatrale zwaai draait ze zich op haar hakken om en wandelt grinnikend naar buiten. Ze had voor een theateropleiding in plaats van schilderlessen moeten gaan.

Het is gestopt met regenen, wat haar humeur nog meer ten goede komt. Vrolijk glimlachend besluit ze eerst te gaan eten en de schoenen nog even te laten voor wat ze zijn. Ze stapt de eerste de beste bistro binnen en laat zich vallen op de lange bank naast de ingang. Ze worstelt met haar natte jas, schuift vervolgens onelegant verder over de bank tot ze behoorlijk aan een tafeltje zit en legt de jas naast zich. Een jonge man, kalend ondanks zijn leeftijd, stapt houterig op haar toe.

'Mijn naam is Ivan.' Manon vindt het een beetje gek dat hij zich voorstelt. 'Kan ik u iets te drinken brengen, mevrouw?' Zonder de kaart te raadplegen bestelt ze een lasagne en een glas rode wijn. Ondertussen pakt de jongeman haar jas van de bank en hangt hem aan de kapstok achter haar aan de muur. Die had ze zelf niet opgemerkt.

'Extra kaas?'

'Ja, doe maar.' Ivan trekt zijn colbertje dat naar boven geschoven is bij het ophangen van de jas weer naar beneden en knikt haar kort toe terwijl hij zijn blinkend zwarte schoenen op militaire wijze recht naast elkaar zet. Manon vindt het geheel wat al te formeel voor een eenvoudige bistro. Ivan is al snel terug met een witte handdoek over zijn arm en een groot glas wijn in zijn hand. Voor hij het glas neerzet op de tafel diept hij uit zijn borstzakje een papieren onderzettertje met gebekte randen op. Manon bedankt hem. Hij reageert opnieuw met militaire groet. Ze kijkt hem na als hij weer naar de bar loopt en op een kruk gaat zitten in afwachting van zijn volgende missie. Onwillekeurig moet ze aan Giel denken. Niet omdat Ivan op hem lijkt of omdat ze zich tot hem aangetrokken voelt. Dat laatste is in de verste verte niet het geval. Hij vervult haar eerder met een zeker medelijden omdat zijn bewegingen de indruk geven dat hij in het verkeerde decor is beland. Hij doet zijn best een aangepaste rol te spelen, maar het valt op dat hij voor iets anders weggelegd is. Wat, daar heb je het raden naar. Nee, hij doet haar aan Giel denken, domweg omdat hij een man is en zij naar hem zit te kijken. Manon moet toegeven dat ze Giel mist. Ze neemt een ferme slok van de wijn en forceert haar gedachten in een andere richting. Welk soort schoenen zou ze kopen? In gedachten gaat ze haar schoenenkast af om te zien of er ergens een hiaat is: een kleur laarzen die ze gemist heeft bij een bepaalde outfit? Een trendy hak die geen enkel paar schoenen dat ze rijk is, heeft? Misschien moet ze eens iets helemaal nieuws kopen, een schoen die niemand zou verwachten van haar. Het lukt maar half om in de marge niet aan Giel te blijven denken. Hij zou weten welke schoenen ze nog kan gebruiken. Hij heeft oog voor zulke zaken. De dampende lasagne, met veel egards geserveerd door Ivan, is net op tijd om een aanval van weemoed te onderdrukken.

***

Om kwart over drie haast Manon zich naar schoonheidsinstituut Lucie. Haar pas gekochte schoenen klikklakken aangenaam op de stenen van het trottoir. Lichtgrijs. Die kleur had ze nog niet. Bovendien zijn het geen lange laarzen. Ze reiken tot halverwege haar kuit en worden nauw tegen haar been gehouden door een lederen veter die ze om de schoen moet wikkelen. Ze is tevreden met haar aanwinst. Ze geven haar precies het gevoel waar ze naar op zoek was: zelfbewustzijn. Laat die juffrouw van het schoonheidsinstituut nu maar uit de hoogte doen. Manon heeft haar laarzen.

Als Manon door de schuifdeur naar binnen stapt, merkt ze meteen dat de juffrouw door iemand anders vervangen is. Ze vindt het bijna spijtig.

'Ik had een afspraak bij Lindsey, als ik me niet vergis', kondigt ze aan. De juffrouw glimlacht.

'Klopt, ik ben Lindsey.' Lindsey valt meteen bij Manon in de smaak. Het is een kleine, nogal mollige vrouw die een en al vrolijkheid uitstraalt. Haar kleine handjes zijn weliswaar perfect verzorgd en uiteraard zijn haar nagels gelakt en van kleine kunstwerkjes voorzien, maar dat doet niets af aan de indruk die ze nalaat: van een ondeugende spring-in-'t-veld. Het vergt Manon dan ook geen enkele moeite zich te ontspannen als ze samen langs een smalle trap naar de bovenverdieping gaan en Lindsey haar vraagt zich in een kleine ruimte volledig uit te kleden.

'Er ligt een handdoek voor je klaar en ook een badjas. Trek die gerust aan.'

Manon kleedt zich snel uit en hangt haar kleding netjes aan de enige kapstok aan de muur. Ze twijfelt. Is het nu de bedoeling dat ze die badhanddoek omslaat en de badjas erover draagt of moet ze alleen de badjas aan? Waar dient dan de handdoek voor? Ze besluit alleen de badjas aan te trekken; de handdoek houdt ze in haar hand. Zou ze op eigen initiatief uit het hokje komen of moet ze wachten? Lindsey verlost haar van haar dilemma met een korte klop op de deur.

'Ben je er klaar voor?' Manon trekt de deur open. 'Volg maar.' Lindsey gaat haar voor naar een kamer waar een erg aangename geur hangt. Manon snuift hoorbaar. 'Je ruikt het speciale kruidenmengsel dat ik daar aan het koken ben.' Ze wijst naar een kookplaat in de hoek van de kamer. 'Ik begin met de gezichtsverzorging, als je dat goedvindt. Ondertussen kan de kruidenmengeling verder opwarmen. Die gaan we vervolgens gebruiken voor de massage.' Manon trekt wantrouwig haar wenkbrauwen op. 'Je hebt toch om een kruidenstempelmassage gevraagd, niet?' Manon knikt bevestigend. 'Maar je hebt geen idee wat dat is', raadt Lindsey. Manon schiet in de lach.

'Ik heb geen flauw benul van wat je allemaal met me gaat uitspoken', geeft ze toe.

'Heb je graag dat ik je wat uitleg geef?'

'Pff, nee, dat hoeft niet, ik heb er wel vertrouwen in; als het maar ontspannend is.' Lindsey gaat er niet op in.

'Mag ik je handdoek?' Manon overhandigt Lindsey haar handdoek, opgelucht dat ze niet besloten heeft hem om haar lichaam te slaan. Lindsey strijkt met veel zorg de handdoek glad op een lange tafel in het midden van de kamer. 'Ga maar liggen op de tafel en ontspan je.' Lindsey moet de aarzeling bij Manon hebben gezien. 'Op je rug, zodat ik aan je gezicht kan.' Manon doet wat haar gevraagd wordt. De tafel ligt verbazingwekkend comfortabel.

Achter haar hoort ze Lindsey scharrelen. De kraan wordt opengedraaid, het geluid van stromend water, het stopt abrupt. Het hijgende geluid van een pompje dat een of andere vloeistof uit het reservoir naar boven pompt. Plots is Lindseys gezicht boven haar. Bijna tegelijkertijd voelt ze haar warme handen op haar wangen. Lichte, zachte aanrakingen. Het zouden liefkozingen kunnen zijn als ze niet beter wist.

'Je hebt een goede huidkwaliteit', stelt Lindsey vast. 'Rein ook.' Manon neemt het van haar aan. 'Gebruik je speciale producten?' Manon schudt haar hoofd:

'Water en zeep.'

'Mmmm.' Het klinkt niet afkeurend, gewoon bevestigend. 'En nooit door professionals je gezicht laten behandelen?' Manon schudt opnieuw haar hoofd. 'Mmmm.' Nu klinkt het duidelijk bewonderend. 'Waarom kom je dan nu wel op het idee om je te laten verzorgen?' Manon vindt het fijn dat ze het woord 'verzorgen' gebruikt.

'Ik ben er gewoon aan toe, denk ik.' Lindsey knikt begrijpend. Manon glimlacht. Het voelt een beetje vreemd tegen een omgekeerd gelaat vlak bij het jouwe te glimlachen. Lindseys hoofd verdwijnt, maar is een paar tellen later opnieuw boven haar.

'Dit zal in het begin wat warm voelen, maar het opent de poriën zodat de reiniging des te doeltreffender is. Nog voor Manon kan reageren, voelt ze warme stoom op haar gezicht. Instinctief sluit ze haar ogen. Ze hoort dat er iets op rolwieltjes dichterbij wordt getrokken. De stoom wordt intenser.

Haar gezicht zal zo dadelijk wel tomaatrood uitslaan. Dat heeft ze bij het lopen ook onvermijdelijk. Na enkele minuten hoort ze het rollen van de wieltjes opnieuw. De warmte verdwijnt onmiddellijk. Ze moet toegeven dat ze opgelucht is. Ze kreeg het wat benauwd. 'Dit is het minst leuke stukje van de behandeling', waarschuwt Lindsey. Manon ziet nog net het pincet in haar hand voordat ze de kort op elkaar volgende hevige prikjes voelt van haartjes die uit haar lichaam getrokken worden. De tranen springen haar in de ogen. 'Ik had je gewaarschuwd', mompelt Lindsey boven haar. Ze gaat onverbiddelijk verder. 'Nu de andere kant nog.' Manon heeft niet eens de tijd om even op adem te komen. Het vervelende getrek begint onmiddellijk opnieuw aan haar andere wenkbrauw. 'Zo!' Lindsey houdt haar hoofd scheef. 'Dit zou het moeten zijn, denk ik.' Manon krijgt een spiegel in haar handen geduwd. Automatisch brengt ze het glas naar haar gezicht. Tomaatrood, zoals ze verwacht had, maar tegelijkertijd ietwat bevreemdend. Nu haar wenkbrauwen een mooi glooiende lijn vormen boven haar ogen, eindigend in een precieze punt, is haar blik alerter. Jonger, zou ze bijna durven zeggen.

'Goed hoor', zegt ze terwijl ze de tranen uit haar ogen wrijft en Lindsey de spiegel teruggeeft.

'Nu beginnen we aan het leuke deel.' Lindsey verdwijnt weer uit Manons gezichtsveld. Het duurt lang deze keer. Haar gedachten dwalen af, waardoor ze even schrikt als ze plots Lindseys handen op haar wangen voelt.

'Te koud?' Lindsey trekt snel haar handen terug.

'Nee, absoluut niet, ik schrok gewoon even.'

Met draaiende bewegingen brengt Lindsey een dikke zeperige substantie aan die meteen lijkt te verharden op haar huid.

'Een maskertje', verklaart ze. Handig laat Lindsey haar

mond, neusgaten en ogen vrij terwijl ze de pasta gelijkmatig over haar gezicht verdeelt. 'Ik laat je nu even met rust zodat het maskertje kan inwerken.' Manon durft niet te antwoorden, het voelt zo hard rond haar mond dat ze bang is het maskertje, zoals Lindsey dat ongemak noemt, te ruïneren. 'Zal ik wat muziek opzetten?' vraagt Lindsey. Manon brengt iets ontkennends uit tussen haar op elkaar geperste lippen. De stilte doet haar goed. Ze sluit haar ogen en kijkt naar het donker achter haar oogleden.

'Ik ga je gezicht wassen', kondigt Lindsey even later aan. Manon merkt nu pas dat haar gelaat aanvoelt alsof er een stalen plaat op gemonteerd is. Ze ademt diep in door haar neusgaten om het claustrofobische gevoel dat haar overvalt te onderdrukken. De zachte doek die Lindsey over haar gezicht drapeert is warm en vochtig. Aangenaam. De handdoek wordt verwijderd en het masker komt in dikke korsten los van haar gezicht. 'Mooi zo', vindt Lindsey. 'Nu nog afwerken en je bent als nieuw.' Haar vlugge vingers smeren geroutineerd een fris ruikende crème over haar gezicht en hals. 'Ziezo, ik begin maar meteen met de stempelmassage, voor het kruidenmengsel uitgekookt is.' Manon voelt hoe haar badjas wordt losgeknoopt. In andere omstandigheden zou ze zich schamen voor haar naaktheid. Ze is nooit echt een held geweest in het tonen van haar bloot lijf aan anderen. Ze verbijt de intuïtieve reactie om haar benen in foetushouding op te trekken. 'Als je even van links naar rechts op je zij wilt rollen en weer terug, dan kan ik de badjas onder je vandaan halen.' Manon doet wat haar gevraagd wordt. 'Ik ben vroeger verpleegster geweest, daardoor hoef ik klanten niet te vragen van de tafel te komen om hun badjas uit te trekken. Ik ben de enige hier die dat kan', vertelt ze trots. 'Moeilijk is het niet hoor, gewoon een kwestie van techniek.'

Het is al een hele tijd stil. Lindsey lijkt uiterst geconcentreerd op haar werk. Met lichte druk duwt ze twee dikke buideltjes her en der op Manons lichaam. De buideltjes zijn erg warm. Dat hoort zo. Op die manier kan de kruidenmengeling die in het buideltje zit voldoende doordringen in het lichaam. Manon gelooft er niet al te veel van, maar kan niet ontkennen dat het een bijzonder ontspannende uitwerking op haar heeft. En dan flapt ze het er plots uit: 'Ik heb kanker gehad.' De buideltjes met kruiden stoppen met stempelen. 'Niet echt kanker, het had gewoon gekund, de dokters dachten eraan, snap je?' Er valt een stilte. Het geborrel van het kokende water is het enige dat je kunt horen. Lindsey begint weer te stempelen. 'Ik kom het hier vieren. Dat ik geen kanker heb. Ze hebben het me een paar uur geleden verteld. Ik heb absoluut geen kanker.' Lindsey doopt de buideltjes in het hete water en legt ze even naast de kookplaat om af te koelen. Ze pakt het andere paar.

'Draai je even om, je rug is aan de beurt.' Manon draait zich om. Nu snapt ze opeens waarom er in het hoofdkussen een gat is gemaakt zodat het eerder een hoofdring is. Ze manoeuvreert haar gezicht in het gat en kijkt naar de tegelvloer onder haar terwijl ze verder vertelt.

'Ik was er echt van overtuigd dat ik ziek was, ook al voelde ik me niet zo. Ik dacht dat ik doodging. Echt waar.' Ze last een pauze in. 'Nu begrijp ik het niet meer zo goed. Ik begon afscheid te nemen van iedereen. Stilletjes, zonder dat ze het zelf wisten. Ik heb zelfs mijn relatie met mijn vriend verbroken.'

'Oh nee', is het enige dat Manon boven haar hoort zeggen.

'Ik weet nu niet of ik hem nog kan vragen om terug te komen.'

'Is hij boos op jou?'

'Dat weet ik niet. Ik heb hem niet meer gehoord.'

'Waarom bel je hem niet op?'

'Om wat te zeggen?'

'Wat je mij nu vertelt, natuurlijk.' Het klinkt zo logisch.

'Dat kan ik niet.'

'Waarom niet?'

'Omdat hij zal vragen wat ik dan wel heb, als het geen kanker is.' Manon wacht gespannen af. Ergens hoopt ze dat Lindsey er niet verder op in zal gaan. Ze is blij dat ze haar niet kan zien.

'Ik begrijp je niet, vrees ik.' Ze had niets anders verwacht. Manon aarzelt. Ze heeft te veel verteld. De warme stempels blijven ritmisch haar lichaam verwarmen. Manon sluit haar ogen en probeert zich te concentreren op de warme plekken die telkens achterblijven als Lindsey een buideltje weer opheft.

'Ik heb een relatie gehad met iemand die me sloeg.'

'Oh nee.' Er klinkt nu meer medeleven in. Ze had verwacht schaamte te voelen als ze het hardop zei, maar Manon ervaart eerder sterkte. Trots zelfs. 'Het is achter de rug. Gelukkig. Maar een keer is het zodanig uit de hand gelopen dat hij me een blijvend letsel heeft bezorgd. Hier zo.' Ze draait haar arm naar achter en wijst met haar hand naar haar heup. 'Een barst ergens in mijn heupbeen.'

'Afschuwelijk!'

'Ik had er last van; de dokters dachten dat er een of andere kanker uitgezaaid was naar mijn botten. Maar dat is dus niet zo.' Plots verschijnt Lindseys gezicht recht onder het hare. Ze is op haar knieën voor de tafel gaan zitten en bukt zich zo ver dat ze Manon recht kan aankijken, zij het met haar hoofd ondersteboven.

'Mannen zijn soms werkelijk niets waard. Ik weet waarover ik spreek. Als je liefde of affectie nodig hebt, kun je maar beter een hond nemen.' Dat gezegd zijnde, pakt ze met haar ene hand de rand van de tafel vast en trekt zichzelf overeind. Manon bijt op haar binnenkaak. Ze heeft het ongetwijfeld serieus bedoeld, maar Manon kan haar lach niet inhouden. Er ontsnapt een snik. Lindsey klopt haar opnieuw zachtjes op de schouder. Troostend.

'Als je eens goed wilt uithuilen, mag dat ook hoor', zegt ze gemoedelijk. 'Laat het maar eens allemaal gaan.' Manon houdt het niet meer. Ze barst in lachen uit. Heel haar lichaam schokt op de tafel. Zo hard dat het pijn doet tegen het harde kussen van de hoofdring. Ze gaat overeind zitten. Lindsey staat verdwaasd voor haar, de stempelbuideltjes nog in de hand.

'Het spijt me. Maar je gezicht zo plots onder de tafel en dan wat je zei, van die hond. Het is zo...' Manon begint opnieuw te lachen. Lindsey lacht voorzichtig mee. Na enkele minuten wordt Manon opnieuw ernstig. 'Hij had een hond, weet je. Die man die me sloeg. Bastiaan heette hij. Ik zag het dier doodgraag.'

'Waarom neem je dan zelf geen hond?' Manon richt zich op en trekt een gek gezicht naar Lindsey. 'Maar ik meen het. Je zou ervan versteld staan hoeveel liefde je van zo een dier krijgt. En als je er eentje uit het asiel gaat halen, doe je het nog een plezier ook', verdedigt ze zich.

'Het is nog niet eens zo een gek idee', mijmert Manon. Terwijl Lindsey de kruidenstempels opruimt, denkt Manon hardop. 'Ik loop graag, dan zou ik de hond kunnen meenemen. Ik heb gezelschap en het dier heeft zijn lichaamsbeweging.' Lindsey knikt bemoedigend.

'En als je geluk hebt, zitten er pups in het asiel, die zijn zo schattig! Net kleine kinderen!' Manon wil niet zo ver gaan, maar is hoe langer hoe meer gewonnen voor het idee een hond in huis te halen. Haar eigen hond. Eentje die ze niet hoeft af te geven.

14

Zes jaar eerder

De sociaal werkster kijkt Daniël achterdochtig aan. 'Heb je enige ervaring met jongeren?' Daniël schudt ontkennend zijn hoofd. 'Waarom wil je dan precies deze opdracht? Je kunt je uren gemeenschapsdienst even goed presteren bij de groendienst van de stad of op een van de administraties. Gezien je achtergrond ligt dat laatste je misschien meer?' Daniël wrijft met zijn handen over zijn bovenbenen. Het vrouwmens ergert hem. Zeker omdat ze zo betuttelend doet. Hij kan echt wel zelf beslissen hoe hij zijn schuld aan de gemeenschap wil inlossen.

'Ik heb niet zozeer ervaring met jongeren, mevrouw, maar wel met de buurt waarin ze opgroeien. Ik woon zelf in de Warandelaan. Dat ligt net aan de grens van de buurt waar de jongerenwerking zou worden opgezet. Ik weet dat die gasten nu niets anders te doen hebben dan rond te lummelen. Ik weet dat ze uit verveling vandalenstreken uithalen. Ik weet dat ze joints roken om de tijd te verdrijven zonder zich al te zeer bewust te zijn van hun nutteloosheid. Ik ken die jongens en meisjes. Het zijn buren. Ik denk op die manier misschien wat meer invloed te kunnen uitoefenen.' Daniël verbaast zichzelf. Hij klinkt bijzonder overtuigend. De vrouw is duidelijk opgezet met zijn redevoering.

'Het ligt je na aan het hart?'

'Absoluut! Ook ik ben gebaat met een kwaliteitsvolle

jeugdwerking in de buurt, juist omdat het ook mijn buurt is.' De vrouw knikt overtuigd en begint het formulier in te vullen dat voor haar op het aftandse bureau ligt. 'Ik kan je slechts voordragen voor deze opdracht. Uiteindelijk is het aan de coördinator van de jongerenwerking je aan te nemen of niet. Ik geef je de contactgegevens. Je kunt dan zelf een afspraak regelen. Tenzij je liever hebt dat ik dat voor jou doe?' Opnieuw dat denigrerende gepamper. 'Nee, dat hoeft niet, ik bel hem wel.' 'Het is een vrouw', verbetert ze hem streng. Nog een kippige feministe ook, denkt Daniël. 'Teken hier onderaan maar.' Een afgekloven nagel wijst naar een kadertje rechts onder aan het blad. Daniël pakt zonder iets te vragen een balpen uit het kartonnen kokertje met schrijfgerei dat op het bureau staat. De houder is een kinderkunstwerkje. Er zijn grote en kleine stokmannetjes op getekend: grote cirkels die balanceren op een rechte lijn en twee paar schuine strepen, een paar naar onder en een paar naar boven, respectievelijk het hoofdje, de romp, de benen en de armen. Vreemd toch dat een kind de werkelijkheid op die manier percipieert. Hij kan zich niet inbeelden dat de vrouw voor hem een liefhebbende moeder is, maar daarin kan hij zich vergissen. Geroutineerd zet hij zijn brede handtekening in het kader. 'Wanneer je die uren presteert, dat kun je verder met de coördinator bespreken. Ik verwacht wel dat die informatie voor volgende week vrijdag op mijn bureau ligt.' Gut, het mens gedraagt zich alsof ze aan het hoofd staat van een multinational terwijl ze mensen uit de gevangenis houdt; sommigen kennen echt hun plaats niet. De ergernis van Daniël groeit.

'Ik heb nog een andere afspraak.' Het klinkt bijzonder onbeleefd.

'Ja, geen probleem, we zijn hier klaar.' Ze schuift Daniël

over het bureaublad een kaartje toe. Eenvoudig zwart op wit, zonder franjes, vermeldt het: *Jessica Sysmans, coördinator gemeentelijke jongerenwerking*, met een telefoonnummer en e-mailadres. Daniël pakt het visitekaartje op en steekt het in de binnenzak van zijn jeansvest.

'Goed, bedankt voor uw hulp.' De vrouw kijkt niet meer op van haar bureau, maar knikt alleen ten teken dat hij kan gaan. Haar stille wraak voor zijn onbeschoftheid.

***

'Ik heb begrepen dat u de buurt kent?' Jessica kijkt Daniël vragend aan. Ze is knap, stelt hij vast. Hij schat haar begin dertig. Kortgeknipt bruin haar, intrigerende groene ogen. Hoogopgeleid, vol naïef maatschappelijk engagement.

'Ja, ik woon enkele straten hiervandaan. Dat is niet alleen praktisch, maar het maakt ook dat ik de problematiek van dichtbij heb leren kennen.' Een schot in de roos, ook bij Jessica.

'Precies,' beaamt ze, 'we zitten hier inderdaad met een specifieke problematiek.' De problematiek. Het is een handig concept. Je hoeft niets te definiëren. Iedereen geeft er zijn eigen invulling aan, met als gemeenschappelijke deler dat het als een probleem ervaren wordt. 'Als je de buurt kent, dan weet je dat hier veel oude mensen wonen.' Daniël knikt. 'Die oude mensen hebben niet altijd een even positief beeld van de jongeren die eveneens in deze straten wonen. Daarom hebben we met onze buurtwerking een project uit de grond gestampt dat tot doel heeft deze beeldvorming om te buigen.' Dat taalgebruik! Daniël blijft enthousiast glimlachen. 'Het gaat trouwens om de wederzijdse beeldvorming. Jongeren moeten eveneens inzien dat oude mensen niet alleen oud zijn, maar ook mensen.' Daniël onderdrukt een zucht. Naïef, als hij het niet dacht. 'Daarom laten we de jongeren allerlei klussen opknappen voor de oudere mensen hier in de buurt. Ze worden er trouwens voor betaald.' Tja, anders krijg je hen niet zo ver dat ze hun luie kont opheffen, meent Daniël. 'Het zijn niet de oudjes die hun moeten betalen, de gemeente doet dat. Het is een soort subsidie van het project, begrijp je?' Daniël blijft knikken. Hij begrijpt het volledig. 'Bovendien krijgen ze punten per klus. Zware klussen leveren uiteraard meer op. Op die manier kunnen ze sparen voor ontspannende activiteiten zoals een bezoek aan een pretpark of gaan zwemmen. Terwijl ze sparen voor een echte uitstap worden er natuurlijk ook leuke dingen met hen gedaan: voetballen hier in het parkje bijvoorbeeld. Het is samen werken, maar ook samen plezier maken.'

'Het is dus een mix van *business and pleasure.*' Jessica giechelt.

'Ja, zo zou je het wel kunnen noemen.' Daniël scoort en hij weet het.

'Wanneer kan ik beginnen?' Je moet het ijzer smeden als het heet is. Jessica wordt opnieuw ernstig.

'Als ik besluit dat je een geschikte kandidaat bent, kunnen we je vanaf volgende week al mee inschakelen. Dat wil zeggen dat je jongeren begeleidt bij hun bezoek aan de oudere mensen om een oogje in het zeil te houden en eventueel tips te geven hoe ze bepaalde zaken kunnen aanpakken. We bereiden alles samen voor. Eventueel geef ik je ook wat informatie over de achtergrond van de jongeren met wie je op pad gaat. Ik beperk dit wel tot een minimum. Jongeren hebben ook recht op privacy, vind ik.'

'Uiteraard', valt Daniël haar bij. Het zal hem worst wezen.

'Wanneer ze voldoende punten hebben verzameld en je contact met de jongeren is positief, kun je ook meegaan op de ontspanningsactiviteiten.' Jessica zwijgt. Ze lijkt na te denken. Daniël wacht geduldig af. 'Weet je,' doorbreekt ze de stilte, 'ik hou niet van onnodig uitstel. Ik stel voor dat we hier en nu afspreken dat je je vrijdag meldt voor de voorbereiding en dat je vanaf maandag aan de slag gaat. Wat denk je?'

Een barmhartige glimlach. Ongetwijfeld is ze ervan overtuigd dat ze Daniël een groot plezier doet.

'Echt? Dat zou fantastisch zijn.'

'Dat is dan zo afgesproken! Past het voor jou tegen vijf uur hier naartoe te komen?'

'Geen probleem, zoals ik al zei, woon ik maar enkele straten verder.' Hij zal de auto van zijn moeder moeten regelen om hier op tijd te komen, maar dat zal wel lukken. Hij drukt de uitgestoken hand van Jessica en wandelt het jongerencentrum uit. In het kleine park, vlak om de hoek van de Warandelaan, gaat hij op het bankje zitten. Vluchtig leest hij enkele slogans die er opgeklad zijn: *motherfucker, fuck the police, S. was here, your mother is a hore.* Hij schiet in de lach en overweegt als eerste activiteit de jongeren de correcte schrijfwijze van *whore* aan te leren. Hij vreest echter dat dit niet zal passen in het project van Jessica om de problematiek aan te pakken. Van Jessica dwalen zijn gedachten af naar Manon. Hij heeft haar al een hele tijd niet meer gezien. Hij mist haar. Ze is niet ver hiervandaan. Hij kan opstaan en naar haar toe gaan. Het zou geen twee minuten lopen zijn. Ze is vlakbij.

***

De plastic handvatten van de winkelzakjes snijden in Manons handen. Ze haast zich naar het huis van Celine. Ze kan alleen maar hopen dat Celine haar niet al te lang aan de praat houdt. Ze zou haar eigen boodschappen nog willen uitpakken en heeft over een uurtje al in de stad afgesproken met Dries. Ze gaan samen iets eten. Manon weet niet goed hoe ze zich daarbij moet voelen. Ze kijkt ernaar uit. Dat wel. Maar er wringt iets. Ze voelt zich schuldig. Alsof ze iemand bedriegt.

'Dag Manon, kom binnen, ik heb koffie gezet.'

Manon forceert een glimlach:

'Fijn, daar ben ik wel aan toe!' Ze zeult de zakken de drempel over en zet ze op tafel. 'Waar wil je alles hebben, Celine?' Manon etaleert een voor een de aangekochte waren op de tafel. 'Ze hadden geen merguez meer, dus ik heb gewone gekruide worstjes meegenomen. Ze zullen wat minder pikant zijn, maar ze zijn lekker; ik pak ze voor mezelf ook vaak.' Celine luistert niet eens naar wat ze zegt. Gespannen kijkt ze naar wat Manon uit de zak haalt, alsof ze op iets wacht. Manon begint op eigen initiatief de spullen weg te zetten. Celine lijkt in gedachten verzonken. Met haar handen steunend op de tafelrand blijft ze de boodschapzakken aanstaren. Manon loopt opnieuw naar de tafel en pakt de madeleinecakejes uit een van de zakken. Als door een bij gestoken schiet Celine uit haar slaapstand. Haar handen schieten naar voren en grissen de verpakking uit Manons handen.

'Voor de koffie', prevelt ze en ze begint met trillende vingers ongedurig aan de knisperende verpakking te prutsen.

'Laat mij maar even', sust Manon en ze probeert voorzichtig de koekjes terug te nemen. Celine kijkt haar bijna vijandig aan en geeft kleine rukjes aan de verpakking. 'Sst, rustig maar,' sust Manon, 'weet je, we doen het samen: jij houdt de verpakking vast en ik probeer ze langs deze kant open te scheuren. Goed zo?' Hoewel Celine niet antwoordt, lijkt ze akkoord te gaan, want ze lost haar greep op de cakejes enigszins. Manon opent de verpakking met gemak en schuift het plastic houdertje met de cakejes uit de verpakking zonder dat Celine protesteert. 'Weet je wat? Ga jij maar zitten, dan zal ik verder voor de koffie zorgen.' Manon schuift een stoel achteruit en duwt Celine zachtjes op de zitting. Ze ondergaat het lijdzaam, de lege verpakking nog steeds in de hand. Manon schuift Celines benen onder de tafel en gaat naar de keuken om koffie te halen. Terwijl ze de koffie in de thermoskan giet, kijkt ze door het keukenraam de tuin in.

'Wauw Celine, wie heeft de tuin zo mooi opgeknapt? Is je dochter misschien langsgekomen?' 'Daniël', prevelt Celine.

'Wat zeg je?' Manon komt met de koffiekan de woonkamer binnen. De porseleinen kopjes en schoteltjes staan al klaar in het midden van de kleine ronde tafel. Voorzichtig schenkt ze de koffie in. De kopjes zijn zo klein in vergelijking met de mokken die Manon zelf verkiest, dat ze moet opletten dat de boel niet overstroomt.

'Daniël heeft het gedaan', zegt Celine nu duidelijk verstaanbaar. Manon zet snel de kan op tafel en kijkt Celine enkele seconden aan. Ze hoopt dat ze raaskalt. 'Met enkele jongens; ze zeiden "mevrouw C" tegen me.' Ze gniffelt even.

'Mevrouw C!' Manons hart klopt voelbaar in haar halsslagader. Ze voelt een lichte misselijkheid opkomen en gaat zitten.

'Bedoel je dat die jongens je tuin hebben opgeruimd en dat Daniël hier op bezoek was?' Celine probeert vruchteloos een cakeje uit de plastic houder te peuteren. Ze slaagt er niet in haar vinger onder de madeleine te krijgen zodat het cakeje telkens wat afbrokkelt en weer in de uitsparing van het bakje valt. Met het puntje van haar tong in de hoek van haar mond probeert ze het telkens opnieuw. Manon kijkt het even aan terwijl ze zichzelf probeert te kalmeren. Met een zucht pakt ze de madeleine uit de verpakking en drukt ze Celine in de handen. Celine glimlacht en duwt ze meteen in haar tandeloze mond.

'Celine, was Daniël op bezoek?' Celine schudt ontkennend haar krulletjeshoofd.

'Nee, hij was bij de jongens', smakt ze. De kruimeltjes sproeien over de tafel. Celine legt voorzichtig het stukje cake weer op de tafel en begint zorgvuldig de kruimeltjes met haar hand bij elkaar te vegen. 'Ze noemen hem Dani en als ik wil, komen ze volgende week terug. Ik moet het gewoon maar vragen. Fijn, hè!' Manon kan haar enthousiasme niet delen.

'Ik moet weg.' Ze staat vlug op.

'Koffie?' Celine heeft de thermoskan in de aanslag. Dat doet ze steeds als je aanstalten maakt om weg te gaan. Je verleiden tot nog een kopje.

'Nee, ik heb een afspraak en ben al te laat.' Manon pakt het kopje dat vervaarlijk kantelt op het schoteltje. Vlug grijpt ze het met haar andere hand vast. Waarom moeten oude mensen steeds van dat uiterst fragiel vaatwerk gebruiken? Ze spoelt haar kopje onder de kraan en kijkt opnieuw vluchtig door de tuin. Hoe bestaat het? Hij kan toch niet...? Ze durft nauwelijks door te denken. 'Ik wip in de loop van volgende week nog wel even binnen.' Ze geeft Celine een vriendschappelijk klopje op haar schouder in het voorbijlopen. Celine graait haar pols vast. Manon schrikt ervan.

'Zet me op de bank.' Manon wil protesteren, maar capituleert.

'Oké, kom maar.' Ze ondersteunt Celine bij het opstaan en schuifelt met haar mee naar haar bank aan het raam. 'Ziezo, dan kun je naar buiten kijken.' Voorzichtig laat ze het oudje op de bank zakken, legt het gehaakte dekentje over haar benen en strijkt afwezig een krulletje van haar voorhoofd. 'Ik zie je volgende week, goed?' Maar Celine lijkt al te zijn afgedreven naar de wereld van het niets aan de andere kant van het raam.

***

'Ik had gehoopt dat het achter de rug zou zijn. Hij sluit de deur achter zich en ik zou hem niet meer zien.' Dries knikt meelevend.

'Ik moet eerlijk toegeven dat ik ook eerder iets in die richting in gedachten had', antwoordt hij nogal dubbelzinnig. Manon kijkt naar hem op en lacht wrang. Dries buigt zich voorover. Als ze zou willen, zou ze hem met gemak voluit op zijn mond kunnen kussen, maar ze doet het niet. Dries geeft haar een vluchtige kus op haar wang, draait zich weer naar de bar, pakt zijn pilsje en drinkt nonchalant. Het kan troostend bedoeld zijn, maar evengoed niet. Manon is te boos, te bang ook om zich er nu vragen over te stellen.

'Maar waarom doet hij nu zoiets? Het is alsof hij me willens en wetens blijft dwarsliggen.'

'Dat is niet alsof, Manon, dat ís zo.' Dries kijkt haar niet aan bij deze woorden, maar houdt zijn blik op het schuimende bier in zijn glas gericht. Berustend.

'Wat bedoel je nu?' Zijn gelatenheid stoort Manon.

'Ik bedoel dat hij je stalkt, je bewust achternazit.' Manon staart geschokt naar het profiel van zijn gezicht. Wordt ze gestalkt?

'Overdrijf je nu niet?' Als hij overdrijft, dan hoeft ze niet zo bang te zijn.

'Ik denk niet dat ik overdrijf.' Dries draait zich op zijn barkruk naar haar toe. Hij zet zijn benen rond de hare en pakt haar knieën vast. 'Luister naar wat ik je nu zeg, want ik ga het je maar één keer zeggen: Daniël gaat te ver, veel te ver. Wat hij doet, is niet meer normaal. Als ik in jouw plaats was, zou ik naar de politie gaan en alsnog een klacht indienen voor slagen en verwondingen. Met die informatie zal het ook niet al te moeilijk zijn de politie ervan te overtuigen dat zijn stalkpraktijken een gevaar voor je inhouden. Je kunt een contactverbod vragen. Dan mag hij bijvoorbeeld niet meer bij je in de straat komen. Het zal je wat meer rust geven. Je loopt zo gespannen als een veer.' Manon kijkt hem met grote ogen aan. Meent hij dit?

'Komaan Dries!' Ze hoopt dat hij nu in de lach schiet en zegt dat hij haar wilde plagen om haar twijfel. Maar Dries draait zich opnieuw om naar de bar en bestelt nog een biertje. Als hij haar vragend aankijkt, schudt ze snel haar hoofd. Ze hoeft niets meer. Haar glas witte wijn heeft ze nauwelijks aangeraakt. 'Een straatverbod? Zoiets wordt toch maar uitgesproken bij lelijke scheidingen waar de man niet kan verkroppen dat ex-vrouwlief een nieuwe partner heeft of...' Nog voor Dries haar veelbetekenend aankijkt, vallen de parallellen Manon zelf op. Ze wordt gestalkt! Ze draait zich nu zelf van Dries weg naar de bar, pakt haar glas op en drinkt twee slokken achter elkaar. Voorzichtig zet ze het glas weer neer. Alsof ze alleen in het café zit, begint ze hardop de feiten op te sommen: 'Celine die Daniël voortdurend in de straat ziet staan met de wagen, Daniël wist ook dat ik de sloten had vervangen, hij neemt voor zijn gemeenschaps-dienst een opdracht aan die hem opnieuw bij mij in de buurt toelaat... Godver! Hoe kan ik zo blind zijn!' Manon slaat hard met haar vuist op het van bier doordrongen hout van de bar. Niemand kijkt ervan op. De tranen schieten in haar ogen. 'Wat een kalf ben ik toch!'

'Sst, rustig maar.' Dries wrijft haar over haar rug.

'Nee, ik kalmeer niet, hoe kan...' Dries pakt haar opnieuw bij haar knieën en draait haar naar zich toe. Hij pakt haar hoofd, legt het op zijn schouder en verstikt de rest van haar woorden in een omhelzing. Een stevige, veilige knuffel. 'Oh Dries', snuift Manon terwijl ze haar hoofd probeert op te richten. Dries' hand op haar achterhoofd dwingt haar zacht niets aan hun houding te wijzigen. 'Kunnen we een andere keer uit eten gaan?' Manon vraagt het aan zijn warme borstkas. Ze wil geen vreemde mensen om zich heen. Ze wil geen openbaarheid.

'Chinees bij mij thuis?' Manon denkt maar enkele seconden na en beweegt dan haar hoofd op en neer tegen zijn overhemd. 'Kom maar.' Zonder haar los te laten, helpt Dries haar van haar barkruk. Onhandig haalt hij met één hand zijn portefeuille uit zijn zak, haalt er een briefje van tien euro uit en legt het met een knik naar de barman op de bar. Manon blijft haar hoofd op zijn schouder drukken. Zijn lichamelijke nabijheid is rustgevend.

'Ik heb geen zin om naar de politie te gaan.' Manon is gekalmeerd. Met de bijgeleverde stokjes schept ze nasi goreng uit het kartonnen bakje. Dries zit tegenover haar op de grond aan het lage tafeltje voor de televisie. Er branden kaarsen. Het is gezellig.

'Dat heeft weinig met "zin" te maken, Manon, het is je plicht. Tegenover jezelf', voegt Dries eraan toe.

'Maar een straatverbod?' Dries zucht luid.

'Waarom heb ik het gevoel dat je nog steeds niet goed de ernst van de situatie inziet? Het is alsof je Daniël alsnog wilt beschermen.' Het komt er een beetje pruilend uit. Manon schudt haar hoofd.

'Nee, dat is het niet, maar...' Eigenlijk weet ze het zelf niet. Ze heeft alle reden om Daniël te haten, maar om een of andere reden lukt haar dat niet ten volle. Ze wil hem niet meer zien, dat is waar.

'Maar wat?' Stilte. 'Ik hang de jaloerse bok niet uit, Manon. Je moet het zelf weten. Maar ik vertrouw die Daniël voor geen meter en ik geef om jou. Dat is alles.' Manon kijkt naar Dries op. Hij geeft om haar. Alsof ze dat niet wist. Zijn zorgzaamheid spreekt boekdelen.

'Ik zal morgen aangifte doen bij de politie.'

'Dank je.' Eigenlijk zou zij dat tegen hem moeten zeggen.

'Het is laat...' Manon pakt het servet van haar bovenbenen, vouwt het onnodig nauwkeurig op en legt het naast de halflege bakjes chinees.

'Je kunt hier blijven slapen', oppert Dries. Over de tafel kijken ze elkaar aan. Dries kruipt voorzichtig op zijn knieen naar haar toe. Manon weet wat er zal komen. Wat ze niet weet is of ze het zal laten gebeuren. Nu, Manon, nu moet je beslissen. Dries zit ondertussen naast haar en legt voorzichtig zijn wijsvinger onder haar kin, draait haar gezicht naar hem toe. 'Manon, ik meende wat ik zei. Ik geef om jou.' Nog drie tellen en dan zal hij haar kussen. Dries' blik glijdt af naar haar lippen. Hij buigt voorover. Heel licht voelt ze zijn lippen op de hare. Zij doet niets. Ze zit nog steeds gewoon op haar knieën. Ze voelt niets, buiten de lichte druk van zijn lippen die haar opnieuw kussen. Het is niet onaangenaam. 'Zullen we naar boven gaan?' Dries fluistert het zachtjes in haar oor. Dat heeft Manon niet graag. Het zindert zo. Ze trekt haar linkerschouder op om haar oor te beschermen. Beslis nu, Manon!

'Ik... ik denk niet dat dit een goed idee is, Dries.' Meteen is het gezicht van Dries vlak bij het hare verdwenen. In één beweging brengt hij zijn zitvlak naar achter en drukt zich op de tippen van zijn tenen op tot hij overeind staat. Hij steekt zijn hand naar haar uit.

'Je hebt ongetwijfeld gelijk.' Manon laat zich overeind trekken. Haar benen voelen slap aan door het lange zitten op de grond. Ze schudt er een beetje mee om zichzelf een houding te geven. Ze weet niet wat ze moet zeggen.

'Maar het is gewoon de waarheid, ik geef om jou en het feit dat je hier deze nacht niet blijft, verandert daar niets aan.'

'Dank je.' Het is het enige dat ze kan bedenken. 'Dries, ik...' Ze wil zeggen dat zij ook om hem geeft, maar misschien niet op dezelfde manier. Dat kan ze nu nog niet. Dat ligt niet aan hem.

'Laat maar,' onderbreekt hij haar, 'ik begrijp het volledig.'

Dries legt zijn armen om haar schouders en trekt haar dichterbij. Manon laat zich knuffelen.

'Dit is fijn', zegt ze en ze meent het.

'Ik had je liever mijn bed in gesleurd en stevig met je gevrijd, maar dit is ook fijn, ja', antwoordt Dries ernstig. Meteen schieten ze beiden in de lach. 'Maar zonder grappen, Manon, je kunt hier blijven slapen. Ik maak het logeerbed wel even voor je op.' Manon is hem dankbaar. Nu ze heeft ingezien dat ze gestalkt wordt, voelt ze zich onveiliger dan ooit.

***

'Juffrouwke, je moet begrijpen dat wat jij die man – hoe heet die ook alweer?' Manon zucht:

'Daniël, Daniël Verrichte.'

'Ja, precies, dus wat je de heer Verrichte aanwrijft een behoorlijk zware beschuldiging is.'

'Dat begrijp ik.'

'Ik zou dus graag hebben dat je je inspant om precieze data en uren te vermelden.' Manon begint op haar binnenkaak te kauwen. 'Dus hij heeft je geslagen.'

'Dat was vroeger. Die avond heeft hij me vooral geduwd en gestampt.' De politieman voor haar fronst zijn wenkbrauwen, kijkt naar Manon en vervolgens naar het scherm van zijn pc.

'Dat zal ik dan even verbeteren. Hij beweegt met de muis van de computer en typt enkele woorden. En verder?'

'Hoezo "en verder?"' Manon vindt de agent weinig behulpzaam. Al toen ze aankwam en aan de ontvangstbalie aankondigde dat ze een klacht wilde indienen tegen Daniël – haar ex had ze hem genoemd –, hadden beide agenten achter de balie elkaar aangekeken alsof ze mentaal aan het tossen waren wie dit varkentje ging wassen. Toen uiteindelijk de oudste van beide heren vroeg of ze een vrouwelijke agente wenste, had ze maar nee gezegd om niet onnodig olie op het machovuur te gooien. De man had schaamteloos luid gezucht: 'Oké, kom maar mee.' Nu zat hij tegenover haar met moeite zijn ogen op te houden.

'Welke reden had hij om jou te... – hij controleert snel het scherm – te duwen en te stampen?'

'Waarom denk je dat daar een reden toe was?' Manon hoort de scherpte van haar woorden. Ze wil de politieman niet op stang jagen, maar ze vindt het een ongeoorloofde veronderstelling. De man rolt met zijn ogen.

'Moet ik opschrijven dat meneer Verrichte zonder enige aanleiding jou geduwd en gestampt heeft?' repliceert hij honend. Manon haalt haar schouders op.

'Volgens mij is dat de waarheid. Enkele uren voor...' Ze hapert. 'Enkele uren ervoor had hij me ten huwelijk gevraagd. Ik heb hem afgewezen.'

'Aha!' De politieman veert op en begint snel te typen. 'Dat is toch een reden, nietwaar?' Opnieuw haalt Manon haar schouders op. Zij vindt nog steeds van niet.

'Hij had erg veel gedronken.' De man stopt met typen.

'Hoeveel?'

'Dat weet ik niet.'

'Twee glazen, drie glazen, tien glazen, hoeveel?' Manon schuift heen en weer op haar stoel. Moedeloos heft ze haar handen op.

'Dat weet ik echt niet. Eerst was er champagne.' De politieman fluit goedkeurend en typt. 'Aan tafel hebben we wijn gedronken. De eerste fles was zeker leeg.'

'Jij had dus ook gedronken.' Manon antwoordt niet. De man had duidelijk zijn eigen conclusies al getrokken.

'Ik ben dadelijk na het eten gaan slapen. Daniël is nog lang opgebleven en heeft verder gedronken.'

'Hoe weet je dat nu als je sliep?' Manon voelt de aandrang op te staan en weg te gaan.

'Dat weet ik, meneer, omdat ik de lege flessen heb gezien en omdat hij een glas wijn in de hand had toen ik hem 's nachts vond in de keuken.' Schaakmat.

'Was hij meteen agressief?' De toon in de stem van de agent verandert, alsof hij zijn nederlaag toegeeft.

'Vrijwel onmiddellijk, ja.'

'Is dat onmiddellijk of niet?'

'Alstublieft!' Manon schiet uit. Ze heeft er genoeg van. 'Ik zou graag alsnog een vrouwelijke agente hebben.'

'Daar is het wel wat laat voor, juffrouw. We zijn bijna klaar. Dus hij werd meteen agressief?'

'Ja, hij werd meteen agressief. Hij is geen doetje, weet je. Hij heeft zelfs twee van je collega's bont en blauw geslagen en is daar trouwens voor veroordeeld. Dat kun je toch opzoeken, niet? Misschien hecht je dan wat meer geloof aan wat ik je hier vertel. Daniël Verrichte heeft me verschillende keren geslagen, geduwd en gestampt en zit me nu op de hielen. Hij volgt me, houdt mijn huis in het oog, heeft het zelfs gedaan gekregen dat hij in de buurt van mijn huis zijn gemeenschapsdienst kan doen. Noem jij dat normaal?' De agent is achteruit tegen de leuning van zijn bureaustoel gaan zitten en heeft de armen over zijn borstkas gekruist terwijl Manon haar tirade afstak. Nu ze uitgeraasd is, buigt hij zich voorover, vouwt zijn handen in elkaar en legt ze voor hem op het bureaublad.

'Juffrouw, ik begrijp dat u van streek bent, maar wij moeten ons werk ook doen. Het is op zijn minst vreemd dat je nu pas aangifte doet van iets dat al een hele tijd geleden gebeurd is.' Manon wil hem onderbreken, maar hij heft zijn hand op. 'Ik zeg daarmee niet dat je liegt. Eigenlijk doet dat er op dit moment ook niet toe. Ik wil daarmee ook niet beweren dat wat je overkomen is niet erg is. Ik stel alleen maar vast dat je er laat, erg laat, mee op de proppen komt. Dat is alles.' Manon blijft hem ongelovig aankijken. Wat doet ze hier in godsnaam? Ze staat op en pakt haar jas die ze rond de leuning had gelegd er langzaam af. De agent volgt haar bewegingen, maar toont geen enkele intentie haar tegen te houden. Ze zou nog graag iets zeggen, haar frustratie en teleurstelling kenbaar maken. Niet het gevoel hebben dat zij afdruipt. Terwijl ze de lange riem van haar handtas over haar schouder legt, kijkt ze recht in zijn gezicht.

'Ik kan alleen maar hopen dat niemand in uw directe omgeving – uw eigen dochter bijvoorbeeld, als u die heeft – iets soortgelijks overkomt en het dan ook moet stellen met een bullebak van een agent van wie het macho denken zijn dienstbaarheid in de weg staat.' Ze schopt met haar voet de stoel onder zijn bureau en wandelt met stevige tred weg.

'Ik kan je nog aanklagen voor laster ook!' brult de agent haar na. Ze reageert niet. 'Je moet je verklaring nog tekenen!' is het volgende dat hij haar toeschreeuwt en dan: 'Godverdomme!' Als ze het plein voor het politiebureau oversteekt, wordt ze ingehaald door een vrouwelijke agente.

'Het spijt ons', hijgt ze. Manon kauwt op haar binnenkaak. Niet reageren, anders ga je huilen. 'Mijn collega's kunnen – hoe zal ik het zeggen?'

'Boertig zijn?' suggereert Manon. De vrouw lacht.

'Weinig begripvol zijn. Als u wilt, kunnen we het verslag alsnog afwerken.' Ze is vriendelijk. Manon schudt haar hoofd. Voor geen geld ter wereld gaat ze dat politiebureau weer in. 'Misschien is het nu geen goed moment, maar...' Haar hand gaat snel naar het borstzakje van haar smetteloos witte hemd met korte mouwen. 'Je mag altijd rechtstreeks contact met me opnemen als je van gedachten verandert.' Ze wil het visitekaartje overhandigen, maar bedenkt zich.

'Wacht even.' Uit hetzelfde borstzakje haalt ze een balpen en ze krabbelt snel een telefoonnummer op de achterkant. 'Dit is het nummer van Slachtofferhulp.' Manon neemt het kaartje aan. 'Je kunt er altijd terecht.' Slachtoffer. Is ze dat dan? Het duizelt in haar hoofd. Iedereen lijkt etiketten te willen plakken terwijl ze er voor zichzelf nog niet uit is in welke categorie ze thuishoort.

'Dank je.'

'Laat iets van je horen!' zegt de vrouw nog als ze weer de straat oversteekt. Manon kijkt haar nadenkend na. Ze wil geen slachtoffer zijn. Resoluut draait ze zich om en smijt het kaartje in de eerste de beste prullenbak die ze tegenkomt.

***

Het is bewolkt, maar het lijkt niet te gaan regenen. Manon gespt haar loophorloge om haar pols en trekt de borstriem die haar hartslag meet extra aan. In het menu van haar iPod zoekt ze een stevig nummer om mee te starten. Uit ervaring weet ze dat ze op die manier beter haar looptempo kan aanhouden. Als ze de voordeur achter zich dichtslaat en de koptelefoon opzet, ademt ze een paar keer diep in en uit. Zodra het stevige gitaarwerk in haar oren weerklinkt, zet ze aan. Manon voelt onmiddellijk een korte hevige steek in haar heup. Automatisch verplaatst ze haar gewicht naar haar andere voet. Enkele passen verder ebt de pijn weg en kan ze weer normaal lopen. Aan het einde van de straat loopt ze rechtdoor het pad tussen twee onbebouwde percelen op. Het is niet echt een aangelegd pad, maar omdat de bouwgrond al zo lang braak ligt, hebben de duizenden voeten die er dagelijks langskomen gezorgd voor een smalle strook verharde grond. Aan weerszijden schiet het onkruid kniehoog omhoog. Af en toe neemt de gemeente de moeite de brandnetels die er eveneens groeien te snoeien zodat het pad bewandelbaar blijft. Manon let op haar ademhaling. Het werkt hypnotiserend. De ultieme ontsnapping aan de dagelijkse stress. De gedachten aan onafgewerkte taken, aan boodschappen die nog gedaan moeten worden, aan mensen die nog op een telefoontje wachten en aan discussies die nog niet uitgepraat zijn; alles verdwijnt naar de achtergrond om daar volledig op te gaan in een bedwelmende roes, een vorm van onderbewustzijn gedragen door het ritme van haar lopende voeten. In de woonwijken achter haar huisje is het lastig lopen. De voetpaden zijn soms zo smal dat ze verplicht is op de weg te lopen. Her en der spelen kinderen die ze moet ontwijken of staan er vuilnisbakken in de weg. Het verstoort haar loopritme, brengt haar te veel weer tot bewustzijn. Zelfs op het grasveld zijn jongeren aan het voetballen. Als je wilt dat ze gewoon rondhangen, gaan ze voetballen, stelt Manon geërgerd vast. Ze versnelt en gaat zo ver mogelijk tegen de rand van het grasveld lopen zodat ze ongehinderd door kan. Er komt iemand op haar aflopen. Ze veegt het zweet weg dat van haar voorhoofd in haar ogen drupt, maar herkent de persoon niet. Ze heeft haar bril niet op en zelfs als ze haar ogen tot spleetjes trekt, blijft het een wazig silhouet.

'Manon! Wacht even!' Die stem zou ze herkennen uit duizend: Daniël! Ze trekt haar armen op om haar looptempo nog verder op te voeren. Ze sprint bijna. 'Manon! Wacht nu!'

'Ha! Dani zit achter de vrouwen', roept een van de jongens luid. Er wordt meteen luid gelachen en geapplaudisseerd. 'Komaan, Dani, pak ze!' Het gejoel maakt Manon razend. Hij zal haar inhalen, dat weet ze. Hij loopt sneller dan zij, maar zij kan het langer volhouden. Met een verbeten trek op haar gezicht blijft ze lopen. Het is zinloos. Als ze straks bij haar voordeur staat, is ze nooit snel genoeg binnen om hem te ontglippen. Bovendien weet hij dat ze thuis is. Ze kan zich niet voorstellen dat hij zomaar rechtsomkeert zal maken. Hij zal aan de deurbel blijven hangen tot ze opendoet. Ze vertraagt tot ze helemaal stilstaat. Als Daniël enkele seconden later naast haar hijgend stopt, hoort ze de jongeren achter haar luid fluiten. In hun ogen heeft hij al gewonnen.

'Dag Manon, hoe is het met je?' Het komt er in horten en stoten uit. Hij heeft zijn handen op zijn knieën gezet en staat voorovergebogen naar adem te snakken. Manon heeft haar ademhaling veel sneller onder controle.

'Prima', zegt ze alsof ze zojuist geen sprintje heeft getrokken. 'Maar ik zou willen dat je uit mijn buurt blijft.' Ze plaatst haar handen in haar zij om de woorden kracht bij te zetten. Daniël lijkt haar niet te hebben gehoord.

'Ik heb je al een hele tijd niet meer gezien of gehoord. Ben je misschien op vakantie geweest?'

'Nee. Dat gaat jou trouwens niet aan.'

'Ik dacht gisteren nog bij je binnen te lopen. Ik werk hier in de buurt, vandaar. Die jongens – hij wijst met zijn duim achter zich – zijn mijn straf.' Hij lacht even kort. Manon geeft geen krimp. 'Ik knap samen met hen werkjes op bij de ouderen hier in de buurt. Op die manier zijn de oudere mensen geholpen en kunnen de jongeren zich nuttig bezighouden. We zijn bij Celine geweest. Haar tuin is piekfijn in orde. Nu kan ze buiten zitten als het mooi weer is. Dat is toch net iets aangenamer dan haar plaatsje voor het raam, zeker wat het uitzicht betreft. Het doet plezier die oudjes te helpen. Niet alleen voor die gasten daar – hij wijst opnieuw met zijn duim achter zich – maar ook voor mij. Dat had ik niet verwacht.'

'Waarom heb je precies deze gemeenschapsdienst gekozen, Daniël, en niet iets aan de andere kant van de stad?' Zijn antwoord komt snel:

'Dat heb ik voor ons gedaan, Manon, voor ons beiden, voor onze relatie.' Manon had niet verwacht dat hij er zo onomwonden voor zou uitkomen. Het is angstaanjagend.

'Wij hebben geen relatie meer, Daniël. Dat is voorbij. Dat is verleden tijd. Ik wil je niet meer zien. Ik wil je niet in mijn buurt. Dringt dat wel tot je door? Is dat duidelijk?' Manon wil van hem weglopen, maar Daniël pakt haar onderarm en houdt haar tegen. Het doet pijn.

'Laat me los!' Manon gilt het zo hard dat enkele jongeren stoppen met voetballen om te kijken wat er aan de hand is. Daniël lost zijn greep wat, maar blijft haar arm vasthouden.

'Dat jíj vindt dat het over is tussen ons twee is me heel erg duidelijk.' Hij sist het, vlak voor haar gezicht. Zijn gezicht is vertrokken en zijn ogen stralen die hardheid uit waarvan Manon kippenvel krijgt. 'Jij loopt jezelf een beetje te prostitueren. Je maakt jezelf belachelijk, en mij!'

'Maar hoe haal je het in je hoofd...!' Zijn greep om haar arm verstrakt opnieuw. Ze duikt ineen. Hij zal slaan. Ze voelt de adrenaline in zijn lichaam opstapelen. Haar hart bonst hard. Ze wrikt aan haar arm, maar dat doet alleen maar pijn. 'Laat me los, Daniël!' Ze roept het bewust erg hard in de hoop dat de voetballende jongens haar horen. Meer dan elkaar wat passen geven, doen ze niet meer. Af en toe kijkt er één in hun richting. Het is alsof ze in staat van paraatheid zijn, wachtend op een teken van hun leider – Dani – om aan te vallen.

'Ik ben gisteren bij je langsgekomen. Na het werk om zes uur, om acht uur, om tien uur. Zelfs om twaalf en om twee uur. Je was er niet. Ik heb op je gewacht. Je bent niet thuisgekomen. Het heeft geen zin het te ontkennen, Manon, ik weet het. Je hebt niet thuis geslapen.'

'Laat me los, Daniël!' Manon huilt. Haar arm doet pijn. Ze is bang. 'Laat me los!'

'Je bent een hoer, Manon, maar je bent wel mijn hoer.'

'Laat me los!'

'Hé, Dani, is er een probleem?' Vier jongens hebben zich losgeweekt van de groep en naderen Daniël en Manon. Op slag verandert de uitdrukking in Daniëls gezicht.

'Nee, no probs!' Zijn greep om haar onderarm verslapt en hij draait zich glimlachend om naar de jonge gasten. Als de jongens nog maar enkele passen verwijderd zijn, laat hij haar volledig los. Manon aarzelt geen twee seconden. Ze begint hard te lopen. Haar heup steekt venijnig waardoor ze even door haar been dreigt te zakken, maar ze blijft zo hard mogelijk doorlopen. Wankelend.

'Tot later, Manon!' hoort ze hem roepen.

Voor haar deur zakt ze ineen op de stoeprand. Met een luide boer geeft ze over tussen haar benen en huilt.

15

'Giel' Hij neemt altijd zo bruusk op, blaft zijn naam zowat door de telefoon; ze schrikt er keer op keer van.
'Giel, het is Manon.' Geen reactie. Manon hoort hem ademen. 'Ben je daar nog?' vraagt ze toch voor de zekerheid.
'Ja, ik ben er nog. Ik geniet even van het moment.' Manon schiet in de lach. 'Lach niet, ik heb uren versleten met hopen dat je belt, dat je eindelijk terugbelt. Manon, ik heb je echt het een en ander te vertellen, te beginnen met een verontschuldiging die voldoende laat merken dat ik echt wel fout ben geweest. Je dwarsboomde mijn toekomstideeën met die van jezelf en ik was eerder teleurgesteld dan kwaad. Er moet ergens een mouw aan te passen zijn. Jouw en mijn projecten, ze moeten ergens op elkaar af te stemmen zijn, dat weet ik gewoon, als we maar hard genoeg nadenken... Samen', voegt hij er nog gauw aan toe.
'Je krijgt er geen speld tussen', stelt Manon rustig vast. Ze lacht. De litanie had ze verwacht, maar niet met die intensiteit. 'Kunnen we afspreken? Ik ben je een uitleg verschuldigd', vraagt ze hem onomwonden. Het zwijgen aan de andere kant van de lijn kan alleen maar beamend zijn. 'Niet alleen dat trouwens,' gaat Manon verder, 'ik zou je ook graag aan iemand willen voorstellen.' Opnieuw is het stil. Giels stem trilt duidelijk als hij uiteindelijk zacht zegt:
'Ik ben hier niet klaar voor, Manon. Ik kan ergens begrij-

pen, of liever, ik moet aanvaarden dat je andere wegen wilt bewandelen en dat je dat niet langer met mij wilt doen, maar je kan en je mag niet van mij verwachten dat ik met enthousiasme iemand nieuw in je leven ga verwelkomen. Dat begrijp je toch?' De pijn in zijn stem treft Manon. Ze heeft hem gekwetst. Hard en diep.

'Ik heb geen andere partner Giel. In de verste verte niet', haast ze zich hem te verbeteren. 'Ik heb een hondje gekocht.' Ze wacht af. Geen geluid. Dan weerklinkt een harde klap gevolgd door een brullende lach.

'Ik ben zo waanzinnig opgelucht!' verklaart Giel zijn reactie.

'Wat was die klap dan?'

'Ik sloeg met mijn vlakke hand op het telefoontafeltje. Ik heb me werkelijk ellendig gevoeld, Manon. Ik hoorde niets meer van je. Ik zag je niet meer. Zomaar in één klap was je er niet meer.' Dat had inderdaad gekund, denkt Manon onwillekeurig, maar dat is niet het geval. Ik ben gezond, ik mag leven.

'Het spijt me.' Giel gaat er niet op in.

'Wanneer kan ik je zien?' Het is alsof ze een kind een ijsje heeft beloofd.

'Deze middag, in het park, met Wubbel?'

'Wubbel?'

'Ja, Wubbel.'

'De hond, neem ik aan?'

'Inderdaad.'

'Mag ik erom lachen?'

'Nee.'

'Spijtig, maar goed. Hoe laat?'

'Drie uur. Lukt dat?'

'Prima, ik zal een rode roos in mijn knoopsgat steken.'

'Wees gerust. Ik herken je nog wel. Moeiteloos.'

'Dat doet me plezier. Tot straks.'

'Het voelt niet meer zo vertrouwd. Het lijkt alsof ik je niet meer zo door en door ken.' Giel is naast haar op de bank komen zitten. Ze hebben wat beleefdheden uitgewisseld, zich beiden erg bewust van het feit dat het beleefdheden waren. 'Het is maar drie weken geleden, Giel.'

'Het', herhaalt Giel. Manon kijkt hem vragend aan. 'Je zegt: "Het is maar drie weken geleden." Wat bedoel je dan precies? Dat ik je ten huwelijk vroeg of dat je me aan de deur zette?'

'Je hebt jezelf aan de deur gezet', verdedigt Manon zich.

'Heu?'

'Jij vond dat je onvoldoende in mijn plannen voorkwam.'

'Je had me afgewezen!'

'Ik heb je huwelijksaanzoek afgewezen, dat is niet hetzelfde.'

'Het voelde wel zo.'

'Het spijt me.' Opnieuw verontschuldigt ze zich, maar het verhelpt weinig aan de treiterige gedachte dat ze hem voor niets pijn gedaan heeft. Giel zwijgt. 'Het heeft ook voordelen,' zegt Manon plotsklaps, 'dat het niet meer zo vertrouwd aanvoelt.'

'Zo?'

'Als je elkaar nog niet zo goed kent, zeg je meer wat je denkt, wat je écht denkt. Je bent oprechter.'

'Mmm.' Giel is niet geheel overtuigd. Er valt opnieuw een ongemakkelijke stilte.

'Mag ik nu wel lachen?' vraagt Giel.

'Met wat?'

'Met dat daar.' Hij wijst naar Wubbel, die als gek cirkeltjes aan het lopen is op het graspleintje voor hen. Onverwachts gaat hij plat op zijn buik liggen alsof hij een prooi wil besluipen om na enkele seconden vooruit te schieten en opnieuw rondjes te hollen. Het is een gek gezicht.

'Dat daar is een hondenpup', zegt Manon gespeeld verongelijkt.

'Het is een bol vacht met oren', werpt Giel tegen.

'Absoluut niet! Hij is een cockerspaniël en mijn maatje.'

'Ik dacht dat ik dat was', pruilt Giel.

'Dat ben je ook.' Beiden kijken naar de dartelende hond om niet naar elkaar te hoeven kijken. Openhartigheid is gemakkelijker op die manier.

'Waarom heb je hem gekocht?'

'Het was een van de "ooit-wil-ik"-plannen die ik heb uitgevoerd.

'Ik dacht dat je naar de academie wilde om te leren schilderen?'

'Een passie van korte duur.'

'Hoezo?'

'Ach, naar het schijnt moet je wachten tot na je dood om er carrière in te maken. Ik kreeg te horen dat ik niet doodga, dus heb ik het plan laten varen.' Ze zegt het luchtig. Giel gniffelt.

'Zullen we wat gaan wandelen?' Manon knikt en staat op.

'Wubbel, kom hier!' Wubbel richt twee seconden zijn kop op, maar gaat daarna gewoon verder met de grassprietjes aan te vallen. Hij springt erop, bijt erin en trekt ze dan hevig grommend uit de grond.

'Een rasechte waakhond in de dop, dat zie je zo', merkt Giel op. Manon stompt hem speels in zijn maag. Hij klapt voorover en doet alsof de klap hevige pijnen veroorzaakt. Wubbel komt meteen op hem toegelopen en begint te janken. Giel kijkt verbaasd naar Manon, die haar schouders ophaalt.

'Ik heb hem ook maar uit het asiel', verdedigt ze zich. 'Misschien herkent die in jou een tweede baasje en toont hij zijn medeleven.' Giel gaat op een knie naast Wubbel zitten en begint hem achter zijn oren te krabben. Meteen ligt Wubbel op zijn rug en laat met uitgestrekte poten zijn nog naakte buikje strelen. Giel lacht.

'Het is best een leuke hond. Weet precies wat er goed is aan het leven.'

'Dat heeft hij van zijn baasje', repliceert Manon terwijl ze hem de lijn aanreikt. Giel klikt Wubbel vast.

'Daar bestaat toch enige twijfel over', zegt hij ernstig als hij opstaat en Manon de lijn aanreikt.

'Wat bedoel je?'

'Als jij zo goed zou weten wat jouw leven kleur geeft, dan had je niet het dwaze plan opgevat mij erbuiten te houden.' Manon kijkt van hem weg. Het moet ontzettend veel moed kosten je zo kwetsbaar op te stellen. 'Manon?'

'Ik ben er nog.'

'Ik wilde je niet afschrikken.'

'Dat doe je niet, je doet me versteld staan.'

'Hoezo?'

'Ik zie je een hele tijd niet nadat ik je zomaar van de ene dag op de andere heb gezegd dat ik een toekomst tussen ons beiden, zoals jij die had uitgetekend, niet wil. Je belt me en ik beantwoord je telefoontjes niet. Ondanks al die weigeringen, blijf je bij me aankloppen. Nu opnieuw: zonder omwegen laat je me verstaan dat je een relatie tussen ons nog steeds mogelijk acht terwijl je alle reden hebt om aan te nemen dat je het deksel op de neus zult krijgen. Nood aan zelfkastijding?' Ze hoopt dat hij haar spottende ondertoon niet verkeerd opvat.

'Nee, niet meteen.' Boven hen begint een kleine vogel aan zijn zangspel. Het grind van het pad kraakt onder hun schoenen. Wubbel dribbelt naast Manon mee en hapt naar iets onzichtbaars in de lucht.

'Denk je na?' Manon kijkt Giel onderzoekend aan. In profiel kan ze niet zien of hij drie lijntjes tussen zijn wenkbrauwen heeft; daaraan kan ze steeds aflezen dat hij iets aan het overdenken is. De lange spier in zijn hals rekt wel een beetje.

'Ik denk na.'

'Over wat dan precies?'

'Over hoe ik je, zonder je te kwetsen, kan uitleggen dat het op dit moment eerder een praktische vraag is of ik in jouw plannen nog voorkom.' Manon had een overholen liefdesverklaring verwacht. Ze voelt zich alsof ze zojuist met haar ogen dicht in haar eigen val is gelokt. Plots lijkt het alsof Giel de rollen heeft omgedraaid. De praktische kant van de zaak heeft zelden iets romantisch. Als ze nu prikkelbaar reageert, riskeert ze de boel te doen ontploffen. 'Beetje teleurgesteld door mijn antwoord?' Alsof ze dat expliciet zou toegeven. Hij mag met zijn hart komen aandraven, maar daarom hoeft zij niet dezelfde openheid aan de dag te leggen. Ze ligt met haar gevoelens liever veilig geborgen achter de vuurlinie om vandaar verkenners uit te zenden. Het is pas als die keer op keer terugkomen met het nieuws dat het veilig is, dat ze zich durft op te richten uit de loopgraven en het risico te lopen ontgoocheld te worden, misschien zelfs gekwetst. Zoveel heeft ze wel geleerd. 'Ik ga naar een huis kijken, Manon, ik kan niet eeuwig bij mijn ouders blijven kamperen. Als je ruimte voor me wilt laten in je toekomstplannen, vraag ik je graag mee. Zonder op de zaken vooruit te willen lopen: het zou me plezier doen als ook jij het een fijn huis vindt waar je je eventueel goed kunt voelen... samen met mij.' De verkenners zijn terug met de boodschap dat het veilig is.

'Het is inderdaad voorbarig, maar ik ga graag mee naar het huis kijken.' Ze lacht, onverholen opgelucht. Giel houdt haar staande.

'Ik moet nu weg, maar zou morgen naar het huis willen gaan kijken. Kun je om twee uur?' Manon knikt.

'Mag Wubbel mee?' Giel kijkt naar het speelse dier.

'Ik zou het wel willen, Manon, maar ik heb de makelaar

niets gezegd over een huisdier.' Manon doet haar mond al open om te protesteren. Hoe kan ze nu een huis leuk vinden als er geen plaats is voor haar pas verworven viervoeter? 'Maar uiteraard moeten we kijken of het huis geschikt is voor Wubbel. Ik weet alvast dat er een tuin is. Een grote zelfs.' Manon pakt Wubbel op. Zodra hij haar gezicht binnen tongbereik heeft, begint hij als een gek likjes te geven. 'Naar het asiel terugbrengen is immers duidelijk geen optie meer', gekscheert Giel. Manon trapt hem met opzet op zijn tenen. Giel lacht. 'Het is al goed, ik merk dat het allemaal nogal gevoelig ligt. Ik zie je morgen!' Hij steekt zijn hand op terwijl hij snel van Manon wegloopt. Manon zucht. Ze is opgelucht. Opgelucht door het besef dat niet alles wat in het verleden gebeurd is, onomkeerbaar is.

16

Zes jaar eerder

'U spreekt met de therapeut van Daniël Verrichte.' Manon had verstrooid de rinkelende telefoon opgepakt en tussen haar hoofd en schouders geklemd terwijl ze verder bleef werken aan het dossier dat openstond op het scherm van haar pc. Nu ze de naam Daniël Verrichte hoort, stopt ze met typen en pakt de hoorn in haar hand.

'Met wie?'

'Mick Steynaeve, ik begeleid Daniël Verrichte.' De naam alleen al doet Manon huiveren.

'Hoe komt u aan dit telefoonnummer?'

'Ik heb het doorgekregen van Daniël, Manon. Mag ik Manon zeggen?' Manon antwoordt niet. 'Hij dacht dat je het vervelend zou vinden als hij je privénummer zou geven.'

'Hij dacht dat ik dat vervelend zou vinden?' zegt Manon honend. 'Meneer Steynaeve, ik heb zowel mijn gsm-nummer als het nummer van mijn vaste lijn laten veranderen om niet langer belaagd te worden met ongewenste telefoontjes en berichtjes van Daniël. Als het had gekund, had ik ook het nummer van mijn bureau laten wijzigen. Helaas kan dat niet. Doe me dus een plezier en geloof die onzin niet.' Het is stil aan de andere kant van de lijn. 'Wat kan ik voor u doen, meneer Steynaeve?' dringt Manon aan. Haar hart klopt hevig.

'Daniël heeft laten weten dat hij erg veel om je geeft.'

'Ha!' schiet Manon cynisch uit. 'Dan heeft hij een bijzonder vreemde manier om dat te tonen!'

'Dat is inderdaad een deel van zijn problematiek.' Zijn problematiek? 'Daniël en ik werken reeds geruime tijd samen aan zijn expressievormen.' Zijn expressievormen? Manon probeert zich te beheersen. Zijn ze hem nu aan het behandelen als een patiënt die alle hulp kan gebruiken om beter te worden? 'Ik ben blij je te kunnen vertellen dat het de goede kant opgaat. Ik denk zelfs dat we nu op het punt staan om aan een vorm van rehabilitatie te denken. Niet in de strikte zin van het woord natuurlijk. Ik bedoel daarmee dat ik denk dat het tijd wordt dat Daniël en jij elkaar ontmoeten als partners, zij het onder begeleiding.'

'Daniël en ik? Als partners?' Manon praat tussen haar tanden door, ze spuwt de woorden uit haar mond, walgend. 'Ik weet niet wat Daniël u verteld heeft, meneer. En in alle eerlijkheid: het interesseert me ook niet. Daniël en ik zijn ooit partners geweest. Dat is waar. Maar dat is lang geleden. Ik wil met hem niets meer te maken hebben. Niet rechtstreeks en ook niet via u.'

'Ik begrijp je reactie, Manon.' Zijn zalvende manier van spreken maakt Manon alleen maar bozer. 'Maar voor Daniël liggen de kaarten anders. Zijn gevoelens voor jou zijn...' Steynaeve last een pauze in. 'Positiever, zou ik durven zeggen, dan de jouwe. Het lijkt me belangrijk dat hij ze kan uiten en dat jij van jouw kant duidelijk kunt maken dat die gevoelens niet langer door jou gedeeld worden. De therapie met jullie beiden samen kan dus twee kanten op. Ofwel slagen jullie er samen in uit deze impasse te komen ofwel is dit een afrondend gesprek en gaan jullie vervolgens elk jullie eigen weg.'

'Ik ga al een hele tijd mijn eigen weg', bijt Manon hem toe.

'Dan nog lijkt het me belangrijk dit met Daniël duidelijk overeen te komen.' Holle woorden, maar meneer Steynaeve wil blijkbaar geen afwijzing aanvaarden. Manon zucht luid in de hoorn.

'Wanneer moet dit gesprek plaatsvinden?' Waarom geeft ze nu opnieuw aan hem toe? Hoe lang zal ze nog toelaten dat Daniël haar leven binnendringt?

***

Mick Steynaeve gebaart naar de gemakkelijke stoel op een draaipoot tegenover hem. Daniël zit in een dito stoel en kijkt haar glimlachend aan.

'Bedankt voor het komen', zegt hij terwijl Manon gaat zitten. Ze heeft bewust haar jas aangehouden. Ze is niet van plan lang te blijven. Als ze zich in de stoel verzet, voelt ze hoe de lucht uit het kussen onder haar zitvlak ontsnapt.

'Als je gemakkelijk zit, kunnen we starten.' Manon wiebelt nog wat heen en weer, gewoon om Steynaeve te treiteren, als een koppig kind. 'Daniël.' Mick richt zich tot Daniël, die zich naar hem toekeert en welwillend afwacht. Hij lijkt wel een gedresseerd hondje dat mooi gaat zitten in de hoop een koekje te krijgen, denkt Manon walgend. 'Kun jij Manon uitleggen waarom ze hier is?' Daniël knikt en draait de sofa naar Manon toe. Hij kijkt haar niet aan. Manon trekt aan een paar losse draden aan de zoom van haar jas.

'Manon, ik heb een filmpje gezien.'

'Misschien moet ik hier even toelichting bij geven', onderbreekt Mick hem meteen. Manon verwacht dat Daniël zal uitvliegen. Hij vindt het uiterst vervelend als hij onderbroken wordt. Maar Daniël zegt niets. Hij blijft naar zijn knieën staren terwijl Mick uitleg geeft: 'Het filmpje waarover Daniël het heeft is een onderdeel van de therapie. We laten onze cliënten na enkele sessies een soort van documentaire zien waarin de gevolgen van hun acties duidelijk worden gemaakt. Naargelang de aard van de therapie is het een andere documentaire. Voor Daniël hebben we gekozen voor een duidelijk beeld van de wijze waarop geweld en alcoholmisbruik niet alleen jezelf, maar ook je omgeving kan schaden. Hij wil daar nu tegenover jou het een en ander over kwijt.' Daniël knikt opnieuw, als een gehoorzaam kind. Manon schuift geërgerd met haar voeten. Daniël herneemt aarzelend zijn verhaal.

'Ik heb dat filmpje gezien, Manon, en ik begrijp daardoor beter wat er misgelopen is tussen ons. Ik heb bepaalde problemen op een verkeerde manier proberen op te lossen. Het gaat dan in de eerste plaats om het verlies van mijn werk. Ik denk dat ik te veel begrip van jou verwachtte, ik wilde dat je begreep wat een impact dat op me had. Je voelde dat duidelijk niet aan en daarom was ik kwaad op jou.' Waar blijft: ik drink te veel en heb je geslagen en dat spijt me? Manon kijkt hem arrogant aan.

'Ik hoor nog steeds niet wat ik verwacht te horen.' Daniël kijkt snel naar Mick, zijn reddingsboei.

'Manon, mag ik je vragen Daniël niet te onderbreken. We hebben samen een lange weg afgelegd om tot het besef te komen dat de oorsprong van de problemen tussen jullie in het verlies van zijn werk ligt en de manier waarop jullie samen met dat verlies zijn omgegaan.' Manon gelooft haar oren niet.

'Is dat wat de therapie heeft opgebracht?' Ze spreekt Mick aan, niet Daniël. Mick probeert haar te sussen:

'Manon, het is belangrijk dat je je open probeert op te stellen zodat Daniël zich veilig voelt en jullie tot een constructieve manier van communiceren komen.'

'Daniël moet zich veilig voelen!? Daniël? Dit is grotesk, dit is een farce, dit is...' Mick staat op uit zijn stoel en komt naast haar staan.

'Ik zie dat je overstuur bent, dat is Daniël ook.' Manon probeert haar woede te beheersen. 'Misschien kun je eerst luisteren naar wat hij te zeggen heeft. Daarna maken we tijd voor jouw kant van het verhaal.' Manon zwijgt stuurs. Ze heeft niet de indruk dat iemand in deze ruimte geïnteresseerd is in haar versie. Daniël zuigt hoorbaar lucht in zijn longen. Hij strekt een arm en wil die op haar bovenbeen leggen. Manon draait haar benen ostentatief naar de andere kant.

'Ik heb je verstoten door je niet uit te leggen hoe ik me voelde. Dat spijt me. Ik heb van Mick geleerd hoe ik dat in de toekomst kan vermijden. Ik mag niet verwachten dat je kunt voelen wat ik voel, dat begrijp ik nu. Ik had met jou moeten bespreken wat de werkloosheid met me deed. Ik wil dat nu alsnog proberen.' Opnieuw een vaderlijke, bemoedigende knik van Mick. 'Door het verlies van mijn werk begon ik langzaam aan mijn eigen kennen en kunnen te twijfelen. Omdat ik niet onmiddellijk ander werk vond, groeide dat gevoel. Jij leek dat helemaal niet te merken. Jij vond simpelweg dat ik een andere baan moest zoeken. Maar met dat minderwaardigheidsgevoel in mijn maag, lukt dat niet. Door samen met Mick over dat gevoel te praten – wat ik met jou had moeten doen – ga ik er nu beter mee om. Door het werk dat ik nu doe met de jongeren in onze buurt.'

'Het is jouw buurt niet meer', bijt Manon hem toe. Zowel Mick als Daniël laten het over zich heen gaan.

'Door het werken met die jongeren voel ik me opnieuw beter. Ik krijg zoveel positieve signalen van die jongens. Ze lijken me echt te waarderen voor wie ik ben. Dat mis ik tussen ons, Manon. Ik heb dat gevoel niet bij jou. Je ondersteunt me niet langer op een positieve manier. Integendeel zelfs.'

'Let op, Daniël', vermaant Mick hem. 'Probeer "ik voel"-boodschappen te blijven formuleren, je niet laten vangen door de lokroep van de verwijten.' Daniël herstelt zich.

'Ik heb niet langer het gevoel dat je me op een positieve manier ondersteunt.'

'Goed zo!' stimuleert Mick. Manons ongeloof neemt hand over hand toe.

'Ik heb die steun nu nodig. Ook van jou. Je hebt me gekwetst door me die steun niet te geven. Sorry, ik voel me gekwetst.' Manon kan haar woede niet meer verbijten. 'Jíj hebt míj gekwetst, Daniël, niet andersom! Je hebt je te pletter gezopen, je hebt me geslagen, je hebt me geduwd, je hebt me pijn gedaan. Niet alleen fysiek, maar ook en vooral mentaal!'

'Gebruik "ik voel"-boodschappen, Manon, geen verwijten!' berispt Mick.

'Ik voel me belazerd! Is dat "ik voel" genoeg voor je? Jullie doen hier met zijn tweetjes alsof ik de grote boosdoener ben, alsof ik onze relatie verkloot heb, alsof ik het probleem ben en dat is niet waar!' schreeuwt Manon hem toe. Mick is de hele tijd blijven staan, maar zakt nu opnieuw in zijn stoel tegenover Manon en Daniël neer. Manon richt zich opnieuw tot Daniël: 'Jij hebt me tot op dit moment doen geloven dat er iets mis is met mij, dat ik het verdiende om vernederd en geslagen te worden. Jij hebt mij laten twijfelen aan mezelf. Jij hebt mijn zelfrespect uitgehold!' En dan kan ze zich niet meer beheersen en begint luid te huilen. 'Ik ben hier diegene die gekwetst is, Daniël, niet het minst door jullie collectief zwijgen over wat er werkelijk tussen ons misgelopen is. Dat is niet het verlies van je werk, Daniël, dat is je drankmisbruik, dat is je agressiviteit, dat is het feit dat je me niet met rust kunt laten, maar overal opduikt, me achternazit, me stalkt...' Mick klapt in zijn handen.

'Halt, Manon. Hier moet ik even tussenkomen. Het is niet zo dat Daniël zijn alcoholgebruik voor me verzwegen heeft. Hij heeft ook verteld dat hij je een keer geslagen heeft. Hij heeft op dat moment ook duidelijk laten verstaan dat hij zich daarover schaamde. Nietwaar, Daniël?'

'Ja, Manon, dat spijt me, echt waar. Ik kan je alleen maar beloven dat het nooit meer zal gebeuren. En het zal nooit meer gebeuren. Ik neem nu medicatie.' Daniël zegt het trots, alsof het om een overwinning gaat.

'Daniël heeft besloten om mijn advies te volgen en pilletjes te nemen die hem onwel maken als hij alcohol tot zich neemt', vervolgt Mick. 'Het helpt om op andere, minder destructieve manieren het hoofd te bieden aan wat ik graag de uitdagingen van het leven noem. Door het als een uitdaging, eerder dan een probleem te zien, blijft er veel meer ruimte om ertegenaan te gaan, vind je niet? Het laat veel meer strijdbaarheid toe.' Manon zwijgt gefrustreerd. 'Wat ik nog niet van jou heb gehoord, Daniël, is dat je Manon lastigvalt.'

'Ik val haar ook niet lastig', verdedigt Daniël zich.

'Dat is wel waar!' werpt Manon tegen.

'Manon, ik spreek Daniël nu aan.' Daniël kan het niet nalaten heel even te glimlachen. 'Daniël?'

'Ik doe mijn gemeenschapsdienst in de buurt van ons huis. Daardoor kom ik haar nog af en toe tegen. Dat is alles.'

'Je gemeenschapsdienst is al een hele tijd afgelopen', merkt Mick kritisch op.

'Ik ben op eigen initiatief nog langer met de jongeren blijven werken. Ik heb toch niets anders omhanden.' Manon maakt een laatdunkend pff-geluid. 'Bovendien is het ons huis. Het is toch toegestaan in de buurt van je eigen huis te zijn?' Daniël klinkt uitdagend. Mick kijkt naar Manon. Zij begrijpt het als een uitnodiging om te reageren.

'Het is je huis niet meer, Daniël, je woont er niet meer, niet officieel op papier en niet in de praktijk. Je hebt er bovendien geen sleutels van. Je hebt er niets meer te zoeken.'

Steynaeve klapt in zijn handen als een schooljuf.

'Ik denk dat we nu op een cruciaal punt zijn aanbeland.'

Mick kijkt afwisselend naar Manon en Daniël. 'Jullie hebben beiden de kans gehad jullie emotionele uitgangspunt duidelijk te maken. Daniël heeft aangegeven een tekort aan positieve ondersteuning te ervaren in jullie relatie terwijl jij, Manon, duidelijk hebt gemaakt dat je Daniëls alcoholgebruik en de daaruit voortvloeiende agressieve uitvallen niet weet te appreciëren.'

'Niet weet te appreciëren?' Mick blokt meteen Manons uitval af.

'Manon, ik ben nu aan het woord. Als je dat nodig vindt, kun je straks nog reageren.' Manon kauwt haar kaak langs de binnenkant bijna stuk. 'Ik heb ook begrepen dat Daniël op een voor jou hinderlijke manier contact met je zoekt. Klopt dat?' Manon knikt zwijgend. Mick Steynaeve last een pauze in. Hij kijkt van Daniël naar Manon en terug, als een rechter die zijn vonnis in zijn hoofd overdenkt en zich afvraagt in wiens voordeel hij zal oordelen. Manon schrikt even op als hij weer het woord neemt. 'Het goede nieuws is dat Daniël heeft toegezegd medicijnen te nemen om zijn alcoholgebruik te leren beheersen. Daardoor zal ook de agressie afnemen, aangezien het een rechtstreeks het gevolg is van het ander. Blijft nog de reden waarom Daniël naar alcohol greep en dan komen we terug op zijn gevoel geen emotionele ondersteuning van je te krijgen, Manon.' Manon blijft verwoed op haar binnenkaak bijten. 'Het cruciale punt waarop we zijn aanbeland, Manon, is de vraag aan jou of je bereid bent hieraan te werken. Net zoals Daniëls beslissing om medicijnen te nemen, zou dit jouw engagement tegenover hem zijn. Op die manier, door een wederzijds engagement, kunnen jullie samen je relatie opnieuw een kans geven. Besluiten jullie aan de relatie te werken, dan neem ik aan, Daniël, dat je Manon de tijd en de ruimte geeft die ze nodig heeft. Zonder ongewenste bezoeken, telefoontjes en dergelijke.' Mick kijkt Daniël vragend aan. Die slaat slechts zijn ogen neer. 'Goed. Dan meen ik dat de bal in jouw kamp ligt, Manon. Ben je bereid Daniëls inspanningen te beantwoorden met eigen inzet?' Manon staat op en pakt haar tas.

'Ik heb van meet af aan gezegd dat er geen sprake meer is van een relatie tussen mij en Daniël. Daar heeft dit gesprek geen enkele verandering in gebracht. Ik ben hier naartoe gekomen met maar één doel en dat is voor Daniël duidelijk maken dat ik niets, maar dan ook werkelijk niets meer met hem te maken wil hebben. Ik had gehoopt dat jij – ze kijkt Mick onverholen aan – me hierin zou steunen. Niets blijkt minder waar. Ik heb het al gezegd: ik voel me belazerd.' Hoewel haar woorden ferm klinken, stromen opnieuw de tranen over haar gezicht. 'Ik vind niet dat Daniël steun nodig heeft. Hij verdient het zelfs niet. Ik heb steun nodig, maar het is me duidelijk dat ik die hier niet moet verwachten.' Ze stapt resoluut naar de deur.

'Manon, wacht nog even.' Mick haast zich naar de deur en leunt er met zijn hand tegenaan. 'Op die manier kunnen we niet afsluiten.' Hij neemt haar bij de schouders en draait haar voorzichtig om. 'Jij hebt klaar en duidelijk gezegd dat je geen relatie meer wenst met Daniël. Dat is ongetwijfeld hard aangekomen.' Mick kijkt even over zijn schouder naar Daniël, die met zijn handen tussen zijn benen uitdrukkingsloos voor zich uit zit te staren. 'Ik ga hier zeker verder met Daniël aan werken. Ik stel voor dat je Daniël nog de kans geeft afscheid van je te nemen. Nu draait Steynaeve zich ook om. Naast elkaar wachten Mick en Manon af wat Daniël zal zeggen. Het duurt ongemakkelijk lang voordat hij zich naar Manon richt. Manon moet zichzelf verplichten hem aan te kijken. Hij ziet er week uit. Meer aangeslagen dan zij had verwacht. Zou hij werkelijk gedacht hebben dat hun relatie nog te redden was?

'Manon.' Daniël slikt moeilijk. 'Ik heb werkelijk veel van je gehouden. Ik doe dat nog steeds. Wat wij samen hebben gehad, kun jij niet zonder meer weggooien. Je zult het meedragen; je leven lang. Ik weet dat ik je blijvend getekend heb. Dat weet ik gewoon en daar ben ik blij om.' Als een orakel dat zijn boodschap heeft verkondigd en zich opnieuw hult in waardig zwijgen, kijkt Daniël van Manon weg en staart opnieuw voor zich uit. Zijn handen zitten nog steeds geklemd tussen zijn benen. Manon wacht nog even, maar als Daniël niets meer lijkt te willen toevoegen, pakt ze resoluut de klink van de deur.

'Ik ga nu', zegt ze tegen de therapeut. Hij zet een stap opzij en laat haar gaan.

***

'Je weet zeker dat je geen gezelschap nodig hebt?' Dries stuurt zijn wagen behendig door het verkeer op weg naar de luchthaven.

'Ik ben er absoluut zeker van', antwoordt Manon gedecideerd.

'Ik zou onmiddellijk met je meegaan.'

'Dat weet ik, Dries, maar je hebt al meer dan genoeg voor me gedaan.' Dries zet zijn richtingaanwijzer aan en verandert van rijstrook.

'Hier moet ik altijd opletten dat ik de goede weg volg, anders zit je bij het volgende kruispunt volledig in de knoei.'

'Je hebt me nog niet verteld hoe ze op je ontslag hebben gereageerd.'

Dries kijkt haar vluchtig aan en concentreert zich dan weer op het drukke verkeer.

'Ach,' antwoordt hij luchtig, 'gewoontjes. Ze vroegen natuurlijk waarom ik het bedrijf wilde verlaten. Ik heb gezegd dat ik een nieuwe uitdaging nodig had. Een dooddoener, maar ze hebben het zonder morren aanvaard. Ik kon ze moeilijk de waarheid vertellen, nietwaar?' Manon kijkt hem van opzij aan.

'Je had niet hoeven vertrekken voor mij, dat weet je.'

'Ja, dat weet ik, maar het is een beetje uit zelfbehoud, Manon. Ik kan het kantoor niet delen met iemand op wie ik smoorverliefd ben en die me niet ziet staan.'

'Hé, ik zie je wel staan!'

Dries gniffelt.

'Je weet wat ik bedoel. Het is gewoon te pijnlijk. Bovendien kan het geen kwaad. Ik ben wel toe aan iets nieuws. Je hoeft je nergens schuldig om te voelen.'

'Toch is dat precies hoe ik me voel, schuldig.'

'Waarom?'

'Om de brokken die ik heb gemaakt. Eerst Daniël, nu jij.'

'Daniël heeft zijn eigen brokken gemaakt. Zorg jij nu maar dat je zelf weer op je pootjes terechtkomt.'

'Vind je dat ik op de vlucht sla door naar L.A. te gaan in mijn eentje?'

'Wat?'

'Vind je dat ik wegvlucht van alles wat er met Daniël is gebeurd en van jou in plaats van de storm te trotseren?'

'Nee, dat vind ik niet. We zijn er!' Dries schiet een vrijgekomen parkeerplaats in. 'Ik kan hier niet te lang blijven staan.' Manon stapt snel uit. Dries klikt de kofferbak open en haalt haar valies eruit terwijl Manon haar rugzak op haar schouder slingert.

'Ik moet naar Miami om mijn zelfrespect terug te vinden. Niet bij iemand anders, maar bij mezelf.'

'Dat weet ik, Manon, echt waar.'

'Dan is het goed.' Ze geeft hem een kus op zijn wang.

'Ga nu maar.' Dries' stem klinkt gesmoord. Manon aarzelt. 'En vergeet je niet te amuseren!' Hij streelt haar nog gauw over haar loshangende haren, draait zich om, steekt zijn hand op en gaat zonder om te kijken weer achter het stuur zitten. Pas als de auto wegrijdt, komt Manon in beweging. Haar koffer op wieltjes trekt ze achter zich aan naar de ingang van het luchthavengebouw.

17

Giel toetert. Het is alsof ze opnieuw zijn begonnen. Hij belt niet aan, hij gebruikt zijn sleutel niet, hij toetert. Manon harkt haar haren met haar vingers. Ze wacht bewust. Het maakt deel uit van het spel. Ze heeft zich opgemaakt. Hij zal het ongetwijfeld merken. Daar mag hij haar niet over aanspreken. Ze is er nog niet klaar voor om hem zonder omwegen te zeggen dat ze de draad van hun relatie opnieuw wil opnemen. Ze wil het wel laten merken, dat is voorlopig meer dan genoeg vindt ze. Haar jas trekt ze aan terwijl ze de deur achter zich dichtslaat. Ze wil de indruk wekken dat ze haastig vertrekt, hoewel ze al ruim een halfuur klaar is en op hem zit te wachten op de bank, met haar jas op haar schoot.

Als ze het portier van de auto opent en naast Giel neerploft, draait ze zich automatisch naar hem om en plant een kus op zijn mond. Het overvalt hem duidelijk. Manon realiseert zich plots de vrijpostigheid van haar gedrag. Ze staart naar de versnellingspook en draait zich traag terug tot haar rug de leuning van de autostoel raakt. Hoewel ze ernaar hunkert zijn reactie te zien, durft ze Giel niet aan te kijken. 'Sorry', mompelt ze. Giel antwoordt niet. Hij zet de auto in de eerste versnelling en glijdt met zijn hand opzettelijk langs haar been als hij opnieuw het stuur wil vastnemen. 'Oog om oog...' mompelt hij op exact dezelfde manier als Manons verontschuldiging. De toon is gezet. De rit duurt niet lang. In de auto hangt een stilte, maar geen ongemakkelijke. Hun zwijgen voelt vertrouwd, als van een koppel dat al jarenlang samen is en op een gezellige zondag naast elkaar op de bank zit, terwijl elk zijn eigen boek leest. De makelaar loopt het pad voor het huis op en af. Zijn gezicht is rood aangelopen. Het kan niet van de lichamelijke inspanning van het wandelen zijn: het pad tot aan de voordeur is nauwelijks vijf meter. Manon verafschuwt pafferige mensen, dichtgeslibd door een te bourgondisch leven. Desondanks tovert ze een glimlach op haar gezicht en knikt de man enthousiast toe wanneer ze als eerste uit de auto stapt en het portier harder dichtklapt dan de bedoeling was. Ze neemt de gevel van het huurhuis snel in haar op. Ze weet dat het oppervlakkig is, maar ze hecht belang aan de eerste indruk die een huis geeft. Het zegt iets over wie er woont, vindt ze, al heb je daar bij een huurhuis minder vat op. Het huis is zichtbaar onlangs gerenoveerd. De bakstenen muren zijn gezandstraald en de dieprode kleur straalt warmte uit. De ramen en voordeur zijn van grijs inox. Ongetwijfeld ter vervanging van de originele houten exemplaren. Je ziet het zo vaak tegenwoordig dat het Manon stoort. Het is weinig origineel. Maar ze wil niet muggenziften. Giel is ondertussen eveneens uitgestapt en legt vlot zijn arm om haar schouder.

'Wat denk je?'

'Nog wat vroeg om te oordelen, vind je niet?'

'Eerste indruk, Manon, niets is zo belangrijk.' Heeft hij haar gedachten gelezen? Hij pakt haar hand en loopt op de makelaar af, die afwachtend naar hen staat te kijken.

'Meneer Tiggels?' De makelaar steekt zijn hand uit als antwoord. Giel laat Manons hand los en stelt zich beleefd voor.

'Giel, we hebben mekaar aan de telefoon gesproken.'
'Ik meende dat het huis voor u alleen bedoeld was?' zegt hij lomp terwijl hij Manon de hand schudt. Hij kijkt haar maar een fractie van een seconde aan, richt zich alleen tot Giel. Het klinkt bijna als een beschuldiging. Manon mag hem meteen niet. 'Zullen we dan maar?' Hij draait zich om en gaat hen voor over het grindpad. Op weg naar de voordeur maakt hij van de gelegenheid gebruik om zijn broek op te trekken. De riem die eerst onder zijn buik hing, komt daardoor boven op de buikhelling te liggen. Achter zijn rug steekt Manon veelbetekenend haar tong uit naar Giel terwijl ze haar ogen in de richting van de makelaar draait. Giel houdt krampachtig zijn lach in. Meneer Tiggels steekt de sleutel in het slot van de voordeur en stapt met een ingehouden kreun de drempel over. Het verkoopspraatje kan beginnen.

'Je zult merken dat je meteen in een ruime, helder verlichte gang komt.' De deur zwaait verder open, hij gaat er met zijn rug tegen staan zodat Manon en Giel langs zijn dikke buik de gang in moeten lopen. Manon voelt een lichte walging als ze met haar arm de vlezige beweeglijkheid van de buik voelt, maar laat niets merken en stapt achter Giel de gang in. Gedwee kijken ze rond terwijl meneer Tiggels de kwaliteiten van het huis opsomt. 'De lichtinval is nagenoeg volledig te danken aan de opstaande ramen naast de voordeur, dubbel glas uiteraard. Het spreekt voor zich dat je van dit licht kunt gebruikmaken om in de gang enkele schilderijen te hangen en hier en daar een plant te zetten zodat je een galerijindruk creëert.' Manon kijkt naar Giel. Die knikt enthousiast, alsof hij het een bijzonder goed en origineel idee vindt. Voor Manon komt het eerder irritant en betuttelend over hoe hij hen staat te vertellen hoe ze hun eigen potentiële woning moeten inrichten. 'We lopen onmiddellijk verder naar de keuken voor ons en zullen straks de andere kant van deze deur bezoeken.' Hij tikt even op de ondoorzichtige glazen deur die ze voorbij lopen. 'Daarachter bevindt zich de woonkamer.' Met zijn drieën wandelen ze de keuken in. 'Zoals u kunt zien is er ook in de keuken uitermate veel licht dankzij een lichtkoepel.' Hij wijst naar de glazen stolp boven hen. 'Maak u geen zorgen: ook de koepel is voorzien van dubbel glas dus voor de verwarming maakt dat niet uit. In de zomer is er de mogelijkheid om de zon buiten te houden door een gordijn voor de koepel te schuiven. Het kan handig zijn, want op echt warme dagen krijg je een serre-effect dat niet altijd even aangenaam is, nietwaar?' Een vragende glimlach, die niet beantwoord wordt. Hij loopt verder de keuken in en houdt halt aan het kookeiland in het midden van de ruimte, zet er eerst zijn heup tegen, maar bedenkt zich en verandert snel van positie: een vlotte houding met zijn ene hand op het blad, de andere in zijn broekzak. 'Keramische platen, je kunt niet meer zonder.' De hand komt uit de broekzak en klopt even op de kookplaat alsof hij daarmee de kwaliteit bewezen krijgt. 'Een plezier om op te koken, neem het van me aan, ik heb het thuis ook en vergis je niet: ik gebruik ze!' poneert hij triomfantelijk. 'Ik kook zelf, mijn vrouwtje heeft andere kwaliteiten, zal ik maar zeggen.' Hij knipoogt samenzweerderig. Manon rolt opnieuw met haar ogen achter de rug van meneer Tiggels. Giel maakt een sussende beweging met zijn mond en pakt haar hand vast als om haar in bedwang te houden. Om haar overgave te bevestigen legt ze even haar hoofd op zijn schouder en knippert met haar oogleden.

Giel herkent haar opnieuw: dit is de Manon waarop hij verliefd werd. Overdreven, maar ludiek kritisch in haar beoordeling van andere mensen. Ze steekt haar mening zelden onder stoelen of banken. Zo stelde ze bij hun eerste kennismaking onomwonden dat ze zijn kleding, een afgewassen jeans en paars hemd, maar een sjofele indruk vond geven. Het was Liesbeth, een gemeenschappelijke vriendin, die hen op een barbecue aan elkaar had voorgesteld. 'Giel, dit is Manon, ze is net terug van L.A.' Alsof het dat was dat haar typeerde. Misschien was dat ook wel zo. Manon had naar hem geglimlacht en rechtuit gezegd dat L.A. een bewuste escapade was geweest om voor zichzelf te bewijzen dat ze op eigen benen kon staan. Giel was er meteen op ingegaan. 'Doe je dat vaker, bewijsstukken vergaren voor je zelfstandigheid?' Resoluut had Manon geantwoord dat ze dat vanaf nu wel van plan was. Was het daarom dat Manon hem had afgewezen bij zijn huwelijksaanzoek, zelfs een punt leek te zetten achter hun relatie? Was ze bang voeling met zichzelf te verliezen? Hij betwijfelt of hij het ooit van haar te horen zal krijgen. Uiteindelijk maakt het hem niet zoveel uit, ze is hier nu, bij hem, lachend, speels. Alsof ze opnieuw verliefd op hem is. Hij streelt snel met zijn hand over haar wang, voordat ze haar hoofd weer van zijn schouder heft.

'Het gehele eiland wordt overdekt door de afzuigkap. Geen overbodige luxe. Op die manier kun je frietjes bakken of elektrisch wokken zonder dat de geur zich door het hele huis verspreidt.' Hij rimpelt zijn korte stompe neus even om de laatste woorden te onderstrepen en schuift dan een lade onder het aanrecht open. 'Zoals u ziet, is de keuken van al deze toestellen voorzien.' Giel en Manon buigen gezamenlijk hun hoofd voorover om in de diepe lade te kijken. Naast elkaar staan een frietketel, een elektrische wok en een toestel dat Manon na enige moeite herkent als een steengrill. 'Kun je de heerlijkste stukjes biefstuk op maken', informeert Stiggels haar.

'Ongetwijfeld.' Haar ietwat sarcastische ondertoon ontgaat Stiggels volledig.

'Bevalt de keuken u?' vraagt hij.

'Ach, ik ben al blij als de keukenvloer niet helt', antwoordt Manon laconiek. Stiggels kijkt haar bevreemd aan. Giel bijt even op de binnenkant van zijn wang, enerzijds om te vermijden dat hij het uitproest, anderzijds omdat hij denkt te weten hoe oprecht Manon op dit moment is. Manon blijft de makelaar recht in de ogen kijken totdat hij zelf wegkijkt.

'Zullen we dan maar naar de woonkamer gaan?' Met een weids gebaar trekt hij de twee helften van de schuifdeur uiteen die de keuken van de woonkamer scheidt. Manon slaakt spontaan een kreetje. De ruimte is schitterend! In een huis als dit verwacht je een lange rechthoekige woonkamer, eventueel opgedeeld in twee delen, met al dan niet een tussendeur. Hier heeft men dat concept volledig doorbroken door met verschillende niveaus te werken. Er is een zithoek die dieper gelegen ligt, waar ook de aansluiting voor de televisie zichtbaar is. Op een tussenverdieping kunnen meubels zo geplaatst worden dat je televisie kunt kijken als je dat wilt, maar even goed rustig de krant kunt lezen of met je bezoek kunt praten. Op het niveau waarop zij zich met zijn drieën bevinden, staat een lange moderne tafel met zes stoelen. De woonkamer lijkt onlangs geverfd in lichtgrijze tot blauwe tinten, waarbij er met lichtere kleurschakeringen is gewerkt op de laagste verdieping en naar boven toe de kleuren verdonkeren.

'De vrouw van het koppel dat het huis vroeger huurde, had een bijzonder goede smaak', beaamt Stiggels de bewonderende blikken van Giel en Manon.

'Je zegt het alsof je het spijtig vindt dat ze elders een woning zijn gaan zoeken', merkt Manon op. 'Waarom zijn ze eigenlijk verhuisd? Hebben ze misschien iets gekocht?'

'Ach, mevrouw.' Stiggels zucht theatraal. 'Het is een bijzonder onaangenaam verhaal dat ik jullie liever bespaar.'

'Ze zijn gescheiden', concludeert Manon snel. Giel geeft haar een lichte stomp met zijn elleboog. Manon kijkt hem beschuldigend aan en wrijft met haar hand over haar zij waar hij haar geraakt heeft. 'Was het dat maar geweest.' Stiggels lijkt niet meteen van plan er verder op in te gaan. 'We gaan nu via de trap naar de eerste verdieping. Daar hebben we twee slaapkamers, een kleine kantoor- of hobbyruimte, een badkamer met toilet. Oh ja, beneden hebben we uiteraard ook nog een toilet, daar achter die deur. Hij wijst naar een deur in de lange gang. Daar kunt u gerust straks nog een kijkje nemen.' Hij lijkt plots niet meer op zijn gemak. 'Maar laten we eerst naar boven gaan.' Onder aan de trap haalt hij hoorbaar adem en begint de klim naar boven met duidelijke tegenzin. De trapleuning gebruikt hij om zijn gewicht naar boven te trekken, zijn benen kunnen het niet meer alleen aan. Manon en Giel wachten geduldig tot hij boven is alvorens ze zelf achter elkaar met gemak de vijftien treden nemen. Boven haalt meneer Stiggels zijn zakdoek uit zijn broekzak en veegt het parelende zweet van zijn voorhoofd. 'Zoals u ziet...' hijgt hij '... is ook de trap qua materiaal volledig geïntegreerd in het interieur. Ik zou de precieze benaming van de gebruikte producten moeten opzoeken, maar de metalige *look and feel* komt terug in het hele huis.' Manon griezelt van de typische marketingverwoording. Giel glimlacht als hij het merkt. 'Bijvoorbeeld in de klinken en de verdere afwerking van de deuren.' De man heeft gelijk. Door de perfecte afstemming van kleuren en materialen geeft de gang waarop de verschillende deuren uitkomen de indruk een kamer op zich te zijn.

'Ook het werk van de vorige huurster?' Meneer Stiggels kijkt haar even aan en schudt zijn hoofd.

'Nee mevrouw, dat is het werk van de binnenhuisarchitect.'

'Meneer Stiggels, ik wil niet onbeleefd zijn, maar kunt u ons niet wat meer vertellen over de reden waarom de vorige huurders vertrokken zijn?' Meneer Stiggels antwoordt niet meteen. Alleen zijn hijgende ademhaling is te horen als hij met zijn rug naar Giel en Manon door de gang naar de eerste kamer sjokt. Met de klink van de deur in zijn hand draait hij zich naar haar toe: 'Ze zijn niet vertrokken, mevrouw, ze zijn overleden.' Hij zwaait de deur open. Giel en Manon blijven op de gang staan, verbouwereerd. Meneer Stiggels gaat de kamer in en blijft precies in het midden staan. 'Een eenvoudige slaapkamer van ongeveer zes bij vijf meter, meer dan ruimte genoeg voor een bed en een kledingkast. Het raam geeft uitzicht op de tuin. De tuin reikt trouwens tot daar waar u die houten paaltjes uit de grond ziet komen. Hij is volledig afgezet met draad. De vorige huurders hadden een hond, vandaar.' Het was het ideale moment om Wubbel te vermelden, maar noch Manon, noch Giel denkt eraan. 'De tuin sluit aan op de grasweiden voor de koeien; de boer woont enkele straten verder. Hij is overigens een heel aimabele man bij wie je voor een prikje heerlijke aardappelen en groenten vers van het land kunt kopen. Een aanrader.' Manon en Giel laten de informatie over zich heen gaan. Zonder dat ze de kamer hebben betreden, komt de heer Stiggels al weer op de gang staan en sluit de deur achter zich. 'Dan is het de beurt aan de badkamer', vervolgt hij zijn tour.

'Meneer Stiggels?' Manons stem klinkt veel minder hard dan voorheen, eerder meevoelend, bijna flemend. 'Hoe zijn ze gestorven? De vorige huurders, bedoel ik.'

'Ze zijn niet samen gestorven. De vrouw is dood aangetroffen, beneden aan de keldertrap, daar komen we zo dadelijk nog.' De man was niet gemakkelijk van zijn werk af te leiden. 'De badkamer is voor het merendeel met teak ingericht, faiencetegels op de vloer, een inloopdouche, kortom: het betere werk.' In tegenstelling tot wat het geval was bij de slaapkamer blijft de gezette man nu in de gang staan en nodigt Manon en Giel uit de badkamer te betreden. Terwijl Giel alle details van de kamer in zich opneemt, kijkt Manon oppervlakkig rond en vraagt:

'Hoe is ze gestorven? Toch niet door de val?'

'Manon!' wijst Giel haar terecht. Hij wordt overvallen door een plaatsvervangend schaamtegevoel. Ze is zo verdomd nieuwsgierig! Hij loopt de douche in. 'Manon, kom eens kijken, hier hangt een regendouchekop. Daar ben je toch gek op?' Manon steekt even haar hoofd om het muurtje van de douche en knikt.

'Inderdaad, leuk!' Maar haar interesse is niet echt gewekt. Als ze beiden opnieuw op de gang staan, steekt meneer Stiggels ongevraagd van wal.

'Het was voor het oog van iedereen een attent koppel, altijd bereid je te helpen of hun schouders mee onder een wijkfeest of dergelijke te zetten. Zij was een opvallend mooie vrouw, jong. Ze waren beiden nog jong. Te jong om te sterven natuurlijk. Ze had een eigen evenementenbureau en voor zover ik weet was dat ook het enige vaste inkomen van die twee. Haar man, of vriend, hoe heet dat tegenwoordig als je ongehuwd samenwoont?' Giel wil antwoorden, maar krijgt daarvoor niet de gelegenheid. 'Die man was iemand van twaalf stielen en dertien ongelukken. Als hij ergens een job kreeg aangeboden, werd hij binnen de kortste keren aan de deur gezet. Ik zeg zulke zaken niet graag, maar die vrouw verdiende beter. Echt waar.' Stiggels zucht diep terwijl hij nog een deur opent en zonder woorden de ruimte laat zien. Aan de afmetingen te zien moet het om de hobbykamer gaan waarover hij sprak. Hier ligt parket op de vloer. Zonder veel aandacht lopen Manon en Giel er even door. Beiden wachten tot de man verder vertelt. Hij lijkt echter in gedachten verzonken. Nog voor Manon en Giel de hobbykamer verlaten, staat hij reeds bij de laatste deur. 'Dit, ten slotte, is de tweede slaapkamer, de mooiste ook en net iets groter dan die aan de overkant.' Meneer Stiggels is opnieuw makelaar. 'De kamer heeft ingebouwde kasten, waardoor je veel meer ruimte overhoudt om het verder naar eigen smaak in te richten. Sommige mensen hebben graag een tv of pc op de kamer, maar een kingsize waterbed is even goed mogelijk.' Stiggels blijft afwachtend staan.

'Ook een mooie kamer', vindt Manon.

'Het hele huis is pico bello afgewerkt, nergens een mankementje, het lijkt zo uit een boekje te komen.'

'Het is dan ook vrij recent verbouwd, meneer', antwoordt Stiggels op Giels opmerking. 'De vorige huurders zijn er als eersten na de verbouwingen ingetrokken en zij hebben hier net geen drie jaar gewoond.' Manon en Giel knikken. 'De vrouw slechts twee jaar,' voegt hij er nog aan toe, 'een pijnlijk verlies.' In stilte lopen ze de trap af. 'We zullen meteen verdergaan naar de kelder; dan heb je het hele huis gezien.' Ze lopen opnieuw door de gang op de benedenverdieping richting keuken. Vlak voor de keuken draaien ze een hoek om. Onder de trap is onopvallend een deur ingewerkt. Noch Giel, noch Manon hadden het gezien bij het bezoek aan de keuken. Stiggels haalt een sleutel tevoorschijn en steekt deze in het slot. Hij moet de deur met de klink even naar zich toe trekken voordat hij de sleutel gedraaid krijgt. De lichtschakelaar is een gemoderniseerde versie van de zware tuimelschakelaars van vroeger. Hij knipt het peertje onder aan de trap aan.

'Daar lag ze.' Giel kan het even niet volgen.

'Wie?'

'De vorige huurster natuurlijk', sist Manon licht verwijtend.

'Boze tongen beweren dat het geen ongeluk was.'

'Hoezo?' Manon brandt van nieuwsgierigheid. Dit is ongemeen spannend.

'Ach, ik wil jullie geen angst aanjagen. Straks denken jullie nog dat het hier spookt.' Ze lachen alle drie. Het is in de verste verte niet spontaan.

'Kun je ons nog meer vertellen?' Giel kijkt opnieuw berispend in Manons richting. Ze antwoordt door haar schouders op te halen.

'Jullie zullen het hele verhaal toch te horen krijgen, mochten jullie besluiten hier te komen wonen, dus kan ik het maar beter meteen uit de doeken doen.' Manon knikt bemoedigend. 'Sophie, zo heette ze, heeft er nooit met een woord over gerept, maar de lasterpraat deed vermoeden dat haar man aan de drank was. De buurvrouw zou later aan de politie verklaren dat zij regelmatig hoorde hoe hij haar uitschold, brulde, tierde. Er vielen ook dingen stuk, beweerde ze. Maar Sophie liet nooit iets merken. Op straat knikte ze je vriendelijk toe. Er leek geen vuiltje aan de lucht. En als je haar vroeg hoe het ging, kon het volgens haar zelden beter. Het arme ding. Kunnen jullie alleen verder?' Manon was even uit haar lood geslagen. 'De trap is me te steil', verduidelijkt hij gebarend naar de sterk dalende treden.

'Ik ga wel', stelt Giel voor. Terwijl Giel naar beneden loopt, draait Manon zich opnieuw naar de makelaar:

'Ga vooral verder met uw verhaal, meneer Stiggels.'

'Tja, veel valt er niet meer te vertellen. Zij werd door hem op een morgen in juni beneden aan de keldertrap gevonden. Uiteraard kwam er politie aan te pas. De buren werden ondervraagd. Hijzelf werd verschillende malen door een auto opgehaald voor verhoor en weer naar huis gebracht. Het heeft ettelijke weken geduurd en elke keer als er een combi van de politie de straat in reed, stond de buurt in rep en roer. De man werd wel in verdenking gesteld, maar bij gebrek aan bewijslast niet veroordeeld. Hij heeft zich heel het proces aan zijn initiële verklaring gehouden dat hij zich niet kon herinneren wat er gebeurd was. Hij zou in slaap zijn gevallen op de bank voor de televisie en de volgende morgen pas op zoek zijn gegaan naar Sophie. Hij vond haar niet in bed zoals hij verwacht had en is toen elke andere kamer van het huis gaan doorzoeken om haar uiteindelijk onder aan de keldertrap te vinden. Ze is gestorven door een bloeding in het hoofd. Ongetwijfeld een gevolg van de val, maar dat kon blijkbaar niet eenduidig bewezen worden.' De makelaar krabt schaamteloos aan zijn dikke buik, net boven de broekriem, die opnieuw gezakt is. 'Tja, hij had gedronken uiteraard. Dat neemt iedereen toch aan.' Hij last een pauze in. 'Het schijnt dat je dan last kunt hebben van geheugenverlies. Zo heeft de dokter op het proces toch beweerd. Retrograde amnesie noemde hij het.' Manon luistert aandachtig. Ondertussen beschrijft Giel op de achtergrond wat er in de kelder te zien is, maar noch de makelaar, noch Manon besteden er enige aandacht aan. 'De hele straat, wat zeg ik, het hele dorp heeft de rechtszaak bijgewoond. Ook ik. Iedereen wilde de details kennen. Er werd over niets anders meer gepraat. De vuile was van een ander is altijd mooi om te zien, nietwaar?' Manon heeft de uitdrukking nog nooit gehoord, maar knikt begrijpend. 'Van rechtswege was daarmee de zaak rond, maar dat was buiten de geruchtenmolen gerekend. Die kwam daarna pas goed op gang: niemand die geloofde dat hij werkelijk onschuldig was. Hij bleef steevast ontkennen, maar dat bracht weinig zoden aan de dijk.' Stiggels last opnieuw een pauze in, mijmert even terwijl hij met de sleutels in zijn hand speelt. 'Leuk was het natuurlijk niet,' vervolgt hij begripvol, 'mensen keken hem na op straat. Er werd veel geroddeld. Heel veel geroddeld. Achterklap van de bovenste plank.' Hij zucht en veegt een dikke druppel vocht op zijn wang weg; was de man geëmotioneerd of zweette hij nog steeds van het trappenlopen? 'Hij verloor voor de verandering nog een keer zijn baan en als gevolg daarvan verergerde het drinken. Zijn dronken buien waren dan weer koren op de roddelmolen. Hij ging eraan ten onder.' Giel was ondertussen weer boven.

'Prima kelder, niets van vocht te bespeuren en meer dan genoeg plaats voor een wijncollectie', grapt hij. Manon gaat er niet op in. Giel kijkt van de ene naar de andere en begrijpt dat hij beter kan zwijgen.

'Wat bedoel je? Werd hij depressief?'

'Ja, hij zal wel depressief geweest zijn, anders neem je niet zo een drastische beslissing: hij heeft zelfmoord gepleegd. Hier in dit huis, nota bene, maar misschien kan ik jullie dat beter niet vertellen.' Manon wuift het weg.

'Dat doet toch niets af aan de schoonheid van het huis, meneer Stiggels', verzekert ze. Stiggels glimlacht haar dankbaar toe, een beetje verlegen, tot haar verbazing.

'Hij heeft zich opgehangen, enkele maanden na het overlijden van zijn vrouw, vriendin, hoe je het ook noemen wilt. Precies daar waar hij haar gevonden heeft. Onder aan de keldertrap. Het leek wel een postmortale bekentenis.'

'Oh nee!' Manon slaat haar hand voor haar mond. Het is hypocriet, want echt aangedaan is ze niet, eerder hongerig naar meer. Giel daarentegen zet grote ogen op.

'Iedereen is ervan geschrokken. De mensen van de buurt voelden zich schuldig, vanwege het roddelen uiteraard. Alsof zij hem persoonlijk aan de koord hadden gehangen. Een heel spijtige zaak.' Stiggels lijkt hiermee het verhaal te willen afsluiten. 'Maar goed, het verleden ligt achter ons, nietwaar? En het blijft een prachtig huis, zoals u zei. Willen jullie nog even op jullie gemak rondkijken?' Manon en Giel kijken elkaar enkele seconden aan en komen stilzwijgend tot een consensus:

'Nee, dank je, dat hoeft niet. Wij gaan er nog even rustig over nadenken en ik neem zo snel mogelijk contact met u op.' Giel steekt zijn hand naar meneer Stiggels uit ten teken dat hij de rondleiding als afgerond beschouwt. De kleine mollige hand met korte vingertjes schudt de slanke hand van Giel. Manon moet tevreden zijn met een korte knik. Beiden worden getrakteerd op een brede glimlach als Stiggels zegt:

'Ik hoop dat het huis desondanks in de smaak gevallen is. U hebt mijn gegevens als u nog bijkomende informatie wenst of – beter nog – als u besloten hebt het huis te huren. Ik begeleid jullie nog even naar de deur.' Hij strekt uitnodigend een arm uit in de richting van de voordeur. Manon schuifelt hem voorbij, Giel volgt haar. Op de drempel is het wat ongemakkelijk afscheid nemen. Alle formele woorden werden reeds gezegd. Manon zet enkele stappen achteruit en kijkt nogmaals naar de gevel van het huis voor een algemene indruk.

'Toch nog even een impressie opdoen.' Kinds huppelt ze naar de voordeur en drukt op de bel. Onmiddellijk weerklinkt luid een veelstemmig melodietje in de gang. 'Wow, het geluid van de bel is wel overtuigend!' zegt ze ludiek. Het heeft het gewenste effect: zowel Giel als de makelaar schieten in de lach. 'Maar na uw verhaal, meneer Stiggels, zou ik u toch aanraden de namen van de vorige huurders onder de bel te verwijderen. Het lijkt wel een grafzerk.' Stiggels kijkt snel naast zich naar de muur en giechelt licht verwijfd.

'U hebt gelijk. Dat kan natuurlijk niet.' Hij probeert het vergeelde kaartje vruchteloos uit de houder te peuteren.

'Laat mij maar even,' biedt Manon aan, 'ik knip mijn nagels niet kort.' Ze stapt dichterbij en haalt met gemak het kaartje uit de gleuf. Haar ademt stokt als ze de in kalligrafie geschreven boodschap leest: *Sophie Verlaegen & Daniël Verrichte heten u welkom.*

© 2011 Uitgeverij Manteau / WPG Uitgevers België nv,
Mechelsesteenweg 203, B-2018 Antwerpen en Inge Pelemans
www.manteau.be
info@manteau.be

Vertegenwoordiging in Nederland
WPG Uitgevers België
Herengracht 370/372
NL-1016 CH Amsterdam

Omslagontwerp: Kris Demey
Foto achterplat: Koen Broos

ISBN 978 90 223 2622 0
D/2011/0034/228
NUR 301